Samuel Escobar

En busca de Cristo en América Latina

EDICIONES
KAIROS

Escobar, Samuel

En busca de Cristo en América Latina / Samuel Escobar;
dirigido por C. René Padilla - 1a ed. - Florida: Kairós, 2012.

496 pp.; 20x14 cm.

ISBN 978-987-1355-45-7

1. Cristología. 2. Evangelismo. I. C. René Padilla, dir.

CDD 232.91

Dedico esta obra
a mis compañeros de peregrinaje
Pedro Arana y René Padilla.
También a Emma Arias de Arana,
y a la memoria de Catalina Feser de Padilla.

Agradecimientos

Aunque al poner su nombre a un libro quien escribe asume la responsabilidad personal por todo lo que ha escrito, en la producción de un manuscrito intervienen siempre muchas personas. Mis lectores percibirán cuánto debe mi reflexión al trabajo de otros. Comprobarán que soy partidario de citas que comuniquen algo del fondo y forma del pensamiento que voy comentando. Sabiendo que los teólogos latinoamericanos escribimos «entre gallos y medianoche» y en medio de las fuertes demandas de nuestros ministerios, agradezco a cuantos me han enriquecido con su pensamiento.

De manera particular quiero agradecer a René Padilla en Buenos Aires por haber creído en este proyecto y haber insistido conmigo, durante varios años, animándome a completarlo. Él y Pedro Arana en Lima, compañeros de peregrinaje de toda una vida, han leído buena parte del manuscrito y me han hecho sugerencias y comentarios valiosos. Bill Mitchell en Canadá, y Pauline Hoggarth en Escocia han leído algunos capítulos y me han guiado a materiales valiosos para matizar juicios y ampliar perspectivas, especialmente en relación con las misiones católicas y la experiencia religiosa de los indígenas latinoamericanos. Juan Stam y Plutarco Bonilla en Costa Rica han leído algunos capítulos y me han hecho preguntas y sugerencias muy oportunas. Aquí en Valencia, donde vivo, mis amigos y colegas Eduardo Delás y Pablo Wickham no sólo me han animado a completar el proyecto sino que han puesto sus excelentes bibliotecas a mi disposición, con generosidad. La Biblioteca de la Facultad de Teología Protestante UEBE en Madrid ha sido también de gran ayuda y agradezco a todo su personal. Mi amigo y buen vecino Paco Bernal me ayudó en la impresión del manuscrito original que hizo posible la revisión cuidadosa del texto en un momento crítico. A todos ellos mi gratitud profunda.

Agradezco a mis hijos Lilly Ester y Alejandro quienes siempre me han animado a seguir escribiendo. Lilly Ester es una ayuda insustituible en el cuidado de mi esposa Lilly, lo cual me libera algunas horas por día para poder continuar escribiendo.

Contenido

Introducción 7

1. Del pobre Cristo al Cristo de los pobres 15

2. El Cristo ibérico que cruzó los mares 35

3. Ese otro Cristo de los indios 59

4. El Cristo de la predicación protestante inicial 87

5. Inicios de una Cristología evangélica 111
   latinoamericana

6. Cristo en el pensamiento 137
   del Protestantismo ecuménico

7. Cristología en tiempos de revolución 169

8. Renovación cristológica en el Catolicismo 201

9. Jesucristo y los revolucionarios 233

10. El Reino de Dios 269

11. América Latina entra en la escena teológica 301

12. Otra vez Cristo en la cultura latinoamericana 333

13. El tiempo de la sistematización 365

14. Jesús y el estilo de vida y misión del Reino 397

15. Con Jesús en la misión global 431

16. Las líneas de la reflexión presente 465

INTRODUCCIÓN

El nombre y la figura de Cristo marcan a Iberoamérica. Hay también otros nombres y otras figuras que se proyectan sobre el continente, pero no se puede negar la presencia de Cristo especialmente en la cultura recibida de la época colonial que ha persistido en el arte, la arquitectura, el folklore, la literatura y hasta los proverbios populares. Esta presencia de lo cristiano la trajeron primero los españoles y portugueses, en el siglo dieciséis. El Cristo de la península ibérica llegó al Nuevo Mundo tanto mediante la presencia y forma de vida de los conquistadores, como por la prédica de los misioneros que los acompañaron. No siempre es fácil separar la espada de la cruz en el examen histórico de esa época de conquista. La forma de religiosidad a que dio lugar el impacto de ese Cristo ibérico fue gestándose como resultado de un largo y penoso proceso. Primero tenemos el traumático encuentro de los españoles y portugueses con las culturas indígenas y después con la africana: los europeos conviviendo por primera vez con «el otro» en tierras de ultramar, separadas de Europa por un océano. Luego los avatares del proceso de conquista y dominación, en el cual la superioridad tecnológica, la astucia militar y la alianza con pueblos enemigos dominaron imperios indígenas a velocidad sorprendente, dando en algunos casos lugar a genocidios. Vino a continuación el desarrollo de las instituciones eclesiásticas, el Catolicismo instalado como poder durante el largo período de pertenencia a los imperios español y portugués, en medio de tensiones entre el poder civil y el militar por un lado, y por otro entre los misioneros sacrificados y los funcionarios impacientes.

Al quebrarse el orden colonial en las primeras décadas
del siglo diecinueve el papel del cristianismo en la sociedad
sufrió también transformaciones. El continente experimentó
los comienzos de un proceso de secularización y de penetración de los movimientos de expansión comercial y cultural
de Gran Bretaña y los Estados Unidos. Las elites intelectuales
emancipadoras criticaron o rechazaron el orden colonial,
incluyendo el papel de la iglesia y la ideología religiosa que
sostenía el imperio, pero la iglesia tenía arraigo político y fue
poco a poco reconquistando el poder. Ese es el momento en
el cual hace su aparición el Protestantismo en Iberoamérica.
Cualquier reflexión sobre la presencia protestante ha de hacerse recordando que la predicación protestante inicial se
da contra el trasfondo de una cristiandad en decadencia o
transformación, y no en el seno de un paganismo puro. Sólo
en el caso de las comunidades nativas de las zonas selváticas
se puede decir que el ambiente en el cual predican los misioneros protestantes es totalmente extraño al cristianismo. En
este estudio voy a referirme a la forma en que el pensamiento
evangélico latinoamericano interpretó la realidad espiritual
del continente y articuló su mensaje acerca de Jesucristo.[1]

El Protestantismo tiene en la actualidad una presencia
vigorosa en América Latina. Especialmente las iglesias pentecostales y evangélicas que podrían ser descritas como formas
de «protestantismo popular» han venido creciendo numéri-
camente en forma notable, y haciendo sentir su presencia.
La significación social y política de esta minoría es ahora
objeto de atención por parte de los estudiosos de la realidad

---

1 Aquí amplío una investigación de la cual ofrecí trabajos parciales en mi libro *De la misión a la teología*, Kairós, Buenos Aires, 1998, pp. 7-42; y en mi
   contribución a Pedro Arana, Samuel Escobar, C. René Padilla, *El trino Dios
   y la misión integral*, Kairós, Buenos Aires, 2003, pp. 73-113.

latinoamericana. En el mundo académico, que en el pasado
estuvo dominado por sectores marxistas o católicos, se ha
ido superando la indiferencia u hostilidad con que siempre
fue tratado el protestantismo latinoamericano. Las jerarquías
católicas del continente y algunos sociólogos no actualizados
continúan interpretando este crecimiento protestante con la
clave de una teoría de la conspiración que lo atribuye a un
plan de penetración ideológica proveniente de los Estados
Unidos. Sin embargo hacia la tercera década del siglo veinte ya
había un protestantismo latinoamericano con características
propias reconocidas. En la década de 1990 un antropólogo
norteamericano escribió un libro de más de 400 páginas cuyo
título es una pregunta candente: «¿América Latina se vuelve
protestante?»[2]

He escrito este libro con la convicción de que hay una realidad histórica y social bien establecida que se puede describir
como protestantismo latinoamericano, y que es posible trazar
el mapa de un desarrollo teológico en el seno de ese protestantismo. Para empezar, me remito a un esfuerzo interpretativo de
esa realidad que es un libro denso, claro y teológicamente bien
informado: *Rostros del Protestantismo latinoamericano,* por el
teólogo argentino José Míguez Bonino.[3] En la introducción de
su obra Míguez Bonino plantea la cuestión y da por sentado
que existe un sujeto llamado protestantismo latinoamericano.
Sin embargo, refiriéndose al título de su libro «Rostros del
protestantismo latinoamericano» dice: «La imagen que evoca
el título que he elegido es ambigua; ¿son 'rostros' distintos
porque se trata de diferentes sujetos? ¿O son 'máscaras' de

---

2   David Stoll, *¿América Latina se vuelve protestante?*, Abya-Yala, Quito, s/f. El
    original en inglés apareció en 1990 publicado por la Universidad de Califor-
    nia.

3   José Míguez Bonino, *Rostros del protestantismo latinoamericano*, Nueva
    Creación, Buenos Aires, 1995.

un sujeto único, y en ese caso, cuál es el rostro que se oculta tras esas máscaras?»[4]

Míguez estudia el rostro liberal del protestantismo latinoamericano, el rostro evangélico, el rostro pentecostal, y el rostro étnico. La lucidez proverbial de su análisis va precedida de una toma de posición existencial que Míguez ofrece casi en tono de confidencia, al decirnos que tomó su decisión de ocuparse del tema porque quería aclarar para sí mismo su propia «identidad confesional y doctrinal». Y prosigue diciendo eso que tantos otros que nos ocupamos en estos menesteres diríamos también, con la misma *fuerza vivencial* que él pone en el párrafo citado:

> ...si trato de definirme en mi fuero íntimo, lo que 'me sale de adentro' es que soy *evangélico*. En ese suelo parecen haberse ido hundiendo a lo largo de más de setenta años las raíces de mi vida religiosa y de mi militancia eclesiástica. De esa fuente parecen haber brotado las alegrías y los conflictos, las satisfacciones y las frustraciones que se han ido tejiendo a lo largo del tiempo. Allí brotaron las amistades más profundas y allí se gestaron distanciamientos dolorosos; allí descansan las memorias de los muertos queridos y la esperanza de las generaciones que he visto nacer y crecer.[5]

Personalmente me sitúo en lo que llamo «Protestantismo evangélico», uno de los rostros que Míguez describe con precisión. Ello significa que reconozco que hay dentro de América Latina un hecho histórico y actual denominado Protestantismo, que es polifacético, y que mi propia posición es uno de esos rostros. No voy a detenerme aquí en un estudio

---

4 *Ibid.*, p. 8.
5 *Ibid.*, p. 6.

de las diversas interpretaciones del hecho protestante que
he intentado examinar en otros trabajos.[6] Reconozco que
mi percepción está determinada y limitada por mi propia
experiencia del Protestantismo, y que a veces al usar el término «evangélico» lo he hecho para referirme a las formas de
Protestantismo más cercanas a la que yo profeso.[7] Al mismo
tiempo, sin embargo, me siento solidario con la cuidadosa
caracterización de Míguez respecto a las marcas históricas de
nuestro evangelicalismo, con sus luces y sombras y con todas
las salvedades necesarias. Por encima de todo, yo siempre he
sentido la convicción que Míguez expresa tan bien:

> Lo que he llamado 'el rostro evangélico del protestan-
> tismo latinoamericano' define su identidad desde el
> comienzo y hasta el presente. *Y no es pensable una
> identidad protestante latinoamericana que excluya
> estos rasgos. Es más, me atrevería a decir que el futuro
> del protestantismo latinoamericano será evangélico o
> no será.*[8]

En su prefacio y a lo largo de su libro, Míguez señala con
precisión que hay áreas de nuestra historia y nuestra manera
de ser como evangélicos latinoamericanos que recién están ex-
plorándose, pero que son indispensables para la reflexión sobre
nuestra identidad. Ofrezco este estudio como aproximación a
una de esas áreas que requieren exploración, y es la forma en
que los protestantes latinoamericanos pensaron y proclamaron
su fe en Jesucristo a lo largo del siglo veinte. Creo que el núcleo
del pensamiento evangélico en América Latina es cristológico.

---

6   La versión más reciente está en una de las páginas web de la Fraternidad
    Teológica Latinoamericana, www.cenpromex.org.mx
7   Tal fue el comentario de Mortimer Arias a mi libro *La fe evangélica y las teologías
    de la liberación,* Casa Bautista de Publicaciones, El Paso, Texas, 1987.
8   Míguez Bonino, *op.cit.,* p. 51, énfasis del propio autor.

Así lo ha expresado Justo L. González: «La teología no es cuestión de especular acerca de los más recónditos misterios de la sustancia divina; es cuestión de hablar de Dios allí donde Él se nos da a conocer: en Jesucristo el Señor.»[9]

La centralidad del tema cristológico se explica tanto por la herencia teológica recibida del protestantismo misionero como por la respuesta contextual a la realidad cultural y espiritual de América Latina, un continente nominalmente cristiano. Emilio Antonio Núñez ha dicho con toda claridad que «Si el Cristo católico llegó a nosotros vía España, el Cristo del protestantismo ha venido de otros países europeos –como Inglaterra, Francia y Holanda– y de los Estados Unidos de Norteamérica... El Cristo protestante representa la herencia de los reformadores religiosos del siglo XVI, aunque Él no se originó con ellos ni por medio de ellos.»[10] Núñez describe las notas del Cristo que los evangélicos recibieron como su raíz bíblica, su mensaje salvífico «que tiene como centro y circunferencia a la persona de Jesucristo» y su visión individualista. Míguez coincide con esta descripción de Núñez y así nos dice: «El protestantismo misionero latinoamericano es básicamente «evangélico» según el modelo del evangelicalismo estadounidense del «segundo despertar»: individualista, cristológico-soteriológico, en clave básicamente subjetiva, con énfasis en la santificación.»[11]

He seguido una aproximación generacional a mi tema, tomando a algunos pensadores que me parecen representativos y que trato de comprender en el marco de su momento histórico. He agrupado a los pensadores estudiados en cuatro generaciones a las cuales describo de la siguiente manera.

---

9 Justo L. González, *Jesucristo es el Señor*, Caribe, San José, 1971, p. 12.
10 Emilio Antonio Núñez, *El Cristo de Hispanoamérica*, Ediciones Las Américas, México, 1979, pp. 16-17.
11 Míguez Bonino, *op.cit.*, p.46.

1) Los precursores: la generación de misioneros que además de realizar su tarea misionera reflexionaron acerca de ella y nos han dejado obras escritas de valor perdurable. 2) Los fundadores: ésta es la primera generación de latinoamericanos que nace con el siglo, poco antes o poco después. Se trata de personas que crecieron en hogares protestantes y tenían arraigo en el Evangelio. 3) Los Protestantes ecuménicos: es la generación de pensadores provenientes de las denominaciones clásicas de más arraigo y que se formaron y movieron en el ámbito del movimiento ecuménico vinculado al Consejo Mundial de Iglesias. 4) Los Protestantes evangélicos: la generación de pensadores provenientes tanto de denominaciones tradicionales como de iglesias independientes y que se agruparon en la Fraternidad Teológica Latinoamericana.

Un método generacional tiene sus dificultades porque varias de las figuras a las cuales voy a referirme trascienden el tiempo de vigencia de una generación. Al determinar el ámbito eclesial y teológico del cual cada generación que menciono proviene, tengo que hacer referencias a diferentes sectores del protestantismo que a veces están separados por líneas rígidas. Sin embargo en el curso de este pensamiento tales líneas se han cruzado con frecuencia y hay además personas que han rehusado encasillarse demasiado en una línea particular. Completo el ciclo con una referencia a las generaciones más recientes y a algunos trabajos promisores.

Tomando en cuenta estas distinciones generacionales puedo ofrecer algo así como un desarrollo cronológico, aunque insisto que no se trata de un esquema rígido. Procuraré adentrarme en la comprensión de algunas obras claves de estos autores que pueden servir como hitos para detectar el itinerario del pensamiento evangélico latinoamericano. Lo que intento aquí es apenas presentar un bosquejo en el cual otros podrán profundizar si lo creen válido.

1

DEL POBRE CRISTO
AL CRISTO DE LOS POBRES

¡Desgraciado Almirante! Tu pobre América
tu india virgen y hermosa de sangre cálida,
la perla de tus sueños, es una histérica
de convulsivos nervios y frente pálida...

Desdeñando a los reyes, nos dimos leyes
al son de los cañones y los clarines,
y hoy al favor siniestro de negros reyes
fraternizan los Judas con los Caínes...

Cristo va por las calles flaco y enclenque,
Barrabás tiene esclavos y charreteras,
y las tierras de Chibcha, Cuzco y Palenque
han visto engalonadas a las panteras.

Rubén Darío

Así escribía en 1892 el poeta Rubén Darío en su poema
«A Colón»,[1] una especie de inventario espiritual de América
Latina al cumplirse cuatro siglos de la conquista española.
Aquella india virgen y hermosa se había vuelto una mujer
histérica de convulsivos nervios y frente pálida. Se usa la
metáfora bíblica para describir las guerras fratricidas y la
violencia campante. Dentro de ese cuadro de decadencia y

---

1 Rubén Darío *Poesía Completa*, Fondo de Cultura Económica, México, 1952, p.
302.

decepción la figura de Cristo, para Darío como para muchos intelectuales y poetas, no era otra cosa que un mendigo flaco y enclenque que inspiraba lástima: un pobre Cristo. En varios países el Catolicismo oficial predominante se debatía entonces en una lucha contra las fuerzas liberales que lo veían como un estorbo para la modernización y el progreso. Era la visión que reflejaba Darío al describir a un Cristo que parecía jugar el papel social de víctima impotente, cuando no instrumento de dominación, en un mundo regido por el poder militar corrupto y cruel.

Exactamente un siglo más tarde, al cumplirse en 1992 el quinto centenario de la llegada de los españoles, Gustavo Gutiérrez, un teólogo peruano favorecido por la popularidad en los círculos intelectuales progresistas de Latinoamérica, sacaba a luz una monumental obra de setecientas páginas con este título elocuente: *En busca de los pobres de Jesucristo.*[2] Se trata de un laborioso estudio que le llevó al autor unos veinte años. Centrándose en la figura de Bartolomé de las Casas, Gutiérrez también explora a su manera el papel social cumplido por el cristianismo de los conquistadores de América en el siglo dieciséis. La obra deja traslucir las profundas tensiones entre quienes convirtieron el mensaje de Cristo en un discurso para justificar la conquista militar, y aquellas otras figuras como Las Casas, quienes en nombre de Cristo se opusieron al abuso con inteligencia y vigor. Sorprende que transcurrido un siglo de transformaciones aceleradas de todo tipo, en América Latina, al hacer un diagnóstico social, cultural o espiritual, se pueda seguir usando como referencia a la figura de Cristo: el «pobre Cristo» de Darío en 1892 o el «Cristo de los pobres» de Gutiérrez en 1992. De hecho, se podría decir que durante el

---

2 Gustavo Gutiérrez *En busca de los pobres de Jesucristo. El pensamiento de Bartolomé de las Casas,* Centro de Estudios y Publicaciones, Lima, 1992.

siglo veinte el cristianismo tradicional institucionalizado fue perdiendo poder político y social mientras la figura de Cristo cobró nueva vigencia espiritual y cultural.

Examinar la figura de Cristo en el contexto de la cultura latinoamericana durante el siglo veinte es entrar en un mundo fascinante de poetas, sacerdotes, novelistas, guerrilleros, profetas sociales, misioneros heterodoxos y agitadores políticos. Es un mundo de tensiones entre una forma ibérica de cristianismo heredada de la colonia y una forma anglosajona de cristianismo que entra del brazo de liberales y masones; entre las sobrevivencias de religiosidad indígena y africana, vestidas de formas cristianas, y las corrientes renovadoras de un catolicismo «protestantizado» por los vientos del Concilio Vaticano II; entre las banderas rojas y negras del fundamentalismo católico de los militares argentinos que invocan a «Cristo Rey» en su guerra sucia por un lado, y por otro lado el «Cristo-Guevara» de los teólogos cubanos y del zelotismo guerrillero.

«El Cristianismo es Cristo» fue una de las frases favoritas del mensaje protestante evangélico en América Latina. Se afirma que en contraste con una religiosidad formal y estática, que adormece a las masas, la fe centrada en Jesucristo es potencia dinámica y transformadora. Cristo es quien todo lo hace nuevo, y al decir del apóstol Pablo, «si alguno está en Cristo es una nueva creación, las cosas viejas pasaron, todo es hecho nuevo». El encuentro con Cristo transforma radicalmente a las personas y las comunidades. Cristo no es sólo una palabra que evoca la figura del Maestro de Galilea, sino que en el nombre de Cristo hay un poder que cambia a los seres humanos aquí y ahora. Cristo es el modelo del nuevo ser humano, pero también el poder redentor para que nazca ese nuevo ser humano. Gracias a Jesucristo puede hablarse de una historia humana que tiene sentido, y de su tumba vacía brota la nota de esperanza con la cual puede enfrentarse la dimensión trágica de la condición humana. Lo ha expresado vigorosamente el obispo metodista y poeta argentino Federico Pagura en su conocido tango «Tenemos esperanza»:

> Porque Él entró en el mundo y en la historia;
> porque Él quebró el silencio y la agonía;
> porque llenó la tierra de su gloria;
> porque fue luz en nuestra noche fría;
> porque Él nació en un pesebre oscuro;
> porque Él vivió sembrando amor y vida;
> porque partió los corazones duros
> y levantó las almas abatidas.
>
> Por eso es que hoy tenemos esperanza;
> por eso es que hoy luchamos con porfía;
> por eso es que hoy miramos con confianza
> el porvenir...[3]

Cantado como los tangos argentinos, al son y el ritmo de un bandoneón acompañado por guitarra, contrabajo, piano y violín, este tango es una muestra de esa increíble vitalidad de la memoria de Jesucristo que de manera siempre fresca y renovada, y en una inmensa variedad de culturas y lenguas, sigue inspirando a nuevas generaciones de admiradores y seguidores en todas las latitudes del planeta.

Los caminos de la reflexión cristológica

La vitalidad de la experiencia cristiana brota del hecho de que tiene a Cristo en el centro mismo de la vida. También en la teología, que es reflexión acerca de la vivencia de la fe, la

---

3 Federico Pagura, «Tenemos Esperanza», tango con música de Homero Perera, *Cancionero abierto*, Vol.4, Escuela de música de ISEDET, Buenos Aires, 1979.

vitalidad viene de ese carácter cristocéntrico. Llamamos cristocéntrica a una forma de pensamiento teológico en la cual Jesucristo es el eje central alrededor de cuya persona y obra se articula la comprensión de todo el contenido de la fe. Por supuesto que toda teología que se precia de cristiana tiene su momento cristológico, su sección en la cual la reflexión se ocupa específicamente de la persona de Cristo y por ello se llama Cristología. Pero la teología cristocéntrica es la que articula todas sus partes y secciones alrededor del hecho central de la fe: el hecho de Cristo.

En la historia del pensamiento cristiano, la reflexión teológica se ha aproximado a Cristo por diversos caminos. Uno ha sido el de la Cristología que se concentra en el *desarrollo dogmático* posterior a los tiempos bíblicos. Desde el primer siglo los cristianos trataron de resumir lo que creían acerca de Cristo en algunas fórmulas o declaraciones breves que se conocen como «Credos.» De los primeros cuatro siglos de nuestra era vienen los credos Apostólico y Niceno aceptados por todas las grandes ramas de la cristiandad. La Cristología se organizaba entonces como un comentario actualizado de los grandes credos reconocidos por la Cristiandad a través de los siglos.

Lo que hicieron algunos de los grandes teólogos sistemáticos fue un esfuerzo por explicar esos credos o declaraciones de fe, en diferentes contextos. A su vez los maestros cristianos en un nivel popular creaban «catecismos» mediante los cuales las fórmulas dogmáticas se comunicaban al común de los fieles. Así, por ejemplo, en la época de la Reforma algunos libros importantes de reformadores como Lutero fueron los catecismos para explicar los credos a los creyentes sencillos o a los niños. Así mismo la gran figura de la teología del siglo veinte que fue Karl Barth articula su monumental trabajo dogmático como un comentario contemporáneo al Credo Apostólico. Tenemos en castellano un breve trabajo de Barth que sigue precisamente ese mismo esquema.[4] En el trabajo de los teólogos siglo tras siglo la Cristología toma formas nuevas según los diferentes momentos y contextos históricos y culturales en los cuales le toca vivir a la iglesia.

Otro camino es el de la teología bíblica que se concentra en el estudio de la forma en que se desarrolló el mensaje del Nuevo Testamento. Se trata no tanto de comentar los credos clásicos, sino de regresar a los documentos originales, examinando cómo los Evangelios, el libro de Hechos de los Apóstoles, las Epístolas y el Apocalipsis representan una progresiva toma de conciencia de los primeros creyentes en Cristo, respecto a la persona de Jesús de Nazaret, su obra y su significado: «el hecho de Cristo». Esta toma de conciencia se da primero dentro del contexto del mundo judío, en el cual la persona y los hechos de Jesús de Nazaret son interpretados progresivamente a la luz del Antiguo Testamento. Viene luego el paso al mundo gentil, en el cual la persona de Jesús se va comprendiendo contra el trasfondo de la cultura y la realidad social grecorromana del primer siglo. La rica variedad de las notas de la Cristología de los autores del Nuevo Testamento viene precisamente de la respuesta pastoral y teológica a las preguntas que va planteando el anuncio misionero de Jesucristo por las rutas que conectaban culturas y pueblos en el mundo mediterráneo de la Pax Romana.[5]

---

4   Karl Barth, *Bosquejo de Dogmática* La Aurora, Buenos Aires, 1954. Traducción del texto alemán por M. Gutiérrez Marín. Una edición más reciente es *Esbozo de Dogmática*, Sal Terrae, Santander, 2000, traducción de José Pedro Tosaus Abadía.

5   Un trabajo clásico de interpretación del material del Nuevo Testamento acerca de Jesucristo es el del Profesor de la Sorbona Oscar Cullmann, *Cristología del Nuevo Testamento,* Methopress, Buenos Aires, 1965.

Como se puede apreciar, los caminos de la teología dogmática o bíblica son los de una reflexión volcada más bien hacia adentro, al interior de las comunidades cristianas. Se puede seguir un tercer camino que busca más bien el *análisis cultural*, partiendo de la convicción de que el pensamiento cristiano es fruto de un proceso misionero en el cual el anuncio de Jesucristo cruza fronteras de todo tipo. Sería ésta una aproximación misiológica: las anteriores han mirado hacia adentro, y han tomado la fe tal como se expresa y se vive en determinado momento, en diálogo con el pasado. Ésta en cambio presta especial atención a los procesos de trasmisión. La narración acerca de Jesús en las páginas de los Evangelios, lo mismo que las formulaciones teológicas de las Epístolas o de la reflexión sistemática posterior, han tenido una poderosa influencia sobre las manifestaciones culturales de aquellas sociedades donde la fe cristiana encontró algún grado de arraigo. A su vez, la percepción cristiana del texto bíblico y la reflexión clásica ha recibido la influencia de las diferentes culturas en las que el Cristianismo arraigó. Tanto el desarrollo de las artes plásticas como el de la expresión musical y literaria en Europa, por ejemplo, registran el impacto de la figura de Jesucristo sobre la conciencia de la sociedad que llamamos occidental. Esto no sólo se refiere a las manifestaciones cultas de las élites, como la pintura del Greco o la música de Bach, sino también a las formas diversas de la cultura popular como el refranero español, los autos sacramentales o la imaginería latinoamericana. Por eso una tercera ruta de investigación cristológica es el análisis de los diversos elementos culturales en los cuales se percibe el impacto y la huella de Jesucristo.[6]

---

6 Un esfuerzo clásico para definir la metodología de este tipo de análisis es el libro de Richard Niebuhr, *Cristo y la cultura*, Ediciones Península, Barcelona, 1962. Un trabajo más reciente por Jaroslav Pelikan, profesor de la Universidad

Cristología en Iberoamérica

Lo que vamos a intentar en el presente estudio es una breve exploración en la vida espiritual de nuestros pueblos iberoamericanos, examinando diversas manifestaciones de la cultura predominante, en busca de la imagen de Cristo subyacente en ellas. Esta búsqueda se irá relacionando con el esfuerzo de pensadores cristianos de Iberoamérica por articular su propia experiencia y visión de Cristo, en diálogo con la realidad latinoamericana y la tradición cristiana de la cual son herederos. No se puede negar que la cultura iberoamericana refleja una definida presencia de lo cristiano. La trajeron primero los conquistadores y misioneros, españoles y portugueses, en el siglo dieciséis; y más tarde los emigrantes protestantes y los misioneros evangélicos, desde comienzos del siglo diecinueve.

El Cristo de la península ibérica llegó al Nuevo Mundo tanto mediante la presencia y forma de vida de los conquistadores, como por la prédica de los misioneros que los acompañaron. No siempre es fácil separar la espada de la cruz en el examen histórico de esa época de conquista. La forma de religiosidad a que dio lugar el impacto de ese Cristo ibérico fue gestándose como resultado de un largo y penoso proceso. Primero tenemos el traumático encuentro de españoles y portugueses con las culturas indígenas y la africana, los europeos conviviendo por primera vez con «el otro» en tierras de ultramar, separadas de Europa por un océano. Luego los avatares del proceso de conquista y dominación, en el cual la superioridad tecnológica, la astucia militar y la alianza con pueblos enemigos permitieron

---

de Yale, es *Jesús a través de los siglos,* Herder, Barcelona, *1989.* El subtítulo de esta obra en su original en inglés es «Su lugar en la historia de la cultura».

dominar imperios indígenas a velocidad sorprendente. A continuación el desarrollo de las instituciones eclesiásticas, el Catolicismo instalado como poder durante el largo período de pertenencia a los imperios español y portugués, en medio de tensiones entre el poder civil y el militar, entre los misioneros sacrificados y los funcionarios impacientes. Como demuestran investigaciones recientes no sólo los nativos de estas tierras sufrieron transformaciones traumáticas, sino los propios europeos conquistadores fueron transformados a su vez por su experiencia histórica y por el medio geográfico y la cultura nativa.[7]

Al quebrarse el orden colonial en las primeras décadas del siglo diecinueve el papel del cristianismo en la sociedad sufrió también transformaciones. El continente empezó a experimentar los comienzos de un proceso de secularización que fue desplazando a la Iglesia Católica Romana como institución formadora de la cultura, capaz de ejercer control social mediante la Inquisición o mecanismos parecidos. Ese es el momento en el cual hace su aparición el Protestantismo en Iberoamérica. Tenemos que recordar que la predicación protestante inicial se da contra el trasfondo de una cristiandad en decadencia o transformación, y no en el seno de un paganismo puro. Sólo en el caso de las comunidades nativas de las zonas selváticas se puede decir que el ambiente en el cual predican los misioneros protestantes es totalmente extraño al cristianismo.

Hoy en día, tanto para el Protestantismo como para el Catolicismo es importante comprender bien cómo se dio el encuentro entre la predicación evangélica y la religiosidad existente.

---

7 Solange Alberro *Del gachupín al criollo. O de cómo los españoles de México dejaron de serlo*, El Colegio de México, México, 1997.

Para todos es importante la pregunta: «¿Quién es Cristo hoy en América Latina?». Al cabo de estos largos y complejos procesos de cambio cultural ¿cómo han percibido a Cristo algunos intérpretes de la vida y la cultura latinoamericana en el siglo veinte? Nuestro estudio quiere ubicarse como un esfuerzo para responder, aunque sólo sea muy parcialmente, a esas preguntas, mediante un examen que sigue líneas teológicas, históricas y culturales. En última instancia la reflexión busca un regreso a las fuentes bíblicas y dogmáticas con la intención de plantear la purificación y eficacia del testimonio actual.

La teóloga católica Elizabeth Johnson nos recuerda que en 1951, al conmemorarse el Concilio de Calcedonia, que quince siglos antes había reconocido que «Jesucristo era verdaderamente Dios y verdaderamente hombre», el teólogo Karl Rahner publicó un trabajo seminal titulado «Calcedonia: ¿fin o principio?». Reconocía Rahner que en el pensamiento católico «la Cristología estaba paralizada y en un estado lamentable. El uso de manuales que explicaban a Cristo aplicando una lógica deductiva daba la impresión de que lo conocíamos de una forma completa y definitiva. Esto impedía que aparecieran nuevas perspectivas».[8] Además, Johnson nos recuerda que «el enfoque de los tratados tendía a ignorar la riqueza de la Escritura con su narración de los acontecimientos de la vida de Jesús tales como su bautismo, las oraciones que dirigía a Dios y el abandono de la cruz».[9] Nos recuerda también que «los reformadores protestantes pidieron que se abandonasen las especulaciones metafísicas escolásticas sobre la constitución interna de Cristo, con el fin de volver a una confesión de

---

8 Elizabeth A. Johnson, *La cristología, hoy. Olas de renovación en el acceso a Jesús*, Sal Terrae, Santander, 2003, p. 26

9 *Ibid.*

Jesucristo más existencial y fundamentada en la Biblia...».[10]
En la década de 1950 en la teología protestante se debatía fundamentalmente sobre las fuentes bíblicas para la comprensión
de quién era Jesucristo. Lo notable es que en la segunda mitad
del siglo veinte hay una confluencia de teólogos católicos y
protestantes en América Latina que busca recuperar al Cristo
de los Evangelios y las Epístolas.

Un punto de partida

Nuestro estudio examinará en forma especial el desarrollo
cristológico en el siglo veinte. Por ello un buen punto de partida viene a ser el libro *El otro Cristo español*, escrito por el
misionero presbiteriano escocés Juan A. Mackay. Este trabajo
clásico se publicó por primera vez en inglés en 1933, y en
español sólo veinte años más tarde.[11] Ha sido reconocido por
propios y extraños como una acertada interpretación evangélica de la realidad espiritual de Iberoamérica, centrada en
el estudio de la imagen y presencia de Cristo en estas tierras.
Muchos latinoamericanos coinciden con el juicio del literato
y político peruano Luis Alberto Sánchez, quien refiriéndose
a *El otro Cristo español* escribió: «es un libro fundamental
para apreciar la civilización latinoamericana».[12] Se trata de
una indagación cristológica, cuya metodología fue el análisis histórico y la interpretación de diversas manifestaciones
culturales, desde la perspectiva de una posición teológica
reformada y evangélica. La intención de Mackay era misionera

---

10 *Ibid.*, p 24.

11 Juan A. Mackay, *El otro Cristo español,* Lima: Colegio San Andrés, Lima, 1991.En
   adelante: Mackay, EOCE. Esta tercera edición es la que usaremos para nuestro
   estudio.

12 Luis Alberto Sánchez, diario *El Observador*, Lima, 26 de junio 1983.

en un sentido amplio; quería anunciar al Cristo verdadero
cuya visión se estaba perdiendo, tanto en el mundo de habla
inglesa como en el mundo iberoamericano:

> Un cierto número de figuras románticas que llevan cada
> una el nombre de Cristo y en que se encarnan los ideales
> particulares de sus varios grupos de admiradores, han
> suplantado al Cristo verdadero. En realidad tanto el
> mundo anglosajón como el mundo hispano están abru-
> mados por una necesidad común: «conocer» a Cristo,
> «conocerlo» para la vida y el pensamiento, «conocerlo»
> en Dios y a Dios en Él.[13]

La metodología que Mackay siguió fue primero examinar el
carácter de los habitantes de la península ibérica y el proceso
histórico de trasplante del cristianismo al llamado «Nuevo
Mundo» iberoamericano. En este examen no se limitó a lo
teológico, sino que prestó también atención a los procesos
sociales de la conquista ibérica, refiriéndose a la economía y
la sociología que empezaban ya a ser usadas para entender
la historia. Resulta sugerente ver cómo el misionero escocés
aprovechó el análisis sociológico que había utilizado su amigo José Carlos Mariátegui, pionero del pensamiento marxista
latinoamericano.[14] Además Mackay caracterizó al «Cristo
sudamericano,» como el resultado de un proceso de «sudame-
ricanización» de la imagen y la visión del Cristo español que
trajeron los conquistadores. Según la interpretación de Mac-

---

13 Mackay, EOCE, p.58.

14 Hacia el final del capítulo 2 de su libro Mackay escribe: »La sección precedente
debe mucho a un admirable estudio de la religión en el Perú por José Carlos
Mariátegui que se halla en su libro *Siete ensayos de interpretación de la realidad
peruana*». Véase cómo Mackay cita a Mariátegui en el capítulo IX de *El otro
Cristo español*.

kay, el Cristo español no era el de los Evangelios, el que había nacido en Belén, sino más bien otro, que nació en el norte de África. De esa manera Mackay se refería a las transformaciones que había experimentado la religión cristiana durante los ocho siglos en los cuales los españoles y portugueses habían convivido con los árabes que invadieron la península en el siglo ocho. Mackay establecía un contraste entre ese Cristo de la religiosidad oficial y lo que él llamaba «el otro Cristo español,» el de los místicos del Siglo de Oro como Santa Teresa de Ávila y San Juan de la Cruz, y el de los cristianos rebeldes de la España moderna como Miguel de Unamuno.

Sin embargo, observando la realidad cultural de América Latina Mackay señalaba la esterilidad del catolicismo predominante:

> Si en la esfera de la vida no logró el catolicismo sudamericano producir un verdadero místico, en la del pensamiento tampoco pudo producir una literatura religiosa. En el espacio de casi cuatro siglos el clero no ha producido ninguna obra religiosa de nota, y en cuanto a los laicos, cualesquiera que hayan sido los sentimientos individuales de ciertos hombres de letras, no se ha considerado la religión como un tema propio para el ejercicio del talento literario.[15]

Podrían estas frases parecer una exageración propia de un misionero protestante, sin embargo en la década de 1990 el estudioso católico español José Antonio Carro Celada se propuso rastrear la presencia de Jesús en la literatura hispanoamericana del siglo veinte, para saber lo que decían los escritores sobre Jesús de Nazaret y quién era él para ellos. Comprobó que hubo un proceso de secularización significativo, en contraste con el

---

15 Mackay, EOCE, p. 244.

protagonismo de lo cristiano durante el Siglo de Oro español, por ejemplo. Sostiene que «en los países de lengua castellana de mayoría sociológica católica, se ha impuesto un sorprendente silencio religioso dentro de la literatura de creación».[16]

Sin embargo en el momento de escribir su libro Mackay reconocía que «en años recientes ha tenido lugar un cambio decidido en la actitud intelectual, tanto del clero como de los laicos con referencia a la religión y al problema religioso... En el curso de la última década han aparecido en todo el continente escritores de distinción para quienes los estudios religiosos ofrecen supremo interés».[17] En sus recorridos por América Latina entre 1916 y 1930, Mackay había conseguido atraer a multitudes juveniles que se congregaban en gran número para escuchar sus conferencias. Estaba convencido de que en la América Latina habían señales promisoras de un nuevo descubrimiento de Cristo en la vida social, política y cultural del continente. En el capítulo X de su libro Mackay examinó brevemente la obra literaria de cuatro latinoamericanos: la poetisa chilena Gabriela Mistral a quien describe como católica liberal; el poeta uruguayo Juan Zorrilla de San Martín, autor de poemas épicos, a quien Mackay describe como católico ortodoxo; el historiador y novelista argentino Ricardo Rojas, autor de *El Cristo invisible,* una obra de gran repercusión, a quien Mackay describe como cristiano literario; y el argentino Julio Navarro Monzó, a quien describe como literato cristiano.

Se puede afirmar que el trabajo más representativo de la búsqueda cristológica que se estaba empezando a desarrollar

---

16 José Antonio Carro Celada, *Jesucristo en la literatura española e hispanoamericana del siglo XX*, Biblioteca de Autores Cristianos, Madrid, 1997, p. 18.

17 Mackay, EOCE, pp. 244-245.

en América Latina es *El Cristo invisible.*[18] Escrito y publicado
por primera vez en 1927, esta obra está estructurada en forma de tres largos diálogos entre un Obispo, presentado como
«Monseñor», y un buscador inteligente y auténtico, presentado como «Huésped», que dialogan sobre la efigie de Cristo,
la palabra de Cristo y el espíritu de Cristo. Las observaciones
del Huésped sobre el arte, la cultura, los libros sagrados, las
prácticas religiosas, van planteando preguntas palpitantes y
llevan poco a poco a establecer una diferencia entre la religiosidad formal y la fe en el Cristo de los Evangelios.

Por otra parte Mackay presentaba también, sin ocultar su
admiración, retratos breves de jóvenes luchadores sociales
latinoamericanos como el brasileño Eduardo Carlos Pereira
y los peruanos Víctor Raúl Haya de la Torre y José Carlos
Mariátegui. En su búsqueda de la justicia y el servicio al prójimo estos hombres eran para Mackay señales de fermento en
la vida espiritual del continente, indicios de que había una
generación en busca del Cristo verdadero. Terminaba su libro
con un examen crítico del naciente protestantismo que ya iba
tomando arraigo en tierras latinoamericanas.

Un siglo de búsqueda teológica

Recorriendo la historia espiritual e intelectual del continente a lo largo del siglo veinte, podemos observar una
evolución fascinante durante ese período. Entre el «pobre
Cristo» de Rubén Darío y el «Cristo de los pobres» de Gustavo Gutiérrez, la literatura y la teología realizaron un vasto
recorrido, no siempre fácil de trazar. A manera de adelanto

---

18 Ricardo Rojas, *El Cristo invisible*, Librería La Facultad, Buenos Aires, 3ª. ed.,
    1928.

del breve itinerario que seguiremos en nuestra exploración, pueden mencionarse algunos otros hitos que se destacan en el camino. Así por ejemplo el libro *Mas yo os digo*,[19] publicado por primera vez en Montevideo, en el cual el ya menciona-do Mackay resumió el mensaje con que había recorrido las tribunas públicas, especialmente las universitarias, por toda América Latina, entre 1916 y 1930. Este libro alcanzó varias ediciones en castellano desde su aparición inicial. En 1936 el periodista y diplomático peruano Víctor Andrés Belaúnde publica su polémico trabajo *El Cristo de la fe y los Cristos literarios*,[20] expresión de un renacimiento del pensamiento católico que empezaba a recibir los vientos renovadores que venían desde el mundo de habla francesa, lo mismo que los desafíos de la acción misionera protestante. Belaúnde había sido promotor de un grupo de jóvenes intelectuales peruanos conocido como «La Protervia», en el cual se encontró con Mackay, y trabó con él una estrecha amistad que dejó huella en el desarrollo posterior de su pensamiento.

Explorando la novelística latinoamericana desde inicios de siglo, no se encuentra un sentimiento cristiano vigoroso. Al contrario, la novela indigenista de la primera mitad del siglo muestra un anticlericalismo furibundo. En contraste con ello, hacia la década de los años cincuenta el colombiano Eduardo Caballero Calderón enfoca el tema de la violencia política colombiana en su novela *Cristo de espaldas*, vigoroso retrato de un joven sacerdote cogido en la trama de una guerra a muerte entre políticos conservadores y liberales. Su trágico

---

19 Juan A. Mackay, *Mas yo os digo...*, Casa Unida de Publicaciones, México, 2da. ed., 1964. La primera edición se publicó en Montevideo en 1927.

20 Víctor Andrés Belaúnde, *El Cristo de la fe y los Cristos literarios*, Pontificia Universidad Católica, Lima, 2da. ed., 1993. La primera edición de 1936 fue de Editorial Lumen.

personaje es una víctima cuyo calvario se va narrando según el itinerario de la pasión de Cristo. El recurso literario era una actualización de la pasión de Cristo en tierra colombiana. Era lo mismo que había hecho el español Benito Pérez Galdós en su novela *Nazarín*, y más recientemente el griego Nikos Kazantzakis, quien ubicó la historia de Jesús reactualizada en una aldea griega, en su novela *Cristo de nuevo crucificado*.

Cuando ya los vientos renovadores europeos del Vaticano II han soplado para el catolicismo en Medellín, aparece en Argentina *El Evangelio Criollo*.[21] Las décimas clásicas del romance español, transfiguradas en la épica argentina del *Martín Fierro*, sirven de modelo para contar la historia de Jesús, de nuevo y «a la criolla». El esfuerzo contextual posterior al Vaticano II pasa a ser reflexión teológica más detenida en *Jesucristo el liberador* (1974)[22] libro que refleja ya los temas y algo de los métodos de las teologías de la liberación. Con esta obra alcanza un público continental Leonardo Boff, un teólogo franciscano brasileño cuyas ideas despertaron la oposición de las jerarquías máximas de la Iglesia Católica Romana en el Vaticano. En el prólogo de la versión castellana del libro de Boff, el abogado y periodista uruguayo Héctor Borrat afirmaba categóricamente: «He aquí, escrita por un brasilero, la primera cristología sistemática que se haya editado en América Latina».[23]

El triunfo de la revolución cubana en 1959 empieza a agitar a los países latinoamericanos y en el marco de ese proceso hay pensadores cristianos que empiezan a redescubrir las dimen-

---

21 Amado Anzi S.J., *El Evangelio criollo,* Patria Grande, Buenos Aires, 5ta. ed., 1994. La primera edición fue publicada por Ediciones Agape en 1964.

22 Leonardo Boff, *Jesucristo el liberador,* Latinoamérica Libros, Buenos Aires, 1974. «Presentación» por Héctor Borrat.

23 En Boff, *op.cit*, p.11.

siones sociales del mensaje de Jesucristo. Algunos teólogos
señalan la radicalidad de algunos dichos y hechos de Jesús
y va surgiendo la figura de un Cristo revolucionario que de
haber venido en nuestro tiempo se hubiese hecho guerrillero.
Esto trae respuestas de críticos de esta propuesta de ruptura
del orden religioso tradicional. El escritor y periodista chileno Guillermo Blanco publica en 1973 un libro que en pocos
meses alcanza numerosas ediciones: *El Evangelio de Judas.*[24]
En tono casi panfletario Blanco critica por igual la visión del
Cristo empresario proveniente de los Estados Unidos y la del
Cristo guerrillero propuesta por escritores de la izquierda. En
1978 Vicente Leñero, un novelista y dramaturgo ampliamente
conocido en su México natal publica su libro *El evangelio de
Lucas Gavilán*, una vigorosa y sorprendente paráfrasis del
Evangelio de Lucas siguiendo las líneas de las teologías de
la liberación.[25]

Cuando los obispos católicos del continente se reunieron
en 1955, en Río de Janeiro, Brasil, para hacer un inventario de
la situación de su iglesia, se crea el CELAM.[26] Los obispos ven
dos peligros amenazantes: el crecimiento del protestantismo y
el creciente auge ideológico del comunismo, y lanzan un grito
de auxilio a los católicos de Europa y Norteamérica para que
envíen misioneros a América Latina a ayudar a una Iglesia en
situación crítica. En las décadas siguientes, una nueva generación de misioneros estadounidenses, canadienses, belgas,
franceses, españoles, vienen a los países latinoamericanos con
nuevas ideas y un estilo nuevo de hacer misión. Algunos que
van a trabajar entre los sectores más pobres y desfavorecidos

24 Guillermo Blanco, *El Evangelio de Judas,* Pineda Libros, Santiago, 1973.

25 Vicente Leñero, *El evangelio de Lucas Gavilán*, Seix Barral, México, 1979.

26 Consejo Episcopal Latinoamericano

comprueban conmovidos que su propia iglesia es parte de
un sistema de opresión y explotación.[27] Sus ideas renovadoras y su nueva forma de hacer misión, desde abajo y con
los de abajo, les ganan pronto las críticas y el rechazo de los
sectores más conservadores de la iglesia y la persecución de
gobiernos dictatoriales y militares que siempre habían visto
a la Iglesia como un aliado. Esta nueva práctica misionera es
uno de los focos de reflexión de la cual salen las teologías de
la liberación.[28]

Así en la cultura latinoamericana reaparece la figura de
Jesús, cuya vida y enseñanza pasan a ser materia de debate
público, mientras que en los círculos teológicos de las diversas
iglesias cristianas la persona de Jesús y el significado de la
fe en Jesús pasan a ser materia de una intensa búsqueda en
el material bíblico y en la tradición cristiana. La sucesión de
momentos especiales representados por libros como los que
hemos mencionado, apenas una muestra limitada, constituye
un proceso que queremos examinar en el presente ensayo.
Será imposible dejar de tocar temas polémicos tales como la
declinación de la cristiandad católica, la presencia misionera
protestante con la centralidad cristológica de su mensaje, su
efecto en la multiplicación explosiva de iglesias evangélicas y
en la renovación del catolicismo. Este proceso se conecta con
los vientos renovadores promovidos por el Concilio Vaticano
II, con el fermento inquietante de las teologías de la liberación
y con el desplazamiento masivo de millones de pobres latinoamericanos hacia las filas del protestantismo popular. En

---

27 En el caso de los norteamericanos hay un libro que documenta el proceso:
   Gerald M. Costello, *Mission in Latin America*, Orbis Books, Maryknoll, 1979.
   Ver mi libro *Tiempo de misión*, Semilla, Guatemala, 1999, cap. 3.

28 Ver documentos que dan cuenta de este proceso en *Signos de renovación*,
   editado por Gustavo Gutiérrez, CEAS, Lima, 1969.

muchos círculos literarios, artísticos y académicos al finalizar
el siglo veinte la figura de Cristo parecía ser percibida con
nitidez mucho mayor que a comienzos de siglo. Pero lo que es
más importante, hoy, en pleno siglo XXI, hay miles de hombres y mujeres, católicos y protestantes, dispuestos a jugarse
la vida por el anuncio y la imitación de Jesús de Nazaret, y a
tratar de seguir su ejemplo en el contexto de un nuevo siglo
y una nueva época. Ese proceso es el que queremos explorar
y comprender.

2

EL CRISTO IBÉRICO QUE CRUZÓ LOS MARES

Para cualquiera que se interese por la historia espiritual de Iberoamérica, visitar la Catedral católica de la ciudad del Cuzco en el Perú es una experiencia de valor singular. Esa monumental iglesia barroca tiene un techo con doce pequeñas cúpulas, una por cada uno de los apóstoles. En el claroscuro de su interior, entre el humo del incienso y el resplandor de las velas de los devotos, parecería que estamos en alguna iglesia del sur de España o de Portugal. Uno de los cuadros más fascinantes en esta iglesia es el que representa la llamada «Última Cena» de Jesús con sus discípulos. Está pintado siguiendo el modelo de los grandes maestros europeos de la época, pero si prestamos atención notaremos algunas características especiales. El color de la piel de Jesús y sus apóstoles es cobrizo o aceitunado, y en algunos, los rasgos físicos son indígenas o mestizos. Sobre la mesa de la cena no hay un cordero sino un cuy o conejillo de Indias gigante, animal cuya carne era muy apreciada por los indios. En la fina vasija de cristal que aparece a un costado de la mesa no parece haber vino sino chicha, la bebida de maíz de los incas. En la bandeja de frutas, algunas son las que trajeron los españoles pero junto a ellas aparecen también las frutas propias de la América. Estamos ante un ejemplo singular de lo que los estudiosos de la comunicación del mensaje cristiano llaman *contextualización*, el proceso en el cual un texto interactúa con el nuevo contexto en que se lee.

Las señales de una presencia vigorosa de Cristo en la cultura latinoamericana son innegables. Dos caminos nos permiten explorar esa presencia: el arte y la literatura popular. Hay que prestar especial atención a la pintura y la escultura. En ellas tenemos manifestaciones que, aunque fueron fruto del talento de una élite, alcanzaron aceptación casi universal en la mentalidad popular. Pocas décadas después de la llegada de los españoles a territorio americano, habían surgido escuelas de pintura como la cusqueña, de Cusco en el Perú y la quiteña, de Quito en Ecuador, cuyas expresiones todavía pueden apreciarse en las iglesias coloniales de la región andina. En los cuadros de estas escuelas puede observarse cómo el *texto* recibido ha adquirido las dimensiones del *contexto* que lo recibe. El artista parece haber entendido la historia de Jesús, pero de alguna manera la ha traducido a los términos de su propia vida y cultura. En otras palabras, se ha apropiado de la verdad a su manera, no como un simple calco del mensaje traído por el misionero sino entendiendo la universalidad de ese mensaje en los términos de la particularidad de la vivencia del pueblo receptor.

Esto parece comprobarlo la devoción popular a esas imágenes morenas, como una de la llamada «escuela cusqueña», conocida como el Señor de los Temblores, o mejor aun como dicen hasta hoy los indios, «Taitacha Temblores». En esta expresión mestiza se capta la percepción de Jesús como «Señor» o «Padre», en quechua «Taita». Más aun, el sufijo que se agrega «taitacha», indica respeto, cariño, expectativa de compasión y comprensión. «Temblores» alude a los constantes movimientos telúricos propios de la zona andina donde la vida diaria se ve interrumpida de cuando en cuando por esas inesperadas instancias de pánico en las cuales la gente acude a Dios.

Hay algunas evidencias de que en el proceso misionero del siglo XVI hubo momentos y lugares en que se llegó a trasmitir la verdad acerca de Jesucristo y el Evangelio, que ha persistido a través de los siglos porque alcanzó una medida de arraigo popular. Así por ejemplo en Chile existe lo que se llama «Canto a lo divino», una forma versificada de recordar y cantar escenas de los evangelios y de la vida, pasión y muerte de Jesucristo que ha ido trasmitiéndose desde el siglo XVI, usando la métrica de las décimas. Dice Miguel Jordá respecto a la obra de los misioneros: «El pueblo no sabía leer y escribir y el único medio que estaba a su alcance era repetir y memorizar. Pronto se dieron cuenta que la décima podía ser un recurso valiosísimo para transmitir el mensaje cristiano. La catequesis en aquellos años era cantada e incluso bailada».[1] Los misioneros tradujeron episodios bíblicos al lenguaje poético criollo, y posteriormente «los mismos catequizados, por su propia cuenta, empezaron a versificar la predicación de los misioneros, centrando su atención en los puntos bíblicos que a ellos les parecieron más importantes. Con ello, aunque la ortodoxia de los versos principiaba a peligrar, la tradición del canto arraigaba más y más en el alma del pueblo».[2] Al tiempo de escribir su obra, Jordá había detectado la presencia de unos 560 cantores populares en todo Chile que practicaban el «Canto a lo divino», sobre todo en áreas rurales. Es una actividad espontánea no controlada por la Iglesia y que se va trasmitiendo por iniciativa popular de una generación a otra. Veamos unas muestras:

---

1. Miguel Jordá, *La Biblia del pueblo: La fe de ayer y de hoy y de siempre en el Canto a lo Divino*, Santiago de Chile, 1978. Selección publicada en Equipo Seladoc, *Cristología en América Latina*, Ediciones Sígueme, Salamanca, 1984, p. 164.

2. *Ibid.*, p. 165.

Nacimiento

Del tronco nace la rama
y de la rama la flor
de la flor nació María
y de María el Señor...
Nació el Misericordioso
en el portal de Belén
y con ser del cielo el rey
al mundo llegó dichoso.
La Virgen dijo con gozo
ya nació este querubín
y con ser tan chiquitín
es el Salvador del mundo
y con gozo muy profundo
adoraba a Manuelín.[3]

Jesucristo

Practicaba la humildad
El Mesías verdadero
Se alojaba en un pajero
Por no haber otro lugar.
Cansado de caminar
Convertía a chico y grande
Derramó gotas de sangre
En el árbol de la cruz
Recordando yo a Jesús
No siento fatiga ni hambre.[4]

Si bien es innegable que hay un Cristo de Iberoamérica,
no se puede desconocer que para comprenderlo es necesario
conocer al Cristo que trajeron los españoles y portugueses en
el proceso de la conquista-evangelización. Fuesen nobles o

---

3. *Ibid.*, pp. 171-172. Tomado de Ramón Fuentes pero usado por muchos otros.
4. *Ibid.*, p. 184. Tomado de Luis Inda.

plebeyos estos conquistadores e inmigrantes tenían su propia religiosidad, su manera de vivir la fe católica e interpretarla, y la trasplantaron al Nuevo Mundo de la misma manera que trasplantaron las instituciones sociales y económicas del feudalismo, sus costumbres y actitudes. Así fue como durante la época colonial se desarrolló una imagen de Cristo conformada fundamentalmente por esos componentes ibéricos medievales que a veces han permanecido hasta hoy en el folklore o la religiosidad popular. En otros casos pasaron por un proceso de contextualización dando lugar a imágenes y devociones propiamente americanas, mientras en otros se superpusieron a la religiosidad nativa predominante dando lugar a una extraña amalgama sincrética.

El análisis de Juan A. Mackay

En el esfuerzo por comprender este proceso todavía resultan acertadas las grandes líneas del análisis emprendido por Juan A. Mackay en *El otro Cristo español*. Sin embargo, durante las décadas más recientes la investigación histórica y antropológica ha acumulado un acervo notable de hallazgos que nos ayudan a matizar los juicios de Mackay sobre la historia religiosa de las Américas y a comprender mejor las formas de cristianismo que surgieron y que han persistido hasta nuestro tiempo. Mackay articuló una crítica coherente de la obra misionera ibérica, con sus monjes guerreros y sus encomenderos. Al mismo tiempo, sin embargo, reconoció de manera explícita que de Iberia vinieron también «Cristóforos», portadores de Cristo cuyo estilo de vida y acción misionera eran muy diferentes: «Muchos de los sacerdotes, frailes y monjas católicos que vinieron a Sudamérica de los países maternos, así como muchos otros nacidos en las tierras nuevas, eran almas puras y consagradas que vivían en estricto acuerdo con su conciencia y su visión de Cristo».[5]

Hay que insistir en que el análisis de Mackay evitó caer en las exageraciones de la Leyenda Negra, esa tendencia a denigrar todo lo español, que se desarrolló especialmente en Inglaterra y Francia, utilizando la propia autocrítica de españoles como Bartolomé de las Casas. Mackay se había familiarizado con la historia de España y las Américas, pues al término de sus estudios teológicos fue a residir un año en España, a formarse en la famosa Residencia de Estudiantes. Ello le ayudó a evitar una presentación unilateral de la realidad histórica. Los estudiosos protestantes se han acercado muchas veces a este tema con las categorías de la Leyenda Negra al comparar la conquista ibérica de América en el sur con la anglosajona en el norte, para explicar las diferentes formas que adquirió la vida religiosa y social. Aunque Mackay evitó la Leyenda Negra, no dejó de utilizar para su análisis la comparación entre las misiones católicas en Iberoamérica con la colonización protestante en Norteamérica y aun con la misión católica de origen francés en lo que hoy es el Canadá.[6]

La mención de la Leyenda Negra nos mete de inmediato en el campo de las polémicas que han hecho tan difícil la comprensión de la compleja y traumática experiencia del encuentro entre el Cristo ibérico y el alma americana. Mucho se puede aprender de la historiografía católica que surgió para contrarrestar la leyenda negra y exaltar lo hispánico,[7] presentando la misión ibérica bajo una luz más favorable, o

---

5 Mackay, *El otro Cristo español*, p. 122.

6 *Ibid.*, pp. 127-128.

7 Ver, por ejemplo, los trabajos del peruano Rubén Vargas Ugarte y del argentino Vicente D. Sierra.

de trabajos que, sin intención polémica, han sistematizado la investigación histórica.[8] Se podría decir que buena parte de la literatura generada por la celebración (o lamentación) de los 500 años de la llegada de Cristóbal Colón tuvo un tono de abierta crítica.

Un caso interesante de revisionismo favorable a la evangelización hispana del siglo dieciséis es el de Virgilio Elizondo, misiólogo de origen hispánico, muy conocido en su patria, Estados Unidos, quien sostiene que existe una diferencia importante que hay que tener en cuenta al comparar las formas de misión ibérica y anglosajona. Elizondo dice que en Iberoamérica apareció una forma de cristianismo autóctona, arraigada y mestiza, mientras que en Norteamérica sólo se dio el trasplante de la forma europea, sin que surgiera un cristianismo autóctono.[9] Es que Elizondo ha profundizado en el problema del mestizaje y es dentro de ese marco que nos ofrece su reflexión misiológica. El mestizaje nos lleva a otra cuestión candente: la del sincretismo. En el capítulo siguiente consideraremos este asunto de manera más detenida.

El Cristo español del siglo XVI

El juicio general contemporáneo acerca de la forma que había tomado el cristianismo en la Iberia del siglo XVI, muestra un cuadro de luces y sombras que confirma algunas de las observaciones críticas de Mackay. Estudios posteriores, tales como los trabajos de Américo Castro y de Marcel Bataillon

---

8 Aquí destaca Robert Ricard, *La conquista espiritual de México,* Fondo de Cultura Económica, México, 1991.

9 Virgilio Elizondo, *Christianity and Culture. An Introduction to Pastoral Theology and Ministry for the Bicultural Community,* Our Sunday Visitor, Huntington, 1975, pp. 119-128.

acerca de la vida religiosa en la España de los siglos quince y dieciséis, han provisto abundante información que confirma el bosquejo interpretativo de Mackay. Un libro del conocido historiador católico estadounidense Stanley Payne acerca del catolicismo español, emite el siguiente juicio global sobre la religión medieval de la península:

> Cuando tratan de la religión medieval los historiadores dan casi siempre malas notas al clero, cosa que, por todo cuanto sabemos, bien merecían. Los clérigos medievales eran en casi todos los niveles, ignorantes y estaban mal preparados...Gran parte del clero no se comportaba de modo muy diferente al del resto de los miembros de la sociedad, y se entregaba a los vicios y excesos populares. Aunque el clero no tenía la reputación de ebriedad de que gozaba el de otros países, no le cedía a nadie en concupiscencia. Eran comunes las concubinas y los bastardos de clérigo y no se desconocían entre los frailes...[10]

Prueba de que Payne no exagera en su juicio es el hecho muy conocido de que los grandes místicos españoles como Santa Teresa de Ávila o San Juan de la Cruz se caracterizaron no sólo por la riqueza de su experiencia espiritual, acerca de la cual nos han dejado una valiosa literatura, sino también por su esfuerzo en reformar moralmente a las órdenes de las cuales eran miembros. La persecución que sufrieron como consecuencia de sus esfuerzos reformadores revela bien el bajo grado de vida espiritual y moral al que habían llegado esas instituciones religiosas.

Por otra parte, durante ocho siglos los españoles habían experimentado la presencia árabe y judía en la península, y la

---

10 Stanley G. Payne, *El catolicismo español,* Planeta, Barcelona, 1984. p. 46.

interacción con estos pueblos había marcado su historia y su cultura. En las décadas anteriores al descubrimiento de América la lucha por expulsar a los moros tomó las características de una cruzada religiosa en la cual el catolicismo medieval proveyó una ideología guerrera. Ésta se iba a reflejar luego en el sentido de cruzada que también adquiriría la conquista de América. Después de señalar la baja moral del clero medieval español, Payne agrega:

> Las condiciones de lucha propias de Hispania pudieron agravar algunos de esos problemas. Los clérigos de todos los rangos tomaban parte en las campañas militares contra los musulmanes, con lo que se creó la famosa tipología del prelado medieval que vivía «a Dios rogando y con el mazo dando». Muchos clérigos no hacían remilgos a llevar armas, práctica que costó muchas generaciones eliminar.[11]

Tomando en cuenta este cuadro de costumbres se puede entender mejor el origen de los males sociales vinculados a la religión colonial que persistieron en las sociedades latinoamericanas, y que algunos grandes autores de la literatura latinoamericana desde el siglo diecinueve se atrevieron a describir críticamente, una vez que hubo desaparecido el poder de censura de la Inquisición.

Payne expone y evalúa también la tarea misionera que España desarrolló en el siglo XVI, la cual le merece un juicio muy equilibrado. Su estudio histórico hace un resumen de la evolución de la religiosidad española que resulta especialmente valioso para nuestra comprensión de la cristología

---

11 *Ibid.*

predominante, desarrollada en el espíritu de la Contrarreforma española.

> Importa señalar la dificultad de separar la influencia de la Contrarreforma de la intensificación de la religiosidad, que había empezado ya en España a fines del siglo XV y principios de XVI...Una de las nuevas expresiones y de las más pronunciadas, era el creciente énfasis en Cristo, el crucifijo y la pasión en general. Aunque esto había comenzado desde hacía acaso un centenar de años, hubo un nuevo resurgimiento de la devoción a Cristo y por la Pasión, a medida que avanzaban las reformas de la Contrarreforma en los últimos años del siglo XVI. Esta devoción fue propagada de forma asidua por los franciscanos, que formaban la orden monástica más numerosa, con mucho, en el campo. La mariolatría seguía siendo fuerte, pero ahora subrayaba con mayor frecuencia el papel de María en la Pasión de Cristo. Además aumentaron en número las cofradías de flagelantes, que se azotaban imitando los sufrimientos de Cristo.[12]

Aquí se encuentra el origen de la persistencia de la figura de Cristo crucificado en la imaginería que nos han dejado las crónicas de la conquista y la pintura colonial tanto española como mestiza. Cuando se visita, por ejemplo, las iglesias y museos de Extremadura en España, especialmente de lugares como Guadalupe, Trujillo o Cáceres, de donde provenían muchos de los primeros conquistadores, las imágenes de las iglesias son iguales a las de las viejas iglesias latinoamericanas: los rostros contraídos por el dolor del Cristo víctima sufriente, la ropa de color morado, la abundancia de sangre.

---

12 *Ibid.*, p. 72.

El Cristo español latinoamericanizado

Lo que Mackay llama «el Cristo criollo» viene a ser una réplica del Cristo traído por la conquista y evangelización ibéricas. Aunque este estudioso no entró a una consideración en profundidad del proceso de transformación del Cristo español en el Cristo iberoamericano, sus intuiciones han resultado muy acertadas. En las décadas siguientes a Mackay, las ciencias sociales en América Latina han avanzado mucho en la comprensión del proceso de conquista y colonización, y dentro de ese avance los estudiosos de la evangelización católica del siglo XVI han acumulado material de observación y análisis que nos permite entender mejor esos procesos. Mackay caracterizó al Cristo criollo con algunas notas que derivan de su percepción del Cristo español, unida a la observación de la vida latinoamericana.

En el análisis de Mackay hay dos notas importantes de la cristología latinoamericana durante las primeras décadas del siglo XX: la falta de humanidad del Cristo popular y la ausencia de una visión del Cristo resucitado. «Lo primero que salta a nuestra vista en el Cristo Criollo es su falta de humanidad. Por lo que toca a su vida terrenal, aparece casi exclusivamente en dos papeles dramáticos: el de un niño en los brazos de su madre y el de una víctima dolorida y sangrante».[13] La imaginería y las devociones populares latinoamericanas confirman la observación de Mackay. Es verdad que las dos imágenes mencionadas nos remiten a aspectos muy importantes de la persona de Cristo. En su crítica a Mackay, el teólogo puertorriqueño Orlando Costas señalaba que el misionero escocés no alcanzó a entender la profunda significación de esas dos

---

13 Mackay, *El otro Cristo español*, p. 128.

imágenes predominantes, en relación con el valor y dignidad
de la niñez o con la dimensión de humanidad que la figura
de la Virgen evoca.[14] Sin embargo, el defecto profundo de la
Cristología limitada dentro de estos dos momentos, a los cuales se presta atención excluyente, es que le falta coherencia
y efectividad para la vivencia de la fe cristiana. Mackay es
clarísimo al respecto:

> ¿Por qué es que los únicos momentos de la vida de Je-
> sús a que se da importancia son su niñez y su muerte?
> Porque las dos verdades centrales, responde alguien, del
> cristianismo son la Encarnación y la Expiación. Y así
> es, pero *la encarnación es sólo el prólogo de una vida
> y la expiación su epílogo. La realidad de la primera se
> despliega en la vida y se garantiza viviendo; la eficacia
> de la segunda se deriva de la clase de vida que se vivió.*[15]

El efecto de este tipo de Cristología para la vida es que
nos ofrece un Cristo que se presta para que los hombres lo
apadrinen o lo compadezcan. La manipulación social de la
fe y la ausencia de un Cristo que sea modelo de vida pasan
a ser una marca de la forma de cristianismo resultante. Aquí
la realidad se vincula con la otra marca de la Cristología latinoamericana que Mackay analizaba: la falta de una visión
del Cristo resucitado.

> Ni se concibe ni se experimenta Su señorío soberano
> sobre todos los detalles de la existencia, Rey Salvador
> que se interesa profundamente en nosotros y a quien
> podemos traer nuestras tristezas y perplejidades. Ha

---

14 Intervención de Costas en el debate cristológico en Mark Lau Branson y
   C. René Padilla, eds., *Conflict and Context: Hermeneutics in the Americas*,
   Eerdmans, Grand Rapids, 1986, p. 113.

15 *Ibid.*, p. 129., itálicas nuestras.

sucedido algo sumamente extraordinario. Cristo ha perdido prestigio como alguien capaz de ayudar en los asuntos de la vida. Vive en exclusión virtual, en tanto que la gente se allega diariamente a la virgen y a los santos para pedir por las necesidades de la vida. Es que se los considera más humanos y accesibles que Él.[16]

Cristo en cuentos y poemas peruanos

Una incursión en el terreno de la literatura latinoamericana de principios del siglo veinte ilustra bien la predominancia de estas notas cristológicas destacadas por Mackay. Entre los escritores latinoamericanos que Mackay examina no figuran dos que mencionamos aquí porque a nuestro parecer expresan los aspectos de la cristología popular a la que hemos venido haciendo referencia: el cuentista y ensayista Ventura García Calderón (1886-1959), y el poeta César Vallejo (1892-1938), ambos peruanos.

García Calderón fue uno de los primeros escritores peruanos que trataron de incorporar la realidad indígena y la mestiza a su literatura. Su visión del indio era externa a la realidad indígena en sí misma, ante la cual se colocaba en papel de observador desde fuera. Sin embargo, retrató muy bien algunos aspectos del alma popular. Tres de sus trabajos en el volumen titulado *Cuentos Peruanos* (1952) llaman la atención por su contenido cristológico. En el cuento «Fue en el Perú», pone en labios de una anciana negra de la costa, «masticando un cigarro apagado», el relato del nacimiento de Jesús, como si éste hubiese nacido en el hogar de una pareja de peruanos pobres: «La virgen que era indiecita y San José que era mulato» pero el nacimiento saludado por muchos atemorizó a los

---

16 *Ibid.*, p. 130.

blancos, y «la pobre india doncella tuvo que fugarse a lomo de mula, muy lejos, del lado de Bolivia, con su esposo que era carpintero». El relato salta bruscamente del nacimiento a la muerte, y la vieja negra sentencia: «Su Majestad murió y resucitó después y se vendrá un día por acá para que la mala gente vean que es de color capulí, como los hijos del país .Y entonces mandarán a fusilar a los blancos, y los negros serán los amos, y no habrá tuyo ni mío, ni levas, ni prefetos, ni tendrá que trabajar el pobre para que engorde el rico...»[17]

En «Viernes Santo Criollo», García Calderón describe una fiesta popular en la época de Semana Santa mostrando cómo se manipula la imagen del Cristo rubio, el Bermejo, en la dramatización de la historia del Calvario. La trágica y solemne ceremonia va seguida luego de una celebración en la cual el pueblo se entrega a la más descontrolada libación alcohólica. «Cólera de Cristo» es una historia ubicada también durante la celebración de Semana Santa «en una aldehuela donde se renueva cada año escrupulosamente, con un magnífico realismo sanguinario, la Pasión de Cristo».[18] El escritor muestra el espectáculo tragicómico en que había venido a parar el recurso teatral utilizado por los misioneros católicos a fin de ganar la atención de los indígenas, «colgando de la cruz a un hombre de carne y hueso, a un cuerpo que padece y se lamenta como los demás.» El relato se centra en la historia de uno de esos Cristos de carne y hueso que un día decide tomar una lanza de sus victimarios y atacarlos con ella. El escritor pone en labios del relator esta observación: «Los soldados romanos, el Calvario, todo eso está muy lejos, es bastante confuso y poco interesante, en suma, para esta raza dolorida que ha escalado

---

17 Ventura García Calderón, *Cuentos peruanos,* Aguilar, Madrid, 1952, pp.87-92.
18 *Ibid.,*245.

mascando coca, todos los calvarios eventuales».[19] Lo común en estas tres viñetas o relatos es que Cristo aparece bien como el niño o bien como la sangrante víctima. No hay en la memoria popular ni en el folklore o las fiestas alguna referencia a la vida misma de Jesús. La resurrección apenas si se toca de pasada, sólo como anuncio de una breve nota escatológica.

Acercándonos al poeta César Vallejo, lo que caracteriza su poesía es una nota constante de búsqueda religiosa y metafísica, en la cual aparecen muchas veces metáforas relativas a la simbología cristiana propia de la religiosidad popular: el jueves santo, la cruz, el calvario, el sudario, las manos clavadas. Vallejo utilizaba la figura del Cristo sufriente como metáfora de su propio sufrimiento interior y del drama humano. En su primer libro *Los heraldos negros*, el poema «Los dados eternos» resume bien lo que parece haber sido su extraño combate con Dios:

> Dios mío, si tú hubieras sido hombre,
> hoy supieras ser Dios;
> pero tú, que estuviste siempre bien,
> no sientes nada de tu creación.
> Y el hombre sí te sufre: ¡el Dios es él![20]

Aquí estamos frente a lo que suena al mismo tiempo como un clamor y una protesta. La protesta contra un Dios que no puede comprender a la humanidad porque no sabe lo que es la condición humana, y el clamor por un Dios encarnado. El trasfondo es el de una cristología carente de lo que debiera

---

19 *Ibid.*

20 César Vallejo, del poema «Los dados eternos», *Obra poética completa*, Mosca Azul, Lima, 1974, p. 80.

ser precisamente su mensaje central, la verdad fundamental de la encarnación: «El Verbo se hizo carne.»

La perspectiva crítica de Miguel de Unamuno

Salta a la vista del lector de Mackay que éste recibió una profunda influencia del escritor español Miguel de Unamuno, y que en su apreciación de lo que sea el Cristo de la religiosidad española seguía las intuiciones del maestro vasco de Salamanca, quien había exclamado:

> ¡Oh Cristo pre-cristiano y post-cristiano,
> Cristo todo materia,
> Cristo árida carroña recostrada
> con cuajarones de la sangre seca,
> el Cristo de mi pueblo es este Cristo
> carne y sangre hechos tierra, tierra, tierra!...
> Porque él el Cristo de mi tierra es sólo
> tierra, tierra, tierra, tierra,
> carne que no palpita...
> ¡Y tú, Cristo del Cielo,
> redímenos del Cristo de la tierra![21]

Para Mackay esta exclamación final de Unamuno «arroja un rayo de luz profética a través de la vida e historia religiosas de España y Sudamérica». Sin embargo conviene recordar que con ese gusto por la paradoja que le caracterizaba, Unamuno en otros escritos parece contradecirse. Así en determinado momento afirma que prefiere quedarse con ese Cristo español de su tierra. En uno de sus ensayos cuenta que un sudamericano

---

21 Miguel de Unamuno, «El Cristo yacente de Santa Clara (Iglesia de la Cruz) de Palencia», en *Andanzas y visiones españolas*, Círculo de Lectores, Barcelona, 1988, pp. 314-315.

le había manifestado repugnancia por las imágenes españolas de un Cristo sanguinoso, y afirma entonces: «le contesté que tengo alma de mi pueblo, y que me gustan esos Cristos lívidos, escuálidos, acardenalados, sanguinosos, esos Cristos que alguien ha llamado feroces. ¿Falta de arte? ¿Barbarie? No lo sé. Y me gustan las Dolorosas tétricas, maceradas por el pesar».[22]

Unamuno concluye este ensayo precisamente con palabras en las que hace suya una cristología que se afirma en los sufrimientos del Cristo de la tierra, dejando para el mañana escatológico la resurrección y sus consecuencias.

> Sí, hay un Cristo triunfante, celestial, glorioso; el de la Transfiguración, el de la Ascensión, el que está a la diestra del Padre, pero es para cuando hayamos triunfado, para cuando nos hayamos transfigurado, para cuando hayamos ascendido. Pero aquí, en esta plaza del mundo, en esta vida que no es sino trágica tauromaquia, aquí el otro, el lívido, el acardenalado, el sanguinolento y exangüe.[23]

Puede decirse sin embargo, que la cristología del cristianismo agónico de Unamuno no se queda paralizada por este amor de la imagen del crucificado. En la larga meditación teológica que Unamuno ofrece en su poema «El Cristo de Velásquez», la contemplación de Cristo lleva a la dimensión ética, a la riqueza espiritual renovadora, a la esperanza y la alegría.

No se había equivocado Mackay al valorar positivamente la obra de Unamuno desde una perspectiva evangélica, puesto que éste criticaba acerbamente muchas de las características del catolicismo español que cualquier protestante también

---

22 Miguel de Unamuno, *Ensayos,* Aguilar, Madrid, 1951, p. 391.

23 *Ibid.,* p. 395.

criticaría. El valor de Unamuno estaba en haber sacado la reflexión teológica a la palestra cultural y literaria de su tiempo,
el haberse atrevido a pensar su fe en voz alta en medio de un
ambiente en el cual la religión oficial se aceptaba sin discutir,
aunque no se tomaba en serio. Aun en sus posiciones paradó-
jicas, Unamuno como encarnación del carácter español estaba
intentando vivir su cristianismo en el contexto de las luchas
profundas que han caracterizado la vida española. Como en el
caso de los místicos del siglo dieciséis y el de tantos espíritus
liberales del diecinueve y el veinte, la España que representaba
Unamuno fue una y otra vez aplastada por la España medieval
guerrera e inquisitorial que forjó la América española. Con
Mackay podría decirse que así el Cristo norafricano desplazó
al que había nacido en Belén.

El abismo entre la religión y la ética

La observación de las notas de la imagen de Jesús en la
cultura latinoamericana llevaron a Mackay a la reflexión teológica. Dentro del marco de la teología sistemática Mackay for-
mulaba su observación de que en Iberoamérica predominaba
una Cristología docética. En la historia de la doctrina cristiana
el docetismo era la postura de quienes si bien afirmaban la
presencia de Dios en Cristo negaban la realidad de su existencia humana. Se les conocía como los 'docetas', término
proveniente de una palabra griega que significa «apariencia.»
Para ellos el carácter humano de Jesucristo era sólo una ves-
timenta o apariencia externa. Pero no se trataba únicamente
de ponerle nombre teológico a una realidad sino de examinar
las profundas consecuencias que tenía para la vida práctica.
Mackay señala que como resultado de una Cristología que se
concentra en el Jesús niño y en el Jesús crucificado y muerto,
hay un abismo entre la profesión religiosa y la ética:

El Cristo muerto es una víctima expiatoria. Los detalles
de su vida terrenal hacen muy poco al caso y se tiene
relativamente poco interés en ellos. Se le considera
como un ser puramente sobrenatural, cuya humanidad,
siendo sólo aparente, tiene muy poco que ver en materia de ética con la nuestra. Ese Cristo docetista murió
como víctima del odio humano, y con el fin de otorgar
inmortalidad, es decir, la continuación de la presente
y carnal existencia.[24]

Ese Cristo no cambia la vida de las personas que le siguen
aquí y ahora, sino que apenas garantiza un más allá feliz. La
forma en que opera esta Cristología se percibe en la manera
popular de considerar el sacramento de la comunión o Euca-
ristía. Dice Mackay: «El Sacramento aumenta la vida sin trans-
formarla. Lo ético se halla ausente y la magia ritualista usurpa
su lugar».[25] Por ello puede decirse que: «Hablando en términos
filosóficos el catolicismo español ha pasado directamente de
la estética a la religión salvando de un salto la ética. El Cristo
tangerino, y la religión que se formó en derredor de él, tienen
valores estéticos y religiosos, pero carecen ambos de ética».[26]

José Luis L. Aranguren, un lúcido filósofo español del siglo
veinte, que se especializó en el estudio de la Ética, señaló lo
mismo al estudiar el tema de la moral y la sociedad en la vida
española del siglo diecinueve. Describió lo que él llamaba la
disociación entre la religiosidad pública exigida por la presión
social de guardar las apariencias, y por otro lado el escepticismo interior, y señala que varios factores «hicieron imposible

---

24 Mackay, *op.cit.,* pp. 117-118.

25 *Ibid.,* p. 120

26 *Ibid.,* p. 121.

que la religión informara de verdad, la existencia entera». Las contradicciones de conducta resultaban escandalosas:

> ...grandes damas, la Reina a la cabeza, sumamente devotas y aun supersticiosas, cuya moral privada en materia sexual, no tenía nada que ver con la predicada por el cristianismo; y asimismo caballeros cuya respetable y aun solemne religiosidad apariencial se aliaba fácilmente con la corrupción de los mores político financieros.[27]

Estudiosos de la religiosidad española con mentalidad crítica como la de Unamuno en la primera parte del siglo veinte o Aranguren en la segunda, han escrito abundantemente sobre las contradicciones de la vida religiosa y moral de la península ibérica, que nosotros vemos reflejadas en América Latina. Ello demuestra que el análisis de Mackay había sido acertado, y que no se trataba únicamente de los prejuicios de un misionero protestante venido del mundo de habla inglesa. En la base misma de la disociación entre la religiosidad y la ética está una cristología defectuosa que Mackay resumía así:

> Un Cristo a quien se conoce en vida como un niño y en la muerte como un cadáver, cuya infancia desvalida y trágico hado preside la Virgen Madre; un Cristo que se hizo hombre en interés de la escatología y cuya realidad permanente reside en una oblea mágica que dispensa inmortalidad; una Virgen Madre que, por no haber gustado la muerte se convirtió en Reina de la Vida: ¡tal el Cristo y tal la Virgen que vinieron a América![28]

---

27 José Luis L. Aranguren, *Moral y sociedad. La moral española en el siglo XIX*, Cuadernos para el diálogo, Madrid, 3ra. ed., 1967, p. 114.

28 Mackay, *op.cit.*, p. 121.

El análisis católico pos-conciliar

Algunos estudios de la religiosidad popular emprendidos por especialistas católicos en el marco de reformas y autocrítica del Concilio Vaticano II, coinciden con las observaciones de Mackay. En el período previo o inmediatamente posterior a la Conferencia de los obispos católicos en Medellín (1968), la religiosidad popular fue objeto de investigación y enjuiciamiento, desde la perspectiva de un anhelo de renovación de la fe que quería ir a las fuentes mismas como la Escritura. Lo que decía Segundo Galilea en un estudio de 1969 constituye una observación global muy elocuente:

> En resumen, y para ir a características generales de la religiosidad popular, podríamos decir que ésta es una religión de salvación y seguridad individual donde los novísimos ocupan un lugar más importante que Jesucristo. Esto es igualmente válido en los sermones populares, que además son moralizantes y sacramentalistas, lo que ha creado una religión cultural, ligada a creencias y tradiciones.[29]

Dentro del marco de una preocupación pastoral atenta al contenido de la fe del pueblo y la relación con la conducta, Galilea señalaba también la falta de dimensión ética de la religiosidad popular y la ausencia de un concepto del discipulado.

> Se trata más de una religión de «tener» por oposición a una religión de valoración. Es decir, se valorizan los ritos y la doctrina por lo que aportan egoístamente y no por lo que significan en sí, en la vida moral o en el plan de Dios... Por ello mismo, se trata preferentemente

---

29 Aldo Buntig, Segundo Galilea y otros, *Catolicismo popular*, Instituto Pastoral Latinoamericano, Quito, 1969, p. 55.

de una religión más hagiocéntrica que cristocéntrica. Este hagiocentrismo, centrado sobre todo en imágenes, llega a veces al fetichismo en que «tal» imagen tiene un valor en sí, y en general las imágenes vienen a ser el santo mismo.[30]

Galilea pasa de la observación del ritualismo y el hagiocentrismo, a los defectos profundos de la Cristología de la religiosidad popular. La importancia de su estudio radica en que se ha basado en investigaciones socioestadísticas además de su propia experiencia pastoral.

> ¿Se puede hablar de matices populares en la fe en Jesucristo? Pensamos que sí. Por de pronto, la cristología popular es bastante desequilibrada... está absorbida por los misterios de la Pasión; el Cristo Glorioso, el Cristo Cabeza de la Iglesia, el Cristo fuente de la humanización no están presentes en la conciencia popular... La cristología latinoamericana popular, sin saberlo, es bastante monofisita. Esta actitud es de origen complejo; habría que remontarse a la actitud antiarriana de la Península Ibérica, que junto con acentuar en la piedad y en la doctrina al CristoDios, por consiguiente acentuó también la importancia de otros mediadores, que tenían que reemplazar una humanidad del Verbo oscurecida y como absorbida en lo divino (de ahí viene la fuerte devoción mariana y santoral).[31]

En otro trabajo del mismo libro Aldo Buntig investiga en forma especial las dimensiones éticas de la religiosidad popular dentro de su aspecto ritualista. Buntig usa el término «amoral» para referirse al carácter de la religión sustentada

---

30 *Ibid.*, p. 56.

31 *Ibid.*, p. 61, paréntesis del propio autor citado.

por motivaciones cosmológicas, en las cuales se busca utilizar el poder de la divinidad en provecho propio. Su análisis repite varias de las observaciones que ya habíamos visto en el análisis de Mackay.

> ...la Santa Misa lejos de ser la acción litúrgica en la que el Cristo renueva su Sacrificio Pascual y nos invita a la pascualización de nuestra vida, es un rito para obtener gracias en el mejor de los casos. Por otra parte, no siendo los ritos más que instrumentos para obtener favores desconectados del significado de los mismos, interesará multiplicar gestos, devociones más fáciles y comprensibles, con la ilusión de una eficacia que el Señor estigmatizó sin embargo, como una actitud pagana.[32]

En otra parte de su estudio Buntig señala la funcionalidad de la religiosidad rural surgida de motivaciones populares vinculadas a las necesidades humanas: «es a los ritos y santos cristianos a los que se acudirá para solucionar las necesidades más sentidas por el grupo: lluvias, pestes, plagas, enfermedades».[33] Por ello ciertos santos locales o ciertas advocaciones a la Virgen, dice Buntig, se convierten en «fuerzas especializadas» que el pueblo pone al servicio de sus necesidades. Todo ello no demanda claridad doctrinal, sino que se basa más bien en lo que Buntig llama una desnaturalización de los valores doctrinales del Cristianismo:

> Así se explica cómo tales santos y advocaciones ocupen un lugar, por lo general, mucho más dominante que Dios o Nuestro Señor Jesucristo en la interiorización formal y en la expresión cultural. Hay una especie de

---

32 *Ibid.*, p. 26.
33 *Ibid.*, p. 37.

resurrección del panteón pagano, con divinidades locales funcionalizadas en beneficio de las necesidades
locales. La religión tampoco exige aquí una verdadera
transformación moral...Esta ausencia de un imperativo de transformación moral explica por qué en estos
ambientes las fiestas religiosas se «doblan» frecuente-
mente con bailes y diversiones populares de dudoso
contenido moral, verdaderos desahogos psíquicos de
la cultura ambiental.[34]

Pese a lo que pueda criticarse en las observaciones de Mackay, la investigación católica realizada en el espíritu del Vaticano II iba a coincidir en varios puntos con ellas, en lo referente
a la cristología predominante en el mundo iberoamericano.
Vale la pena reconocer el valor pionero de esta contribución
evangélica al esclarecimiento de la dimensión espiritual de
nuestra cultura. En el espíritu del Concilio Vaticano II, la
conferencia de obispos de Medellín en 1968 asumió algunas
de las líneas del análisis evangélico al evaluar la religiosidad
popular. Aun los teólogos de la liberación se habían dado
cuenta de lo que significaba tomar en serio los resultados de
este análisis. Se hacía necesario cambiar de métodos pastorales
para que los católicos asumiesen un cristianismo en el cual
se conociese mejor al Cristo de la Biblia.

---

34 *Ibid.*, p. 38.

3

ESE OTRO CRISTO DE LOS INDIOS

Todas las veces que a vuestra majestad he escrito he dicho a vuestra alteza el aparejo que hay en algunos de los naturales de estas partes para se convertir a nuestra santa fe católica, y he enviado a suplicar a vuestra cesárea majestad, para ello, mandase proveer de personas religiosas de buena vida y ejemplo. Y porque hasta agora han venido muy pocos, o cuasi ningunos, y es cierto que hay grandísimo fruto, lo torno a traer a la memoria a vuestra alteza, y le suplico lo mande proveer con toda brevedad (Carta del conquistador de México Hernán Cortés al Emperador Carlos V, 15 de octubre de 1523).[1]

La etapa de la cristalización de la religión andina abarca la segunda mitad del siglo XVII. Durante este período parece que la población andina, que en poco más de 130 años había sufrido el despojo de la religión oficial incaica y había sido sometida a una evangelización bastante compulsiva, puede hacer al fin su inventario religioso en el seno de la sociedad colonial y adopta una cosmovisión y un talante religioso característicos, que «cristalizan» en este período y van a permanecer casi inalterados hasta tiempos muy recientes. La población andina termina por aceptar el sistema religioso católico, pero haciendo una serie de reinterpretaciones de los elementos cristianos desde la matriz cultural indígena

---

1 Robert Ricard, *La conquista espiritual de México*, Fondo de Cultura Económica, México, pp. 82-83.

e incluso incrustando en el nuevo sistema religioso muchos elementos indígenas. Pero debe subrayarse que este sistema religioso no es una simple yuxtaposición de las dos religiones…,sino algo nuevo e integrado en el seno de la sociedad colonial (Manuel Marzal S.J. *La transformación religiosa peruana*, 1983).²

Hubieran querido los evangelizadores españoles encontrar en tierras de América hombres y mujeres que fuesen como una *tabula rasa*, un territorio virgen en el que fuese posible fundar un cristianismo puro, libre de herejías protestantes o infiltraciones judaicas. Los aborígenes de estas tierras, sin embargo, habían desarrollado civilizaciones y culturas con sus dioses y señores, sus sacerdotes, sus rituales y sus instituciones religiosas. El Cristo de la religiosidad medieval ibérica se encontró entonces con el Viracocha y la Pacha Mama de los pueblos andinos, con Quetzalcoatl y Tonatiuh en los pueblos mesoamericanos.

En el capítulo anterior describimos la visión de Cristo que tenían los habitantes españoles o mestizos españolizados dentro del mundo colonial. Allí el análisis de Mackay acierta al señalar la clara conexión entre esa visión de Cristo y la de la religiosidad popular ibérica traída por los conquistadores. Sin embargo, en su estudio del Cristo de Iberoamérica Mackay no exploró detenidamente la cuestión de la religiosidad popular, tal como se manifiesta en lugares donde hubo culturas indígenas que opusieron resistencia a la conquista española, y cuya influencia ha perdurado a pesar de siglos de opresión. Los trabajos de Segundo Galilea y Aldo Buntig que consideramos en el capítulo precedente, fueron en su momento evidencia

---

2 Manuel M. Marzal, *La transformación religiosa peruana*, Fondo Editorial Pontificia Universidad Católica, Lima, 1983, p. 61.

de que ya se había acumulado un buen bagaje de estudios realizados durante varias décadas de exploración etnográfica, antropológica, histórica y misiológica. Ha seguido surgiendo un cuadro más claro de cómo percibieron a Cristo las masas indígenas o mestizas cuando llegó a sus oídos el mensaje de conquistadores y misioneros.

Afirmación católica y crítica protestante

El asunto de la religiosidad popular de los pueblos indígenas se ha prestado como pocos a la polémica aguda y toca varios problemas muy importantes de la misiología actual. Un argumento común de la oposición católica a las misiones evangélicas fue que éste ya era un continente cristiano y en consecuencia no cabía la presencia de misioneros que vinieran a hacer proselitismo entre personas creyentes. La literatura misionera protestante respondía señalando las carencias o vicios de la religiosidad popular, que resultaban más evidentes allí donde había una masa indígena en cuya práctica religiosa se podía notar la presencia de elementos de las religiones precolombinas, y la ausencia de un conocimiento o comprensión de las verdades elementales de la fe cristiana, un conocimiento muy superficial e incompleto de la persona de Cristo y en consecuencia una experiencia religiosa marcada más por la superstición que por la fe. Para los protestantes esto constituía una prueba más de que el continente no era en realidad cristiano.

Algunas de las observaciones protestantes que ya hemos visto respecto a la evangelización del continente se aplicaron en forma especial a una evaluación de la religión indígena. Los informes de misioneros, los relatos de viajes, y los libros para promover las misiones evangélicas abundan en material al respecto. Dada la condición de abandono y opresión en que estaba el indio, la cual empezaba a ser detectada por la observación de primera mano del misionero protestante, se llegaba a conclusiones críticas sobre la ausencia de un dinamismo transformador en el catolicismo de los indígenas, y sus consecuencias sociales. Sin embargo, los propios católicos reconocían lo difícil de la situación. Por ejemplo, en un panorama del catolicismo latinoamericano el obispo panameño Marcos McGrath resumía así la situación: «Las masas de indios en algunas naciones y de negros en otras, y en general los campesinos y los trabajadores, tienen un conocimiento muy limitado de la fe. Con frecuencia ni siquiera saben explicar quien fue Jesucristo».[3] La aclaración que ofrece luego refleja algo de la ambigüedad católica al respecto: «Con todo, existe entre ellos una entrega sentimental, nacional, personal aun, por la gracia de Dios, fuertemente sobrenatural al hecho de ser católicos. Pero qué significa esa entrega, esa es otra cuestión».[4]

En el caso del Perú, el misionero evangélico Guillermo Mitchell, especialista en lengua quechua y traductor de la Biblia, ha hecho un estudio cuidadoso del uso de la Biblia en la cristianización del Perú en las primeras décadas de la conquista española del siglo XVI. Fue notable el esfuerzo por crear catecismos adecuados y traducirlos a la lengua quechua.[5] Con criterio pedagógico y pastoral se usaron los cánticos como forma de trasmitir el mensaje cristiano, y hay cantos de aquella época que se han seguido usando hasta nuestros días. Sin embargo el espíritu de la Contrarreforma del Concilio de

---

3 Mark G. McGrath, «La autoridad docente de la Iglesia: su situación en Latinoamérica», en William V. D'Antonio y Frederick B. Pike, eds., *Religión, revolución y reforma*, Herder, Barcelona, 1967, p. 97.

4 *Ibid.*

5 William Mitchell, *La Biblia en la historia del Perú*, Sociedad Bíblica Peruana, Lima, 2005.

Trento puso en el índice de libros prohibidos las versiones de la Biblia en lengua vernácula, y aquellos intentos iniciales no florecieron ni fueron continuados.[6]

En el caso de México, por ejemplo, hay también estudios que muestran cómo la iniciativa misionera inicial del siglo dieciséis, especialmente la de órdenes como los franciscanos o dominicos, se esforzó en comprender las culturas nativas y comunicar el Evangelio habiendo entendido primero el trasfondo y las ideas religiosas de los indígenas, y a la luz de ello adaptando la comunicación del mensaje cristiano a la mentalidad nativa. Así, por ejemplo el estudioso francés Christian Duverger nos ofrece un resumen histórico de la evangelización inicial de México y el texto de los famosos «Coloquios de los doce» en los cuales los misioneros franciscanos dialogaron con los jefes indígenas sobre la fe cristiana, comparada con la comprensión religiosa de los nativos. ¿Cómo se expresaba la verdad acerca de Jesucristo en este esfuerzo de comunicación? Veamos el capítulo 5, «donde se trata de nuestro Señor Jesucristo en quanto hombre tiene un reyno acá en el mundo»:

> Este universal Dios y Señor, redemptor y criador Jesucristo tiene un reyno acá en el mundo que se llama reyno de los cielos, porque ninguno irá al cielo a reynar sino se subjetare a este reyno acá en el mundo. A. En este reyno que Jesucristo tiene en el mundo ay diversas maneras de riquezas celestiales que Dios tiene acá en el mundo muy guardada y cerrada. Este reyno de Dios que se llama Sancta iglesia, es regido por el gran Sacerdote que es el Sancto Padre; este gran Señor tiene la llave de estas riquezas, él abre y aquellos a quienes él da su

---

6 Un estudio de este proceso se puede encontrar en Jorge Seibold, *La Sagrada Escritura en la evangelización de América Latina*, Tomo 1, San Pablo, Buenos Aires, 1993.

poder pueden también abrir y ninguno otro; él mismo
tiene las llaves del cielo y ninguno puede entrar allá si
él no le abriere o alguno que tuviere su poder, porque
él solo sobre la tierra es vicario de Dios Nuestro Señor
Jesucristo. B. Este gran Sacerdote, Sancto Padre tiene
superioridad y eminencia sobre todos los reyes de la
tierra y también sobre el Emperador, y agora para esto
nos (ha) acá embiado para que os demos a conocer y os
informemos del reyno y riquezas y grandeza de aquel
por quien todas las cosas viven, que es nuestro Señor
Jesucristo; y para que sepáis que la llave de la entrada
del cielo la tiene este gran Sacerdote Sancto Padre, el
cual es Vicario de Dios.[7]

Cabe hacerse la pregunta sobre lo que en el fondo llegaban
a comprender acerca de Jesucristo los nativos que oían esta
presentación. La lectura de los Coloquios y de los diálogos con
los jefes nativos a los cuales se dirigían los evangelizadores
lleva a la conclusión de que Cristo era presentado como Señor,
y que la aceptación de su señorío significaba fundamentalmente la sumisión a la Iglesia y a los conquistadores.

Por razones históricas coyunturales, pero también por
razones teológicas, el esfuerzo misionero de evangelización
católica en el siglo XVI estuvo íntimamente ligado al sometimiento de los indígenas por medio de la conquista militar.
Este tema se investigó intensamente en la última década del
siglo veinte con motivo del Quinto Centenario de la llegada
de Colón y se hizo un esfuerzo por revisar las principales
afirmaciones de la llamada «Leyenda Negra» que ha buscado
denigrar todo lo ibérico. Uno de los mejores especialistas en

---

7 Christian Duverger, *La conversión de los indios de Nueva España. Con el
texto de los Coloquios de los Doce de Bernardo de Sahagún (1564)*, Fondo de
Cultura Económica, México, 1996, pp. 68-69.

el tema es Pedro Borges, de la Universidad Complutense de Madrid, quien dedicó al tema una investigación de varias décadas.[8] Su análisis de la legislación de Indias demuestra que ésta yuxtapone «civilización» y «misión», entendiendo el proceso como civilizar primero al indio para que sea «hombre», a fin de que luego pueda ser «cristiano»:

> El pensamiento de que el indio, para ser cristiano, necesitaba primero ser hombre, lo consignan tanto los eclesiásticos como los seglares, aparece estampado sin solución de continuidad a lo largo de los siglos XVI, XVII y XVIII y se formula con un lenguaje tan similar en todas las ocasiones que induce a pensar en la existencia de una desconocida fuente común...[9]

Un sector de los misioneros creía que para civilizar era necesario someter, y que dicho sometimiento debía preceder a la evangelización. Borges cita al capuchino Ildefonso de Zaragoza, misionero en Venezuela que refiriéndose a los indios, decía en 1692: «convendría ponerles algún género de sujeción que los redujese a ser hombres para poderles enseñar a ser cristianos».[10] La coacción se usó como medio de civilizar a los indios, si bien se reconocía que la cristianización no podía ser a la fuerza. Otro historiador católico español lo resume recordando la frase que venía de la edad media hispánica: «primero vencer, después convencer».[11] La cuidadosa elaboración de instrumentos jurídicos para la conquista se

---

8 Pedro Borges, *Métodos misionales en la cristianización de América, Siglo XVI*, Madrid, 1960.

9 Pedro Borges, *Misión y civilización en América*, Alhambra, Madrid, 1987, p. 8.

10 *Ibid.*, p. 12.

11 Leandro Tormo, *Historia de la Iglesia en América Latina*, Tomo 1: *La evangelización de la América Latina*, Feres-OCSHA, Bogotá-Madrid, 1962, p. 150.

basó en este razonamiento del fin evangelizador último que tenía la empresa militar y civilizadora, y de esa manera la teología se puso al servicio de la política. En una obra magistral sobre el proceso de la conquista y la oposición crítica de religiosos como Bartolomé de las Casas, el teólogo peruano Gustavo Gutiérrez estudia el desarrollo de toda una teología de la conquista. Así describe, por ejemplo, cómo se redactó el «Requerimiento», un documento que explica el derecho del Rey de España y sus representantes a conquistar a los indios y que se leía a los jefes indios antes de enfrentarse con ellos, si no se sometían por las buenas. Dicho documento empieza con afirmaciones teológicas acerca de Dios y la creación, la dispersión de la raza humana y el encargo dado al Papa para que la unificase de nuevo por medio de sus representantes y encargados, los conquistadores.[12]

En la justificación de la conquista se fundieron ideas provenientes de la época medieval con otras surgidas en el calor de los debates teológicos sobre el derecho de los españoles a conquistar para evangelizar, y la falta de derechos de los indígenas por su paganismo. Los consejeros del Rey de España en esta materia se remitían al Papa Inocencio IV, muerto en 1264, y a Enrique de Susa, cardenal de Ostia, llamado El Ostiense (muerto en 1271). Éste había escrito:

Creemos sin embargo, mejor dicho nos consta que el Papa es Vicario Universal de Jesucristo Salvador, y que consiguientemente tiene potestad no sólo sobre los cristianos, sino también sobre todos los infieles, ya que la facultad que recibió (Cristo) del Padre fue plenaria... Y me parece a mí que después de la venida de Cristo, todo honor y principado y dominio y juris-

---

12 Gustavo Gutiérrez, *En busca de los pobres de Jesucristo*, Instituto Bartolomé de las Casas, Lima, 1992, pp.160-169.

dicción les han sido quitados a los infieles y trasladados a los fieles en derecho y por justa causa por aquél.[13]

Gutiérrez comenta al respecto: «En otros términos, los infieles no son dueños de sus tierras, ni tienen autoridades legítimas».[14] Con argumentos como éstos se legitimaba el uso de la violencia para conseguir la evangelización de los nativos.

Las prácticas misioneras derivadas de esta concepción continuaron por lo menos hasta la década de 1960. El novelista peruano Mario Vargas Llosa, al relatar cómo escribió su novela *La casa verde*, cuenta su visita a un puesto de avanzada misionera de una misión católica española en Santa María de Nieva, en la selva del Perú, en 1957. «Nosotros –escribe– tuvimos ocasión de conocer de cerca a las misioneras... Pudimos ver la dura vida que llevaban... Pudimos ver el sacrificio enorme que exigía de ellas permanecer en Santa María de Nieva». Luego comenta acerca de la escuela que las monjas habían construido para las niñas aguarunas: «Querían enseñarles a leer y escribir, a hablar castellano, a no vivir desnudos, a adorar al verdadero Dios. El problema había surgido poco después de abierta la escuela: las niñas aguarunas no venían a la Misión, sus padres no se daban el trabajo de mandarlas». Vargas Llosa supone que la razón principal para esa conducta era que las familias aguarunas no querían que sus hijas fueran «civilizadas» por las Madres. Y luego narra: «El problema había sido resuelto de modo expeditivo. Cada cierto tiempo un grupo de Madres salía, acompañado por una patrulla de guardias, a recolectar alumnas por los caseríos del bosque. Las Madres entraban a las aldeas, elegían a las niñas en edad escolar, las llevaban a

---

13 *Ibid.*, p. 154, nota 18.
14 *Ibid.*

la misión de Santa María de Nieva y los guardias estaban allí para neutralizar cualquier resistencia».[15]

Los historiadores coinciden en que el impulso evangelizador inicial, especialmente de ciertas órdenes como los franciscanos y dominicos, fue desplazado por los intereses de los conquistadores que querían una cristianización rápida y masiva que convirtiese a los indígenas en súbditos de los reyes de España y contribuyentes de impuestos al tesoro real. En ello contaron con el apoyo del clero secular que tenía una actitud muy diferente a la de las órdenes misioneras. Por otra parte, la crisis que sufrió el catolicismo durante las guerras de independencia de América Latina (1810-1824), por su apoyo al sistema colonial y su alineamiento con los españoles, salvo casos excepcionales, debilitó a la iglesia que fue perdiendo la capacidad de ofrecer cuidado pastoral y enseñanza a los fieles indígenas, debido a la escasez del clero y a la falta de una inculturación en medio de los nativos. Al empezar el siglo veinte el cuadro de la situación de los indios era lamentable.

En un panorama de la situación religiosa de América Latina a mediados del siglo veinte, el misionero inglés Stanley Rycroft, quien había trabajado en el Perú, resume la observación y la experiencia de muchos misioneros protestantes cuando dice: «La religión no ha redimido al indio ni le ha traído mejora humana ni elevación social alguna, ni vida abundante...A la presente se le ve continuamente empobrecido o endeudado por tanta fiesta o por las muchas cosas que se le exigen».[16] Rycroft fundamentaba su perspectiva crítica recurriendo en su análisis al testimonio de etnólogos y antropólogos que habían

---

15 Mario Vargas Llosa, *Historia secreta de una novela*, Tusquets, Barcelona, 1971, pp. 26-28.

16 W.Stanley Rycroft, *Religión y Fe en América Latina*, Casa Unida de Publicaciones, México, 1961, p. 121.

estudiado las culturas indígenas. Uno de los autores que cita es Weston la Barre, que había estudiado el mundo aimara en el Perú y Bolivia, y cuya opinión entra precisamente en el campo de la cristología:

> Varios siglos de cristianismo nominal no han servido sino para añadirles otra mitología extraña al cuerpo de las creencias aimaras. En su calidad de pueblo brutalmente oprimido y cruelmente explotado, muchos de estos indios han aceptado en parte los símbolos sadomasoquistas de la figura sangrienta y coronada de espinas del Cristo y de la Madre dolorosa y misericordiosa que algunos de ellos identifican con su propia deidad femenina. Aun cuando a todos se les tiene por cristianos, muchos de los aimaras odian la religión con la misma vehemencia que a sus personeros.[17]

En su penetrante estudio de la cultura mexicana *El laberinto de la soledad,* el escritor Octavio Paz elabora una rica reflexión sobre el papel de las fiestas religiosas en la vida de los mexicanos que incluye un comentario irónico sobre la carga económica que representan para el pueblo esas festividades. Dice Paz: «La vida de cada ciudad y cada pueblo está regida por un santo, al que se festeja con devoción y regularidad» y luego cuenta una anécdota reveladora:

> Recuerdo que hace años pregunté al Presidente municipal de un poblado vecino a Mitla, '¿A cuánto ascienden los ingresos del Municipio por contribuciones?' 'A unos tres mil pesos anuales. Somos muy pobres. Por eso el señor Gobernador y la Federación nos ayudan cada año a completar nuestros gastos.' '¿Y en qué utilizan esos

---

17 *Ibid.,* p. 122.

tres mil pesos?' 'Pues casi todo en fiestas, Señor. Chico como lo ve, el pueblo tiene dos Santos Patrones.[18]

Algunos estudiosos no protestantes llegaron también a la conclusión de que no había habido de veras una «conversión» de los indios a la fe católica romana, es decir que el proceso evangelizador del siglo XVI no consiguió una transformación religiosa profunda. Escribiendo hacia 1927, cuando todavía no habían florecido los estudios antropológicos y etnológicos, ni se habían aplicado a la misiología, el socialista peruano José Carlos Mariátegui analizó con bastante agudeza el caso de los indios de la zona andina. Utilizó los pocos estudios hasta entonces existentes y aplicó su metodología basada en el análisis socioeconómico, aunque matizada por un conocimiento bastante amplio de historia y ciencia de la religión. Mariátegui creía que «El catolicismo, por su culto patético estaba dotado de una aptitud tal vez única para cautivar a una población que no podía elevarse súbitamente a una religiosidad espiritual y abstractista».[19] Esta aparatosidad exterior y el colorido de la liturgia habrían deslumbrado al indígena, pero en el fondo no había habido una conversión. Mariátegui cita a Emilio Romero, un estudioso que provenía de la zona sur del Perú, en la cual había visto toda su vida las manifestaciones del catolicismo popular de los indios:

> Los indios vibraban de emoción ante la solemnidad del rito católico. Vieron la imagen del sol en los rutilantes bordados de brocados de las casullas y de las capas pluviales; y los colores del iris en los roquetes

---

18 Octavio Paz, *El laberinto de la soledad*, Fondo de Cultura Económica, México, 1989, pp. 42-43.

19 José Carlos Mariátegui, *Siete Ensayos de Interpretación de la Realidad Peruana*. Amauta, Lima, 13a. edición, 1968, p. 137.

de finísimos hilos de seda con fondos violáceos...Así se explica el furor pagano con que las multitudes indígenas cuzqueñas vibraban de espanto ante la presencia del Señor de los Temblores (imagen muy popular del crucificado) en quien veían la imagen tangible de sus recuerdos y sus adoraciones, muy lejos el espíritu del pensamiento de los frailes. Vibraba el paganismo indígena en las fiestas religiosas.[20]

Éste es el tipo de observación que llevó a Mariátegui a concluir que «La evangelización, la catequización nunca llegaron a consumarse en su sentido profundo... El paganismo aborigen subsistió bajo el culto católico».[21] La respuesta católica al análisis de Mariátegui no se hizo esperar, y resulta esclarecedor considerar sus argumentos. En un libro escrito precisamente para responder a Mariátegui, el líder católico peruano que un día llegaría a la presidencia de la ONU, Víctor Andrés Belaúnde, decía: «...en lo fundamental hay hechos innegables de la penetración del espíritu católico en las masas indígenas. Debo señalar los dos principales: la reacción ante el dolor, que no es en el indígena, hoy al menos, colectivamente de fría resignación fatalista, sino de plegaria y de esperanza; y la generalidad e intensidad del culto mariano».[22] Como puede observarse ninguno de estos hechos que para Belaúnde prueban la «penetración» del espíritu católico hace referencia a un elemento cristológico transformador fundamental.

---

20 *Ibid.*, p. 137.

21 *Ibid.*, p. 138

22 Víctor Andrés Belaúnde, *La realidad nacional*, Lima, 3ra. edición, 1964, p. 91.

La aceptación forzada de lo cristiano

Una forma de interpretar la aceptación superficial del catolicismo por los indígenas era la que sostenía que el móvil fue la necesidad de supervivencia del indígena conquistado. El historiador y etnólogo Luis E. Valcárcel lo describía de esta manera:

> Cuando vino la irremediable dominación del extranjero el indígena astutamente apeló al empleo muy diestro de la simulación. No pudiendo rechazar con franqueza y altivez los valores religiosos predominantes y decisivos, fingió aceptarlos. Se hizo católico, recibió el bautismo, fue practicante asiduo; participaba en los ritos y fiestas. Mas su corazón seguía firmemente adherido a sus viejos dioses.[23]

Valcárcel señalaba que el mensaje de los conquistadores españoles acerca de Dios y de Jesús estaba en abierta contradicción con su conducta. Al emperador inca Atahualpa el fraile dominico Vicente Valverde le predicaba acerca de un Dios bondadoso, que había enviado a su Hijo para redimir a los seres humanos. Sin embargo, con sus acciones, el conquistador Pizarro, a cuyo servicio estaba Valverde, contradecía la prédica del fraile dominico: «Si el Dios de Valverde era como él supo pintarlo, el Dios de Pizarro debía ser el antiDios, un demonio de maldad, de baja concupiscencia, de extremo materialismo. Mas, ¿con cuánta sorpresa contemplaría a Pizarro adorando la cruz y recibiendo los sacramentos de manos de Valverde?»[24]

---

23 Luis E. Valcárcel, *Ruta cultural del Perú*, Lima, 3ra.edición, 1965, p. 143.

24 *Ibid.*, p. 143.

Quizás esto explica por qué la Cristología indígena aceptó la figura de Cristo que la religiosidad popular ibérica, por otras razones, había llegado a preferir en esa época. Así el indio se vio a sí mismo retratado en el Cristo sufriente, víctima como él de la maldad de gente muy religiosa y poderosa. De este modo afirma Valcárcel: «Nada más impresionante que los Cristos indios. Son óleos, esculturas y maderas de artistas cuzqueños en que el divino redentor es vera efigie del pueblo indígena.»[25] En su libro *Tempestad en los Andes*, Valcárcel también reconoce el impacto transformador de la experiencia protestante como parte del terremoto o tempestad que estaban sacudiendo a las regiones andinas del Perú en las primeras décadas del siglo veinte.

Regresando a Octavio Paz, en *El laberinto de la soledad* hay también un análisis del complejo proceso de trasmisión de la fe cristiana que se dio durante la conquista de México. Señala que la enseñanza de la fe católica tuvo una funcionalidad social para ayudar al indígena a reintegrar su mundo interior y su visión de la vida que habían sido sacudidos y desintegrados por la derrota de los aztecas frente al conquistador Hernán Cortés. Dice Paz: «No es sorprendente en estas circunstancias la persistencia del fondo precortesiano. El mexicano es un ser religioso y su experiencia de lo Sagrado es muy verdadera, mas, ¿quién es su Dios: las antiguas divinidades de la tierra o Cristo?»[26] Cita como ejemplo de que el Catolicismo sólo recubre las antiguas creencias cosmogónicas lo que dice el indígena chamula Juan Pérez Jolote al describir la imagen de Cristo en una iglesia de su pueblo:

---

25 *Ibid.*, p. 153.

26 Octavio Paz, *El laberinto de la soledad*, Fondo de Cultura Económica, México, 1989, p. 96.

Este que está encajonado es el Señor San Manuel; se
llama también Señor San Salvador, o Señor San Mateo;
es el que cuida a la gente, a las criaturas. A él se le
pide que cuide a uno en la casa, en los caminos, en la
tierra. Este otro que está en la cruz es también el Señor
San Mateo; están enseñando, está mostrando cómo se
muere en la cruz para enseñarnos a respetar...antes de
que naciera San Manuel, el sol estaba frío igual que la
luna. En la tierra vivían los pupujes que se comían a
la gente. El sol empezó a calentar cuando nació el niño
Dios que es hijo de la Virgen, el Señor San Salvador.[27]

La misiología católica del Vaticano II

En las décadas de 1960 y 1970 varios estudiosos católicos
trataron de explicar el complejo fenómeno de la religiosidad
indígena dentro de las presuposiciones de la misiología católica tradicional. Ésta siempre estuvo abierta a aceptar la validez
del sincretismo en contraste con la misiología protestante.
El historiador Enrique Dussel estableció una tipología de los
habitantes del continente con respecto a la fe cristiana, en
la época colonial. Al ubicar a los indígenas dentro de dicha
tipología ofrece la siguiente descripción:

> La gran mayoría de los indios bautizados pero *no to-*
> *talmente catequizados* ni profundamente convertidos
> y aun menos con una vida de comunidad cristiana
> (una excepción, evidentemente eran los indios que
> se habían organizado en *pueblos, doctrinas, misiones*
> *o reducciones*). Su actitud existencial (el plano moral
> o cultural), su fe o comprensión no habían sido lo

---

27 *Ibid.*, p. 97. Aquí Paz está citando la célebre obra de Ricardo Pozas, *Juan Pérez*
Jolote. Autobiografía de un tzotzil, Fondo de Cultura Económica, México, 1965.

suficientemente educadas para abarcar el dogma y sus exigencias. Así las borracheras, la degeneración, el concubinato, podían convivir con la creencia de la existencia de las «huacas» (espíritus de los diversos *lugares*), con ciertas hechicerías, magias, y con la creencia en Jesucristo redentor.[28]

Más adelante Dussel afirma que «la masa india, que continuaba su vida semiprimitiva, permanecía en ese estado *catecumenal* de mayor o menor conciencia de su fe con mayor o menor grado de instrumentos o estructuras sacramentales cristianas juntamente con otros paganos.»[29] Sin embargo, al llegar a su conclusión Dussel cambia de tono: «En un plano profundo, comprensivo, existencial, de fe, la masa india no ha adoptado superficial ni aparentemente el cristianismo; sino que *comenzaba a adoptarlo* pero radicalmente, sustancialmente, auténticamente».[30]

Otro estudioso católico reconocido que dedicó décadas de investigación a probar que durante la evangelización católica del siglo XVI se dio en realidad una transformación religiosa profunda fue el jesuita español Manuel Marzal, quien estudió especialmente la religiosidad andina en varios volúmenes, trabajando en fuentes primarias de los archivos de la Iglesia Católica. Uno de sus libros expone sus estudios del sincretismo de tres grupos indígenas de América Latina: los quechuas de Cusco en el Perú, los mayas de Chiapas en México, y los africanos de Bahía en Brasil. Marzal reconoce que:

---

28 Enrique D. Dussel, *Historia de la Iglesia en América Latina*, Esquila Misional, Madrid, 5ta. edición, 1983, p. 130, énfasis y paréntesis del propio Dussel.

29 *Ibid.*, p. 131, énfasis del propio autor.

30 *Ibid.*

> Los tres grupos fueron bautizados en la Iglesia católica
> en las primeras décadas del proceso colonial español y
> portugués, pero han conservado, junto a ritos y prácti-
> cas cristianas, una serie de elementos de sus religiones
> originales conformando sistemas sincréticos de dife-
> rente grado, que siguen siendo un problema teórico
> para los antropólogos y un problema pastoral para la
> Iglesia católica.[31]

A lo largo de su estudio en éste y otros libros Marzal
mostraba conciencia aguda de los profundos problemas que
la religiosidad popular presenta para el catolicismo latinoamericano. Sin embargo, se negaba a aceptar las opiniones de
estudiosos que consideran que se trata de una yuxtaposición
de dos religiones sin una conversión profunda.

¿Un Cristo *docetista* en los catecismos?

Entre la gran cantidad de trabajos publicados con motivo
del quinto centenario en 1992, uno estuvo dedicado a analizar
los instrumentos educativos que se utilizaron en la evangelización española. Se trata de *Las raíces cristianas de América*
de Luis Resines.[32] Este autor ofrece un estudio de trece catecismos de la época colonial, y de diferentes autores, para tratar
de comprender cómo se trasmitió la fe en esa etapa inicial.
Resines reconoce las dificultades de la trasmisión de la fe a
los indígenas, al utilizar fórmulas catequéticas traídas desde
España. El concepto de Dios como ser eterno o de la Trinidad
no encontraba asidero en la mentalidad de los indios. No se

---

31 Manuel M. Marzal, *El sincretismo Iberoamericano*, Pontificia Universidad
   Católica, Lima, 1985, p. 13.

32 Luis Resines, *Las raíces cristianas de América,* CELAM, Santafé de Bogotá, 1993,
   p. 65.

cuenta con suficiente material que nos permita saber qué entendieron los indios y cómo reaccionaron frente al mensaje que les fue entregado. En su análisis de los textos catequéticos Resines llega de manera autocrítica a la conclusión de que ciertas figuras utilizadas para explicar la venida de Cristo trasmitieron una visión docetista. Analiza en especial textos catequéticos de Pedro de Córdoba y de Juan de Zumárraga «en los cuales se emplea reiteradamente la expresión vestir para hablar de la asumpción (sic) por parte de Jesús de la naturaleza humana».[33] Resines llega a la conclusión de que «El sentido literal de las afirmaciones es heterodoxo, más concretamente docetista, pues Jesús no asume sino que viste la humanidad».[34] Resines no está embarcado en una caza inquisitorial de herejías, sino que reconoce que desde una perspectiva pedagógica tanto de Córdoba como Zumárraga tenían ante sí una tarea por demás difícil. El resultado sin embargo fue negativo:

> La preocupación de los autores parece centrarse en el hecho de que por hacerse hombre, no sufre merma la divinidad: «no dejó de ser Dios». Pero en cambio se produce el efecto contrario, puesto que es la humanidad la que sufre merma, reducida al papel de una mera vestidura, algo meramente accidental de quita y pon. De acuerdo con ello, cuando el Verbo eterno de Dios se viste de hombre, parece hombre, en la línea del más puro docetismo.[35]

33 *Ibid.*, p. 65

34 *Ibid.*

35 *Ibid.*, p.66.

Religiosidad popular y cristología

Las investigaciones católicas sobre religiosidad popular realizadas en el espíritu del Vaticano II y de la Conferencia de Medellín 1968 a la que nos referimos ampliamente en un capítulo próximo, describieron y analizaron críticamente las formas extrañas que había ido tomando el catolicismo medieval español en la religiosidad indígena. Los autores que consideramos a continuación fueron misioneros católicos por varias décadas, que vivieron y realizaron su trabajo pastoral y docente en comunidades indígenas. Sus libros son una combinación de observación antropológica y reflexión teológica y pastoral, pero además es muy importante señalar que tal observación y reflexión requerían una inmersión misionera encarnacional, siguiendo el ejemplo de Jesucristo.

En el campo específico de la cristología, algunos trabajos descriptivos cuidadosos sacaron a luz formas de sincretismo para las cuales bien cabría el nombre de Cristo-paganismo.[36] J. E. Monast en su voluminoso trabajo *Los indios aimaraes*, relativo a la etnia aimara en la región fronteriza entre Perú y Bolivia, mostraba que para los indígenas los santos, los Cristos y los señores eran todos seres de la misma categoría.

> Vemos desfilar en esta galería al Cristo de la Resurrección, al Cristo de la Ascensión, al Cristo de la Exaltación, etcétera. En los alrededores de la ciudad de Oruro se habla de tres Señores primos que no se quieren en absoluto; son el Señor de Lagunas o de Ca-

---

36 El término «Cristopaganismo», propio de la misiología protestante, designa un tipo de sincretismo que persiste allí donde el proceso de evangelización fue defectuoso, dejando el sistema de creencia y práctica animista virtualmente intacto pero mezclado con algunos elementos cristianos. Ver Scott Moreau, ed., *Evangelical Dictionary of World Missions*, Baker, Grand Rapids, 2000, pp. 188-189.

lacala, el Señor de Quillacas y el Señor de Calacahua.
Son enemigos y tratan de perjudicarse mutuamente en
todo lo posible.[37]

Estas observaciones coinciden con las de Tomas M. Garr,
jesuita que estudió el mundo quechua en la prelatura de Ayaviri en el Perú, quien nos dice que:

> Si la idea que tiene el campesino acerca de Dios no
> corresponde exactamente al concepto ortodoxo de los
> teólogos cristianos, mucho menos su idea acerca de
> Jesucristo. En la parroquia de Coaza la mayoría de la
> gente identifica a Jesucristo como uno de los santos
> del panteón cristiano, y algunos lo identifican 'como
> uno de los tres dioses de la Santísima Trinidad'...son
> pocos los que conocen la vida de Cristo como la cuenta
> el Evangelio.[38]

Garr muestra también que varias devociones populares
a Cristo, tales como «El Señor de Huanca», «El Señor de los
Temblores» o «El Señor de los Milagros» no identifican claramente estos objetos de devoción con la persona de Jesucristo.
Más bien «Cada devoción representa a un 'santo' particular
con ciertos poderes, pero no identifican sus actuaciones con
lo que hizo Jesucristo.»[39]

Los trabajos de Monast y Garr se publicaron en 1972, y en el
marco del Vaticano II, sus planteamientos pastorales llevaban
a la necesidad de una enseñanza acerca de Cristo que, ponien-

---

37 J. E. Monast, *Los indios aimaraes. ¿Evangelizados o solamente bautizados?*,
Carlos Lohlé, Buenos Aires, 1972, p. 65.

38 Thomas M. Garr, S.J., *Cristianismo y religión quechua en la prelatura de Ayaviri*,
Instituto de pastoral Andina, Cusco, 1972, p. 97.

39 *Ibid.*, p. 98.

do el acento en el contenido bíblico, lograse lo que Monast llamaba «una amplia acción correctiva». Más aun, Monast estudió también el Protestantismo entre los aimaraes y llegó a la conclusión de que parte de la experiencia transformadora del mensaje evangélico era el haber liberado a las personas de una religión de ignorancia y temor. Monast cuenta cómo al comienzo de su ministerio conoció a un diácono bautista con quien entabló amistad y que le relató un día la génesis de su conversión al protestantismo:

> Mi mujer y yo hemos sido católicos. Pero entonces no teníamos a Cristo. No lo encontrábamos en medio de todas esas Vírgenes y de todos esos Señores, con sus fiestas y sus pasantes. Por eso nos hicimos bautistas. Fue un pastor de esta religión quien nos hizo descubrir a Cristo en las Santas Escrituras.[40]

Monast da también testimonio del impacto transformador que tuvo sobre él mismo el testimonio de amor por la Biblia que le dio este diácono bautista. Este momento de la comprensión autocrítica de la Cristología de la religiosidad indígena y de la propuesta de regresar a una Cristología de raíces bíblicas correspondía, como se ha dicho, al espíritu del Vaticano II y de Medellín 1968, con su regreso a la Biblia y su esfuerzo autocrítico. Con la llegada del Papa polaco Juan Pablo II empezó una actitud revisionista de las propuestas del Vaticano II y un esfuerzo evidente por restaurar el catolicismo más tradicional y conservador, y revalorar la religiosidad popular. Investigaciones como las que hemos citado de Garr y Monast fueron cediendo el paso a un acercamiento que podemos llamar de tipo eclesiástico-político. La búsqueda de un cristianismo más cristocéntrico fue reemplazada por la revaloración del

---

40 *Ibid.*, p. 292.

catolicismo tradicional con un criterio populista. Tal habría
de ser la línea de la conferencia de obispos en Puebla (1979)
reforzada luego en Santo Domingo (1992). Examinaremos más
adelante algunas de las nuevas propuestas.

Presencia protestante
y cristología transformadora

Así pues, en los siglos diecinueve y veinte en varios países
latinoamericanos donde había presencia indígena, a veces
mayoritaria, sectores importantes de esa población se hallaban
en condiciones lamentables de marginación y explotación,
que algunos consideran peores que las de la época colonial
española. A ellos se dirigió el esfuerzo misionero evangélico,[41]
en algunos casos porque el propio abandono por parte del gobierno y de la Iglesia Católica, daban más libertad al misionero
evangélico, y en otros porque las misiones tenían una vocación
específica de trabajo en esas áreas marginales.[42] Esta presencia
entre los marginados tuvo en muchos casos la intención inicial
de atender a las condiciones de pobreza y olvido en que se en-
contraban estos sectores. Fue de entrada una misión cristiana
de contenido social. En otros casos, aunque la intención inicial
era fundamentalmente evangelizadora, pronto adquirió una
dimensión social debido a la presión de las necesidades, que
evocó y despertó una sensibilidad cristiana latente.

Un caso ilustrativo fue en el sur del Perú donde en pleno
siglo veinte las poblaciones indígenas de habla quechua y

---

41 Me he ocupado del tema más extensamente en *Tiempo de misión*, cap. 9.

42 Tal fue el caso de la *Regions Beyond Missionary Union* (Unión misionera hacia
las regiones remotas) a comienzos del siglo XX en el Perú, o de la *Bolivian
Indian Mission* (Misión a los indios bolivianos).

aimara estaban entre los sectores más marginalizados y explotados. Los historiadores coinciden en que una importante transformación mental se dio en el país en las dos primeras décadas del siglo veinte, cuando los intelectuales y luego los políticos tomaron conciencia de la condición del indígena y en algunos casos tuvieron contactos con los misioneros protestantes.[43] Sin embargo, aun antes de que surgiera el indigenismo literario y sociológico, en la zona del Cusco misioneros evangélicos se habían establecido a vivir entre los quechuas, aprender el idioma y servir de diversas maneras. El historiador del indigenismo Luis E. Valcárcel reconoce la presencia de misioneros evangélicos en 1896 y 1897, que crearon una granja experimental en la hacienda Urco, desde la cual desarrollaron nuevos cultivos, técnicas agrícolas, procesamiento de productos, y ofrecieron los servicios de una clínica. Por otra parte los adventistas crecieron entre las poblaciones de habla aimara y ofrecieron especialmente salud y educación. Ante la crítica del marxista José Carlos Mariátegui de que se trataba de «avanzadas del imperialismo», Valcárcel responde: «Quiero insistir sin el menor ánimo polémico, que frente a la lúgubre situación del indio cusqueño, la tierna mano del religioso adventista era la gota de agua que refrescaba los sedientos labios del mísero».[44]

Otro movimiento misionero que avanzó en el sur del Perú tuvo como protagonista destacado al estadounidense Federico Stahl (1874-1950), y su esposa Ana, quienes pagando su propio

---

43 Un excelente y bien documentado estudio del tema es Juan Fonseca Ariza, *Misioneros y civilizadores. Protestantismo y modernización en el Perú*, Fondo Editorial Pontificia Universidad Católica del Perú, Lima, 2002.

44 Luis E. Valcárcel, *Memorias,* Instituto de Estudios Peruanos, Lima, 1981, p. 71. Un libro clásico del mismo autor titulado *Tempestad en los Andes*, escrito en 1927, dedica dos capítulos a la presencia evangélica.

pasaje habían llegado a Bolivia en 1909. Se instalaron cerca de Platería, en Puno, en 1911, donde se quedaron hasta 1921. Después por razones de salud pasaron a trabajar en los ríos de la selva amazónica en una lancha a vapor llamada *Auxiliadora*, que era un sanatorio flotante. Los Stahl habían recibido capacitación como enfermeros en el Sanatorio Adventista de Battle Creek en Estados Unidos, y Ana era también maestra diplomada. Un libro publicado por Stahl en 1920, refleja una clara sensibilidad social y espiritual y un conocimiento de primera mano de las pésimas condiciones de vida en la región.[45] José Antonio Encinas, educador puneño que no era evangélico, y llegó a ser Ministro de Educación, narraba en 1932:

> Stahl recorre el distrito de Chucuito palmo a palmo. No hay cabaña ni choza donde no haya llevado la generosidad de su espíritu. Es el tipo del misionero moderno, cuya conducta hace contraste con la furia diabólica de los frailes españoles, quienes durante la conquista torturaron el espíritu del indio, destruyendo sus ídolos, mofándose de sus dioses, profanando la tumba de sus abuelos.[46]

Encinas, pensador liberal, prosigue con su comparación de la metodología misionera y atribuye la abulia y la angustia del indio al uso tradicional del temor al infierno como instrumento de control religioso. Le llama la atención tanto el estilo como el mensaje del misionero protestante y los contrasta con la realidad católica anterior que había criticado líneas arriba:

45 F. A. Stahl, *In The Land of the Incas,* Mountain View, 1920.

46 J. A. Encinas, *Un ensayo de Escuela Nueva en el Perú,* Imprenta Minerva, Lima, 1932 (Edición facsimilar publicada por el Centro de Investigación y Desarrollo de la Educación, Lima, 1986), p. 148.

Stahl antes de poner la Biblia en las manos de un analfabeto le inculcó un sentimiento de personalidad, de confianza en sí mismo, de cariño hacia la vida, lo buscó como camarada más que como prosélito. Cuidó en primer término de su salud. Nadie hasta entonces había recorrido las miserables chozas del indio lleván- dole un poco de alivio para sus dolencias.[47]

La literatura misionera protestante lo mismo que las cartas e informes de los propios misioneros ponen énfasis en la cen- tralidad de Cristo en su mensaje y en la imitación de Cristo en su estilo misionero. El crecimiento de la obra educativa adven- tista fue notable, desde la escuela inicial en Platería en 1913. En 1918 había 26 escuelas con 1.500 alumnos, y para 1924 se había llegado a 80 escuelas con un total de 4.150 estudian- tes. Estas escuelas se erigían a solicitud de las comunidades aimaras, y ante la creciente demanda la misión desarrolló un plan para evitar el paternalismo y conseguir un compromiso autóctono auto-suficiente. Cuando una comunidad pedía una escuela se les desafiaba a proveer un edificio y garantizar un mínimo de 80 estudiantes, de manera que se pudiese cubrir el salario de un profesor y otros gastos básicos.[48] Fue todo esto lo que llevó a Valcárcel a afirmar que la presencia de los misioneros evangélicos y adventistas durante varias décadas, había tenido un papel decisivo para que surgiera un nuevo espíritu rebelde, contestatario y creador de alternativas: una verdadera «tempestad en los Andes».[49]

---

47 *Ibid.*

48 Juan B. Kessler, *Historia de la evangelización en el Perú,* Ediciones Puma, Lima, 1993, pp. 231-233.

49 Luis E. Valcárcel, *Tempestad en los Andes,* Editorial Universo, Lima, 1972 (primera edición 1928).

Cuando los protestantes latinoamericanos realizaron el Congreso sobre Obra Cristiana en Sudamérica, en Montevideo, Uruguay (29 de marzo a 8 de abril de 1925), uno de los informes que se presentaron fue el del trabajo misionero entre los indios. El informe mencionaba la obra de la Iglesia Anglicana en el Chaco argentino y la de los Adventistas en los alrededores del lago Titicaca en el sur del Perú; «se reconoció que todo lo que se hace es muy poco, comparado con lo que queda por hacer entre los millones de indios que viven aún en un estado de completo salvajismo y por consiguiente de paganismo».[50] Hay en el informe un fuerte sentido de urgencia por las necesidades básicas de la población indígena y la necesidad de grupos de misioneros que respondan a ese llamado: «Cada grupo de misioneros debe tener evangelistas, hombres dominados por un profundo amor hacia esos pobres hijos del Padre celestial». Al final se citan las palabras de un veterano misionero: «El futuro de esas tribus hasta ahora no estudiadas corre peligro. O serán traídas a Cristo, en grandes masas, dándoles asiento entre las gentes civilizadas o serán exterminados tan pronto llegue a ellos la horda destructora de los establecimientos comerciales». El Apéndice con las conclusiones del Congreso incluye una recomendación:

> El Congreso aconseja –con el objeto de que entiendan los problemas del indio, se capten su confianza, y puedan trasmitirle el mensaje cristiano– que los misioneros designados a trabajar entre los indios:
>
> a) Aprendan su lengua nativa tanto como la lengua nacional.
>
> b) Vivan entre ellos siempre que la ley lo permita.

---

50 Webster E. Browning, *El Congreso sobre obra cristiana en Sudamérica*, Comité de Cooperación en América Latina, Montevideo, 1926, p. 73.

c) Tengan presente que aunque la obra industrial, médica, agrícola, educativa y social es de urgente necesidad, los problemas fundamentales de los indios no se solucionarán permanentemente si no se les lleva al conocimiento de Cristo.[51]

---

[51] *Ibid.,* p. 218.

4

EL CRISTO

DE LA PREDICACIÓN PROTESTANTE INICIAL

La tranquilidad conventual de la vida colonial en la América española fue sacudida de cuando en cuando por la presencia de piratas o corsarios ingleses y holandeses o por rebeliones de indios exasperados por el abuso de encomenderos y autoridades coloniales. En las batallas contra los piratas, caían algunos prisioneros que a veces eran juzgados, castigados o ejecutados por un tribunal inquisitorial. El proceso que era una burla a todo sentido de justicia o equidad estaba siempre presidido por un inmenso crucifijo, como si el Crucificado fuese testigo impotente de esa tenebrosa parodia, o peor aún, como si la bendijera. Durante el siglo dieciocho, la férrea censura de libros e ideas no consiguió impedir del todo que empezaran a infiltrarse las ideas revolucionarias que sacudían a Europa.

El fermento ideológico de los rebeldes tenía a veces un marcado tono antirreligioso de modo que las revoluciones libertarias que explotaron a comienzos del siglo diecinueve, aunque no eran explícitamente contrarias a la fe cristiana, sí eran críticas de la alianza entre la iglesia y el poder colonial. En medio de las tensiones del movimiento emancipador que va de 1810 a 1824, hacen su aparición los primeros ejemplares de la Biblia que fueron distribuidas por viajeros como el escocés Diego Thomson, en puertos como Buenos Aires, Valparaíso o el Callao.[1] Compradas por curiosos ávidos de novedades o por cristianos cansados de las contradicciones de la religión oficial, estas Biblias precedieron a los misioneros protestantes. Así para los lectores audaces que se atrevían a comprar y leer estos libros prohibidos, las páginas de los Evangelios iban a empezar a propagar la imagen y el mensaje de un Cristo diferente al que había predominado en tres siglos de vida colonial.

Cristología de la misión protestante

Los colportores que hicieron largos viajes de propaganda bíblica durante buena parte del siglo diecinueve, fueron seguidos después por los misioneros que muchas veces venían a formar comunidades empezando por los lectores de la Biblia con los cuales se había mantenido contacto. Estos misioneros eran artesanos o personas de una clase media emergente en Gran Bretaña y Estados Unidos. Poseedores de entusiasmo evangelizador y de la espiritualidad del pietismo, no eran teólogos capaces de articular una comprensión de su fe que respondiese a un análisis cultural del contexto. Más que la paciencia del estudioso tenían el sentido de urgencia del convertidor, pero generalmente expresaban su fe de una manera cristocéntrica, en la cual Cristo ocupaba un lugar central como objeto de fe, ejemplo de vida y centro de su mensaje.

En esta mirada al Cristo que fue anunciado en América Latina por las generaciones iniciales de misioneros y predicadores evangélicos, tenemos que reconocer la limitación de nuestro estudio. Estamos recién en los comienzos de una investigación amplia y detenida en fuentes primarias desde

---

1 Sobre Thomson ver Arnoldo Canclini, *Diego Thomson. Apóstol de la enseñanza y distribución de la Biblia en América Latina*, Sociedad Bíblica Argentina, Buenos Aires, 1987.

mediados del siglo diecinueve, tales como crónicas, relatos e informes de misioneros, libros, folletos, artículos y sermones en revistas evangélicas. Historiadores como el alemán Hans Jürgen Prien,[2] o el suizo Jean Pierre Bastián[3] y el argentino Pablo Deiros[4] abrieron el camino de trabajo paciente y crítico en fuentes primarias, aunque sin un interés específico en la teología de los misioneros. Una nueva generación de investigadores latinoamericanos como los mexicanos Rubén Ruiz Guerra[5] y Carlos Mondragón[6] y el peruano Juan Fonseca[7] nos ayudarán a comprender mejor el desarrollo histórico de la teología en América Latina.

Por el momento ofrecemos este capítulo tentativo, conscientes de su selectividad y limitación. Tomamos figuras que nos parecen representativas, utilizando las fuentes escritas que han alcanzado ya el nivel de una articulación meditada, y limitándonos al siglo veinte. Nos referiremos a tres misioneros que representan estilos muy diferentes de predicación y literatura, cuyo trabajo por momentos se concentró en un país, pero alcanzó luego resonancia continental. En el siguiente capítulo consideraremos a las generaciones iniciales

---

2 Hans Jürgen Prien, *La historia del Cristianismo en América Latina*, Sígueme, Salamanca, 1985.

3 Jean Pierre Bastian, *Breve historia del Protestantismo en América Latina*, CUP-SA, México, 1986; *Protestantismos y modernidad latinoamericana*, Fondo de Cultura Económica, México, 1994.

4 Pablo Deiros, *Historia del cristianismo en América Latina*, Fraternidad Teológica Latinoamericana, Buenos Aires, 1992.

5 Rubén Ruiz Guerra, *Hombres nuevos. Metodismo y modernización en México (1873-1930)*, Casa Unida de Publicaciones, 1992.

6 Carlos Mondragón, *Leudar la masa: el pensamiento social de los protestantes en América Latina: 1920-1950*, Kairós, Buenos Aires, 2005.

7 Juan Fonseca Ariza, *Misioneros y civilizadores. Protestantismo y modernización en el Perú (1915-1930)*, Pontificia Universidad Católica del Perú, Lima, 2002.

de evangélicos latinoamericanos. Tanto para unos como para otros vale recordar que el fervor misionero protestante surge en círculos pietistas de la Europa central, cuya influencia se amalgama con el fervor renovador del movimiento wesleyano y los llamados avivamientos en el mundo de habla inglesa. Esta marca «pietista-puritano-evangélica» señalada por el historiador Latourette[8] iba a perdurar en el movimiento misionero y conformaría las notas de la cristología de los misioneros.

La Cristología de un colportor

El ítalo-uruguayo Francisco Penzotti (1851-1925) recorrió las Américas distribuyendo la Biblia y luego atendiendo pastoralmente a algunas comunidades metodistas que se habían ido formando. La prensa evangélica en inglés de fines del siglo diecinueve y comienzos del veinte daba cuenta de sus viajes de manera que se hizo famoso, especialmente cuando entre julio de 1890 y marzo de 1891 estuvo preso en la cárcel Casas Matas del Callao, puerto de Lima, por acusaciones instigadas por el clero católico limeño. Las memorias de algunos de sus viajes se publicaron en forma de libro[9] y nos ofrecen un interesante cuadro de costumbres sobre las condiciones de vida del pueblo latinoamericano en las décadas finales del siglo diecinueve. Se expone también en ellas las prácticas piadosas propias de la espiritualidad evangélica del colportor, la lectura que hace de la realidad espiritual de las personas

---

8   Kenneth Scott Latourette, *Desafío a los protestantes*, La Aurora, Buenos Aires, 1956, p. 78

9   Fueron editadas por Daniel Hall con el título *Llanos y montañas*, Imprenta Metodista, Buenos Aires, 1913. Una selección apareció en Lima como *Precursores evangélicos*, Ediciones Presencia, 1984.

y algunas de las notas del mensaje con que acompañaba su distribución de la Biblia.

Penzotti había emigrado de Italia a Uruguay a los trece años de edad en 1864 y el trabajo duro y el ahorro le habían dado una medida de éxito.[10] Traía del hogar materno las prácticas piadosas de un catolicismo popular sencillo, pero algunas decepciones por la conducta de un sacerdote lo llevaron a una actitud de rechazo de la religiosidad formal y de rebeldía ante lo religioso. Mientras estaba en una fiesta recibió de un colportor un ejemplar del Evangelio de Juan, cuya lectura empezó a inquietarlo a él y a su esposa Josefa en una búsqueda espiritual. En 1875, en el templo de la calle Treinta y Tres en Montevideo escuchó la predicación del elocuente pastor Juan F. Thomson, ya famoso en Argentina, lo cual lo llevó a una experiencia de conversión y seguimiento de Cristo. Inmediatamente se convirtió en un propagador entusiasta de la recién hallada fe, y el contacto con los misioneros Andrés Milne y Tomás Wood lo llevó finalmente a dejar su trabajo para entregarse por entero a la propagación del Evangelio, emprendiendo largos y penosos viajes de distribución de la Biblia y predicación, primero por la Argentina, Bolivia, Chile y Perú y más adelante por América Central.

Al narrar sus viajes por Bolivia y su llegada a la ciudad de Sucre, Penzotti describe sus encuentros con dos niños indios a quienes tiene oportunidad de explicar su mensaje de salvación personal por fe en Cristo. Los niños empiezan a hacerse propagandistas de las Biblias a su manera y Penzotti cuenta que cierta noche se arrodilló a orar por el resultado de su trabajo de ese día:

---

10 Hay unas breves notas autobiográficas en *Llanos y montañas* y una biografía por Claudio Celada en *Un apóstol contemporáneo. La vida de Francisco G. Penzotti*, La Aurora, Buenos Aires, 2da. ed.,1945.

Estaba por terminar cuando repentinamente la puerta fue abierta desde afuera, sin ceremonia alguna y una mujer bañada en lágrimas, penetró gritando –«¿Hay salvación para mí?». Era la madre de los dos indiecitos. La hice sentar al tiempo que le decía –«Sí, doña Carmen, hay salvación para usted.» Pero ella insistió: «Ah, pero es que usted no me conoce. ¡Yo soy una gran pecadora!» Con paciencia y dulzura le expliqué que Cristo vino al mundo justamente para «salvar a los pecadores» y que los que no se salvan son únicamente los que no quieren reconocerse pecadores o los que reconociéndose como tales, buscan salvación en alguna otra persona o cosa que en Cristo. El resultado fue que aquel hogar, si tal nombre pudiera darse a la miserable chocita en que vivían los tres indios, se convirtió en algo que hacía alegrar a los ángeles. Allí Cristo se hizo dueño y Señor de cada uno de aquellos sencillos corazones, y por consiguiente resplandeció la luz y reinó la paz que Dios da a la conciencia del perdonado, y el testimonio que el Espíritu Santo da al alma salvada. Aquel rancho fue desde entonces un foco de luz. No digo que eran teólogos que podían enseñar las profundidades de las Escrituras a sus vecinos, pero sí podían darles testimonio del poder que Cristo tiene para salvar al que le acepta y para transformar por completo sus vidas.[11]

11 *Precursores evangélicos*, p. 134.

Cristología de un misionero independiente

Representante típico de los misioneros protestantes de juntas «independientes»[12] fue Juan Ritchie (1878-1952). Empezó sus labores en el Perú bajo los auspicios de la Misión al Perú Interior[13] y más tarde con la Unión Evangélica de Sudamérica. Sus esfuerzos de evangelización personal de casa en casa, de pueblo en pueblo, y por medio de la literatura se unieron a los de pequeños núcleos de evangélicos que ya existían, culminando en la formación de la Iglesia Evangélica Peruana, una de las más extendidas en el Perú actual. Más tarde trabajó con la Sociedad Bíblica Americana en el área andina y del Pacífico, y dedicó tiempo a las actividades ecuménicas a nivel continental y a la reflexión sobre metodologías misioneras. Sus prácticas y énfasis en la labor misionera siguieron principios que han quedado plasmados en dos de sus libros.[14] Ritchie fue una de las voces más articuladas de su tiempo, especialmente en centenares de artículos y editoriales que preparó para las dos revistas que fundó y difundió ampliamente: *El Heraldo* y *Renacimiento*. Del examen de este caudal de periodismo evangélico podemos colegir los rasgos más destacados de su cristología.

Se trata en primer lugar de una Cristología que se define en relación con la salvación. Es una nota que el pietismo y los avivamientos evangélicos tomaron de la herencia protestante

---

12 Conocidas en inglés como *faith missions*, es decir, no vinculadas a un cuerpo denominacional.

13 *Regions Beyond Missionary Union*.

14 John Ritchie, *La iglesia autóctona en el Perú*, IEP, Lima, 2003. Original inglés: *The Indigenous Church in Peru*, World Dominion Press, 1932; y además *Indigenous Church Principles in Theory and Practice*, Fleming H. Revell, New York, 1946.

destacando la significación de la experiencia personal en la apropiación de la verdad para la vida: «Creemos que Jesús de Nazaret es el Cristo, el Hijo de Dios, que Él es el único Salvador de los pecadores y el único Mediador entre Dios y los hombres; y que por su muerte expiatoria en el Calvario el perdón perfecto y la vida eterna se ofrecen gratuitamente a todos los que confían en Cristo y obedecen sus mandatos».[15]

Una convicción evangélica predominante que se encuentra en toda la literatura misionera de la época era que en América Latina había un gran desconocimiento de Cristo. El primer editorial de *El Heraldo*, al trazar su programa de acción decía:

> Emprendemos esta obra porque creemos que las doctrinas de Jesucristo y sus apóstoles son muy poco conocidas en el país. Y esto no quiere decir que lo que no es conocida es nuestra doctrina, ni aun nuestra interpretación de la cristiana. Sabemos que son muy pocas las personas que han leído siquiera uno de los cuatro Evangelios que conservan la enseñanza de Jesucristo. Y no sólo esto sino que los mismos sacerdotes de la Iglesia Romana no los han estudiado. De allí que entre los sermones que se predican en los templos romanos rarísimo es él (sic) en que se ocupa seriamente de explicar la enseñanza de Cristo.[16]

Para estos misioneros, la dimensión social del mensaje cristiano, encarnado en la persona misma de Jesús, adquiría pertinencia en la crítica a la realidad socio religiosa. En el mismo editorial mencionado Ritchie explicaba por qué su revista iba a utilizar el término «romanista» y pedía por adelantado perdón a quienes se sintiesen ofendidos. Creía que

---

15 *El Heraldo*, Vol. II, No.11, Lima, agosto de 1913, p. 82.

16 Vol. I, No.1, p. 4

ese término era el más adecuado para describir el Catolicismo Romano. Puede percibirse un dato cristológico favorito dentro de la ironía del siguiente comentario:

> En verdad el calificativo correcto sería «Papista» desde que la autoridad papal es la distintiva. Pero por razones que cada uno puede proveer sin que las señalemos no les gusta el nombre. **Cristo vivió pobre y sin *eclat*,** sin embargo somos orgullosos de llamarnos cristianos, mientras que el Papa vive en esplendor, con ejército, séquito y palacio, y nadie quiere que se le llame «papista».[17]

Del trasfondo evangélico y pietista de su formación misionera Ritchie tenía una perspectiva conversionista del evangelio como llamado al arrepentimiento y la fe personal en Cristo y también una esperanza transformadora acerca del impacto que podría causar el Evangelio en la sociedad. De esa esperanza se alimentaba la militancia y el afán evangelizador llevado hasta el sacrificio. Así lo expresa en otro editorial de su revista en ocasión del año nuevo de 1912. Habiendo dedicado unas líneas a describir la situación nacional en el Perú, Ritchie expresaba luego:

> En nuestro concepto la bendición más grande que puede venir al país sería un aumento poderoso de la influencia de Jesucristo, su ejemplo y su enseñanza entre todas las clases de la república...He aquí la mejor obra que puede emprender el patriota cristiano, llevar a sus compatriotas a Jesucristo. Al lado de ésta desciende a la insignificancia la fortuna, la posición social,

---

17 *Ibid.*, énfasis del autor.

la comodidad de la vida, y todo lo que queda a este lado de la tumba.[18]

El relato de Penzotti al igual que los escritos de Ritchie, ilustran bien lo que podemos llamar la teología del movimiento misionero inicial que trajo el protestantismo a América Latina y que ha sido identificada con gran precisión por el teólogo argentino José Míguez Bonino. En su libro *Rostros del Protestantismo latinoamericano*, Míguez plantea el resultado de su investigación en forma de tesis:

> Y aquí mi tesis es que hacia 1916 el protestantismo misionero latinoamericano es básicamente «evangélico» según el modelo del evangelicalismo estadounidense del «segundo despertar»: individualista, cristológico-soteriológico en clave básicamente subjetiva, con énfasis en la santificación. Tiene un interés social genuino, que se expresa en la caridad y la ayuda mutua pero que carece de perspectiva estructural y política excepto en lo que toca a la defensa de su libertad y la lucha contra las discriminaciones; por lo tanto tiende a ser políticamente democrático y liberal pero sin sustentar tal opción en su fe ni hacerla parte integrante de su piedad.[19]

Esta Cristología del Protestantismo inicial se definía básicamente en los términos de la polémica contra el catolicismo, pero la observación de Mackay acerca del docetismo de la cultura ibérica llevaba el debate más atrás, al proceso de definición cristológica de los primeros siglos de la historia cristiana. Un elemento importante a tomar en cuenta es que

---

18 *El Heraldo* I, 4, 4

19 José Míguez Bonino, *Rostros del protestantismo latinoamericano*, Nueva Creación, Buenos Aires, 1995, p. 46.

esta Cristología se construía fundamentalmente sobre el dato bíblico y se comunicaba muchas veces como comentario al texto de los Evangelios y las Epístolas.

Cristología de la proclamación misionera a las élites

En contraste con Penzotti y Ritchie que se mueven, por así decirlo, a ras del suelo entre el pueblo latinoamericano, Juan A. Mackay concentra su atención en las élites. Crea un colegio en Lima al que trae como profesores a los jóvenes inquietos que había conocido en la Universidad de San Marcos, en la cual obtuvo su segundo doctorado y actuó luego como profesor. Ya se ha señalado el valioso análisis de la religiosidad latinoamericana ofrecido por Mackay en *El otro Cristo español*. En las últimas páginas de esa obra el filósofo misionero escocés trazaba un programa para la evangelización del continente, con una nota cristológica bien definida: «La suprema tarea religiosa que espera ser realizada en América Latina, es la de reinterpretar a Jesucristo ante pueblos que nunca lo han considerado en forma alguna significativa para el pensamiento o para la vida.»[20] Mackay especifica bien algunos aspectos fundamentales del programa que le parece necesario y urgente:

> El movimiento religioso que tenga porvenir en Sudamérica necesita saber discernir la significación de Jesús como «Cristo» y de Cristo como «Jesús» en relación con la vida y el pensamiento en su totalidad. Debe basarse en un mito que sea más que mito, la realidad histórica de la aproximación de Dios al hombre en Cristo Jesús, no sólo bajo la forma de la verdad para iluminación

---

20 Mackay, *El otro Cristo español*, p. 322.

del ideal humano y del significado del universo, sino
en forma de gracia para la redención y para equipar a
los hombres para la realización del plan divino de las
edades.[21]

Con estas palabras queda planteado lo que ha de ser un
punto de tensión de la Cristología protestante en nuestro
continente, y que no ha sido adecuadamente tratado todavía.
Por un lado el anuncio de Jesús como modelo de humanidad
y ejemplo de vida, como Maestro cuyas enseñanzas revelan
el amor de Dios y el designio divino para la vida, es decir:
«forma de la verdad para iluminación del ideal humano y del
significado del universo». En Europa y Estados Unidos esta
dimensión de la predicación acerca de Jesús era recalcada por
el Protestantismo liberal y resultaba atractiva a los latinoamericanos inquietos de los medios intelectuales y estudiantiles.
Pero por otro lado, como Mackay bien señala, los seres humanos necesitan «gracia para la redención y para equipar a los
hombres para la realización del plan divino». Esta dimensión
redentora, que recalca el poder de Dios disponible para el ser
humano en el nombre de Jesucristo, es la nota distintiva de
los misioneros evangélicos que anunciaban también la regeneración y demandaban la conversión.

El Maestro Jesús de Galilea

Durante seis años (1926-1932) Mackay residió en Montevideo y luego en México, y desde esas bases recorrió el
continente como evangelista auspiciado por la Asociación
Cristiana de Jóvenes. Había comenzado esa tarea años antes,

---

21 Juan A. Mackay, *El otro Cristo español,* Colegio San Andrés, Lima, 2da. ed.,
   1988, p. 315.

cuando todavía trabajaba en Lima como director de su célebre «Colegio AngloPeruano». Sus informes misioneros demuestran que la apertura que encontró en la juventud y entre intelectuales inquietos lo convenció de la urgente necesidad de una renovación espiritual profunda que alcanzara a las élites latinoamericanas, y decidió dejar su tarea educativa y dedicarse por completo a viajar predicando y escribiendo. El libro *Mas yo os digo...* resume la cristología del mensaje que su autor había proclamado a cientos de auditorios juveniles por los caminos de América.[22] El libro se concentraba en la personalidad de Jesús como Maestro y el autor decía en su prólogo:

> A las personas sinceras y libres que deseen unirse a la búsqueda de Jesús y sus palabras, que nuestra generación ha intensificado, dedico esta obra modesta. No pretendo en ella hacer un retrato completo de la imponente figura del Galileo, ni ofrecer un estudio completo de sus enseñanzas. La tarea que me he propuesto es mucho más humilde. Quisiera dibujar aquel aspecto de su personalidad en que resalta el maestro por excelencia, introduciendo en seguida a mis lectores a algunas de aquellas parábolas maravillosas en que Aquél consignara algunos de sus más bellos y profundos pensamientos.[23]

La personalidad docente de Jesús

El primer capítulo del libro traza la personalidad docente del Maestro, y de esa manera nos aproximamos a esa «humanidad» de Jesús desconocida en América Latina. Al ir descri-

---

22 Juan A. Mackay, *...Mas yo os Digo,* Casa Unida de Publicaciones, México, 2da ed., 1964. La 1ra. ed. se publicó en Montevideo en 1927.

23 *Más yo os digo,* 1964, p. 10.

biendo el estilo y el método pedagógico del Maestro, Mackay va trazando los rasgos de una persona concreta que se nos presenta como modelo de humanidad. En primer lugar destaca su *autoridad moral*: «Algo había en el porte del Maestro que imponía el respeto y obligaba la atención...La sensación de autoridad que Jesús comunicaba a sus oyentes se debía en parte indudablemente a esa cualidad tan misteriosa y difícil de analizar que llamamos personalidad».[24]

Aquí Mackay pone énfasis en la correspondencia perfecta entre las ideas y la persona del Maestro: «Lo que Él era iba ejerciendo paulatinamente tal influjo sobre los que le conocían que les resultaba lo más natural acatar sus enseñanzas». [25] La personalidad y las palabras de Jesús no eran sólo información frente a la cual se podía permanecer neutral sino que enfrentaba a las personas consigo mismas: «La reacción que el encuentro produzca marca siempre la hora decisiva en la historia del individuo, pues, ante la luz de la verdad desnuda no hay neutralidad posible».[26]

La cualidad que luego se destaca en Jesús es la de una *simpatía imaginativa*: «amaba las cosas y los hombres sintiéndose ligado por tiernos lazos a unas y otros».[27] Mackay destaca esta simpatía de Jesús por lo concreto, por los pequeños, por la creación: «El Maestro leía constantemente el libro de las cosas, y el terruño palestino ha quedado inmortalizado en sus palabras. Él no pensaba abstracciones sino cosas. Era más bien

---

24 *Ibid.*, p. 12.

25 *Ibid.*, p. 15.

26 *Ibid.*, p.14

27 *Ibid.*, pp. 17-18

el artista que sentía y retrataba la realidad, que no el filósofo
que la analizaba y razonaba sobre ella»:[28]

> De Jesús con mayor razón que de cualquiera podría
> decirse que «nada humano le era ajeno». Quizás sería
> más exacto decir de Él que «ningún humano le era
> ajeno», puesto que no pensaba en términos de rasgos
> humanos sino de almas humanas. Sin dejar de preocu-
> parse por las muchedumbres en masa, se preocupaba
> especialmente por los individuos.[29]

Era evidente la sensibilidad de Jesús hacia los pobres y
marginados, pero también hacia los ricos y poderosos, escla-
vizados por su riqueza o su apego al poder.

El método pedagógico de Jesús es analizado luego como
revelador de su personalidad. La universalidad de su atractivo
se relaciona con la sencillez de su enseñanza:

> Como era su propósito que el alcance de sus enseñan-
> zas fuese tan universal como la idea que la inspirara,
> hablaba en tal forma que no hubiera hombre, por
> humilde que fuese, que no la escuchara con agrado y
> con entendimiento. De allí que los Evangelios no han
> perdido nada de su fuerza ni encanto en los ochocientos
> idiomas aproximadamente a que se han traducido.[30]

Mackay asignaba importancia al hecho de que Jesús no
hubiese sistematizado sus ideas, «dejándolas verdes y lozanas
en el seno del tiempo como la naturaleza reposa en perpetua
juventud en el seno del espacio, para que cada generación

---

28 *Ibid.*, 21
29 *Ibid.*, p.23
30 *Ibid.*, p.27

las ordenara para sí con igual entusiasmo y emoción».[31] La capacidad de Jesús de adaptar sus ideas a las circunstancias de sus oyentes y de aunar la máxima claridad con la mayor brevedad era otra evidencia de su cercanía a las personas de toda clase y condición y su sentido del tiempo y la ocasión.

Los temas centrales de la enseñanza de Jesús

Al concentrar su presentación del mensaje de Jesús en una exposición de las parábolas, Mackay seleccionó temas centrales que le parecían pertinentes. En primer lugar el tema del *Reino de Dios* que para Jesús era «su concepto de lo que constituye la realidad suprema en la vida del individuo y en la historia de la sociedad».[32] Aquí se examinan tres series de parábolas. La primera destaca la existencia de valores absolutos que confrontan al ser humano con opciones y decisiones de manera que en el contexto de nuestro tiempo puede entenderse así el Reino de Dios: «Significa la soberanía de Dios en todas las esferas de la vida humana, así individual como doméstica, como social e internacional, interpretándose concretamente esta soberanía en el sentido del acatamiento de Cristo como Señor de la vida, y de la aplicación de sus enseñanzas a todos los problemas de aquélla». [33]

La segunda serie examina la manifestación del Reino en la historia, la idea de crecimiento del Reino a partir de lo pequeño o aparentemente insignificante, como el grano de mostaza que va germinando. La tercera serie examina la idea

---

31 *Ibid.*, p. 28.

32 *Ibid.*, p. 55.

33 *Ibid.*, p. 78.

de «fermentos», especialmente el fermento moral con sus posibilidades de transformación del mundo:

> Así que llegamos a la conclusión de que la fermentación moral en su más alta potencia se produce por el afecto inspirado por un amigo superior. Ernesto Renán dijo que fue el Cristo de San Lucas el que conquistó al mundo. Lucas es el escritor que supo presentar al Cristo amigo de los publicanos y pecadores. Y el cristianismo ha alcanzado grandes triunfos morales a lo largo de los siglos en la proporción en que Cristo mismo se ha presentado como el eterno amante de las almas.[34]

El segundo gran tema es el del *amor de Dios*, es decir que Jesús tenía un concepto «del amor sin límites como expresión de lo que Dios es y de lo que el hombre debe ser».[35] Este tema también es examinado en tres series de parábolas a cada una de las cuales se dedica un capítulo.

> Para Jesús el amor de Dios no se reduce a la benignidad general; es una cualidad que individualiza. Dios no se limita a amar al hombre, en el sentido de la raza; ama a hombres, y a éstos no los ama a causa de sus buenas cualidades, sino a pesar de sus malas cualidades. Tal amor es mucho más que sentimiento; es un principio activo, que se preocupa, que busca, que redime, que salva, que restaura, sea lo que fuere la palabra que se emplee para designar la verdad suprema que, tras de la tenue cortina de las apariencias, hay Uno cuya actividad amorosa se siente de modo efectivo en la experiencia de los hombres.[36]

---

34 *Ibid.*, p. 112.

35 *Ibid.*, p. 55.

36 *Ibid.*, pp. 123-124.

El tercer tema que Mackay encara en otras tres series de parábolas es el que apunta al *meollo ético de la enseñanza de Jesús*: «Su concepto de los principios de justicia que constituyen la economía moral del universo».[37] Recordemos que la falta de relación entre religiosidad y ética era una preocupación fundamental de la crítica protestante al catolicismo latinoamericano. Lo notable de la cristología de Mackay es que no entra en la cuestión ética sin haber examinado primero el campo teológico más amplio, en los dos temas que señalábamos en los párrafos anteriores. Con ello sienta un principio que la cristología evangélica de hoy nunca debiera olvidar, porque no se puede demandar una ética cristiana a un pueblo que desconoce el poder redentor de Jesucristo. Por ello los evangélicos no parten a priori de la afirmación de que América Latina sea ya un continente cristiano. En este punto expresan un contraste abierto con los teólogos católicorromanos. Comentando la parábola del Buen Samaritano, Mackay concluía:

> Hace falta algo más para que se traduzca el espíritu del Buen Samaritano en la filantropía que requiere una época que tiene a su zaga cerca de veinte siglos de cristianismo. No basta la caridad esporádica, ni aun la caridad sistemática, para el alivio del sufrimiento; corresponde ante todo a los buenos samaritanos de hoy manifestar su pasión humana en forma que contribuya a que desaparezcan las causas evitables del sufrimiento. He aquí una caridad mucho más difícil, más complicada y prosaica que el auxilio directo a favor de los necesitados. Muy necesario será siempre disponer de aceite y vino que cicatricen heridas y de brazos que carguen con infortunados caminantes, pero más ne-

---

37 *Ibid.*, p. 55.

> cesaria aun es la caridad que estudie el problema que
> ofrecen las crueles manos que hieren y la insensibilidad
> de aquellos capaces de presenciar el dolor humano sin
> sentir responsabilidad alguna.[38]

Al igual que otros misioneros evangélicos, Mackay traía una visión pietista, atenta a la conversión personal y al cultivo de la relación con Dios en una vida de piedad disciplinada. Pero el trasfondo reformado de Mackay lo llevaba más allá, a formular la necesidad de una ética social de manera que los discípulos del maestro no se limitaran a servir a las víctimas de la injusticia sino a corregir las estructuras injustas. Ese era el Cristo Salvador y Señor que Mackay proclamaba a las juventudes universitarias allá por la tercera década del siglo veinte, cuarenta años antes de que empezara a avizorarse la posibilidad de un redescubrimiento del Cristo de las Escrituras y una teología de la liberación. Años más tarde en su comentario a la Epístola a los Efesios, Mackay desarrolló su Cristología con las notas escatológicas de la visión paulina que enriquecían toda una visión de la historia en la que se advertía «el orden de Dios y el desorden humano».

Así la Cristología del Protestantismo inicial representa una corriente de agua fresca en medio del desierto que reinaba en la vida religiosa y espiritual del continente a comienzos del siglo veinte. Todos los aportes posteriores que consideraremos no hubiesen sido posibles sin esta labor pionera de los fundadores de iglesias que se expresaron en un lenguaje pastoral sencillo como Penzotti y Ritchie, o los teólogos evangelistas que como Mackay hicieron resonar el Evangelio de Jesucristo en el mundo estudiantil y en los círculos culturales de iberoamericanos.

---

38 *Ibid.*, pp. 190-191.

El Congreso Evangélico Hispanoamericano de la Habana

Un indicador del avance evangélico en Iberoamérica fue el Congreso que se realizó en La Habana del 20 al 30 de junio de 1929. Era la tercera reunión continental luego de la primera que se había celebrado en Panamá en 1916, y la segunda que se había realizado en Montevideo en 1925. En la secuencia de estas reuniones se había dado una progresiva latinoamericanización del Protestantismo. En los tres casos el Comité de Cooperación en América Latina fue auspiciador pero mientras en Panamá la iniciativa era de las agencias misioneras de habla inglesa y las reuniones fueron en inglés, en Montevideo el encuentro fue bilingüe y en La Habana se realizó en castellano. En La Habana hubo 169 delegados que representaban a 13 países; 86 eran latinoamericanos, 44 eran misioneros y hubo 39 representantes de juntas y especialistas. Como lo dice Gonzalo Báez-Camargo, el cronista del evento: «El de la Habana fue un congreso organizado y dirigido por latinoamericanos. Desde el comienzo de los trabajos de organización, durante las sesiones y hasta su clausura los evangélicos de Estados Unidos dejaron la responsabilidad de la dirección en hombros de los latinoamericanos».[39] Era una señal de que ya había un protestantismo latinoamericano vigoroso de modo que Alberto Rembao podía decir unos años más tarde: «Hay ya un protestantismo *criollo* por contraste con el protestantismo 'exótico' congregado en torno a misioneros de afuera como hace cincuenta años... el hecho cultural religioso, palpable

---

39 Citado por Wilton M. Nelson,»En busca de un protestantismo latinoamericano. De Montevideo 1925 a La Habana 1929», en CLAI, *Oaxtepec 1978. Unidad y misión en América Latina*, CLAI, San José, 1980, p. 37.

y tangible es que *ya se es protestante en español*. El mensaje ya brota del suelo...»[40]

De entrada el Congreso ofreció un «Panorama religioso de Hispanoamérica» que tiene notas polémicas vigorosas y se construye en diálogo con intelectuales destacados como el argentino Ricardo Rojas, la chilena Gabriela Mistral, el peruano Manuel González Prada, entre otros. Así la generación protestante que participa en el Congreso va alcanzando también madurez teológica al estar en condiciones de entender las corrientes renovadoras de su propia cultura latinoamericana. Si bien Hispanoamérica puede parecer a los ojos de un observador distraído como profunda y totalmente católica, «una mirada atenta descubre, a poco ahondar, la complejidad del fenómeno religioso». Dice el informe, «Las masas practican una religión extraña que quiere ser católica del tipo tradicional, pero en la que realmente se involucran con brumosas ideas cristianas, conceptos paganos y prácticas fetichistas».[41] Por otra parte, «Por lo que toca a la aristocracia y a los 'católicos ilustrados', profesan la religión por conveniencia social, como timbre de distinción, como algo indispensable para dar mayor suntuosidad y notoriedad a las grandes ocasiones de la vida: bautizo, primera comunión, matrimonio, defunción...»[42]

Hay también referencia a las dimensiones festivas multitudinarias de la religión popular, y a la intolerancia de la Iglesia Católica frente a la presencia protestante: «Las multitudes católicas viran constantemente su entusiasmo religioso hacia el hedonismo práctico de las festividades y las rispideces

---

40 Alberto Rembao, *Discurso a la nación evangélica*, La Aurora, Buenos Aires, 1949, p.15.

41 Gonzalo Báez-Camargo, *Hacia la renovación religiosa en Hispanoamérica*, Casa Unida de Publicaciones, México, 1930, p. 9.

42 *Ibid.*

del fanatismo. Para exaltar su fervor, necesitan apelar a los sedimentos subconscientes del odio hacia los que no piensan como ellos».[43] El tema de la falta de una dimensión ética en la práctica religiosa es otra nota que se señala: «Por lo que hace a la moral, hemos vivido y seguimos viviendo en un pagano divorcio entre el rito y la conducta. La religión se aprueba y se practica como sistema de formas externas, pero no invade las esferas de la vida como inspiración de la conducta individual y social».[44]

Al explorar las causas de la situación religiosa se analiza el papel que juega la Iglesia Católica Romana en las sociedades latinoamericanas y se señala en ella «un dogmatismo sin resquicios para el pensamiento individual» que lleva a las mentes inquietas al agnosticismo, y «el retraimiento de la Iglesia de las necesidades sociales y espirituales de nuestros pueblos». El diagnóstico es agudo y coincide con el que décadas más tarde sería planteado por los propios teólogos católicos:

> La Iglesia interpretó el Reino de los Cielos como un estado de bienaventuranza en el más allá, y no como el reinado de la caridad, de la fraternidad y de la justicia en este mismo mundo terreno en que vivimos. Y mientras predicaba a los infelices y oprimidos la resignación y la esperanza, se olvidó de predicar la justicia y el amor a los amos despiadados y a los capitalistas negreros, y no hizo nada efectivo para mejorar la situación social y para dirigir una sabia evolución hacia la liberación de las masas esclavizadas.[45]

---

43 *Ibid.*, p. 10.

44 *Ibid.*, p. 11.

45 *Ibid.*, p. 14.

El Congreso y el Cristo viviente

En el Congreso hubo una fuerte nota cristológica que aparece en el informe de manera explícita, en la sección «El Congreso y el Cristo viviente»:

> ¿Y qué lugar ocupó Cristo en el Congreso? Esta es la piedra de toque por excelencia para valorizar debidamente la significación de una reunión como aquella. Individual y colectivamente, las vidas y las ocasiones más fructíferas son aquellas cuyo centro es Jesús, así que nos basta averiguar la posición relativa del Crucificado en una iglesia, comunidad o asamblea representativa, cual la de La Habana para apreciar su potencialidad y augurar los resultados.[46]

El informe señala que hubo ciertos temores de que «algunas corrientes disolventes del pensamiento religioso moderno» tuviesen influencia sobre su desarrollo, lo cual hubiera conducido a «que presidiese nuestras deliberaciones y acuerdos un Cristo desfigurado e impotente». Luego de algunos debates «se vio que todos estábamos a las plantas del Cristo viviente de los Evangelios, diciéndole como Pedro en ocasión memorable: 'Señor ¿a quién iremos? Sólo tú tienes palabras de vida eterna'».[47] Hay también referencia al ambiente de piedad predominante: «Diariamente, en la hora devocional, no hacíamos más que buscar la fuerza y la inspiración para nuestras tareas, en la comunión con Cristo». Luego, al finalizar cada día, «en la última hora de meditación, cada uno de los que

---

46 *Ibid.*, p. 140.

47 *Ibid.*

nos dirigieron se esforzaron por hacernos sentir la presencia de este Cristo Eterno de nuestra fe».[48]

Señala el informe que «al par de una absoluta lealtad a los principios esenciales del Evangelio, el Congreso se manifestó muy poco dispuesto a la dogmatización de los mismos». Podría esta ser una referencia a la sospecha que despierta en algunos sectores evangélicos de fuerte influencia pietista el esfuerzo por articular la fe en definiciones dogmáticas. El informe señala que hay que dejar «bien clara y fuera de toda sospecha, la posición del Congreso al respecto: fidelidad a los principios y a las doctrinas capitales del cristianismo en cuanto a la persona de Jesús, y, al mismo tiempo, escasa disposición para formular credos cerrados y rigurosos.[49] Hay también referencia a las recomendaciones aprobadas por la Comisión de Evangelización en las cuales «recomiendan como tópicos de primera necesidad, la fe en Cristo como Salvador; el arrepentimiento y la regeneración; en una palabra, la presentación de 'un Cristo vivo que regenere el corazón del individuo, y que, a la vez, transforme la sociedad'».[50]

---

48 *Ibid.*

49 *Ibid.*, p.141.

50 *Ibid.*, p.142.

5

INICIOS DE UNA CRISTOLOGÍA EVANGÉLICA LATINOAMERICANA

En Cristo se nos revela un Dios trabajador. Viejas religiones y filosofías concibieron un Dios inmóvil e indiferente, o una especie de sátrapa oriental diviniza-do, que se recostara muellemente en sus cielos altísimos, en dulce y eterna holganza, sin más quehacer que recibir las alabanzas de su corte celestial y deleitarse con la música de las esferas. Y es como si Cristo descorriera en Su persona la cortina de los cielos, y nos mostrara –¡sea dicho con toda reverencia!– a un Dios «en mangas de camisa», a un Dios ocupado en los arduos quehaceres de guiar a su destino un mundo en que la voluntad pe-caminosa e insurrecta de los hombres, le crea infinitos problemas y dificultades. «Mi Padre –decía una vez Jesús– hasta hoy trabaja, y yo también trabajo». Estas manos fuertes y encallecidas del Cristo obrero, son un llamado, en primer lugar, a cooperar con él (Gonzalo Báez-Camargo, *Las manos de Cristo*, 1950).

El vigor de la experiencia inicial del encuentro con el Cris-to de los Evangelios inspira en las primeras generaciones de evangélicos latinoamericanos una riqueza de formas literarias dirigidas a la proclamación. La reflexión teológica sistemati-zada vendrá más adelante cuando el pueblo evangélico vaya entrando en su mayoría de edad. Es así como las primeras expresiones evangélicas latinoamericanas van a encontrarse en el periodismo, la himnología, la poesía, y sobre todo la predicación. Son esas las manifestaciones que tenemos que explorar, ya que para la reflexión sistemática estas primeras generaciones se nutren más bien de traducciones de clásicos evangélicos del mundo anglosajón. Sin embargo, si prestamos atención a sus escritos notaremos también un uso creativo de las Escrituras, un procedimiento hermenéutico y contextual que todavía no se ha apreciado en todo lo que vale.

No se debe descartar el valor de las fuentes mencionadas para una elaboración cristológica. Si tomamos por ejemplo el caso del periodismo, estamos frente a un esfuerzo por alcanzar a un gran público con aspectos específicos del mensaje evangélico referidos a Jesucristo. Si tomamos la himnología y la poesía estamos frente a manifestaciones que resultan especialmente importantes en la formación de los creyentes evangélicos mediante la liturgia y la educación cristiana. En los ejemplos que vamos a usar estamos limitados por los materiales de que disponemos, pero creemos que se trata de figuras y textos representativos.

La lectura pública de la Biblia y el canto ocupan un lugar central en la experiencia evangélica, que en las primeras décadas de la presencia protestante tanto en España como en Iberoamérica contrastaba con la forma de culto tradicional y la liturgia católica. Ambas costumbres típicas de la cultura evangélica se cultivaban aun en las congregaciones rurales más alejadas, donde a veces no había instrumentos musicales. En ambas prácticas la memorización jugaba un papel importante. La traducción de la Biblia más usada por los evangélicos era la de Casiodoro de Reina y Cipriano de Valera, una de las joyas de la literatura del siglo de oro por la belleza y claridad de expresión. Además el pequeño Protestantismo español del siglo XIX y comienzos del XX, perseguido y hostilizado por la intolerancia, pese a ello había contribuido a los países de habla hispana con la riqueza de una himnología de gran calidad literaria, a veces original y a veces traducida del inglés.

Los evangélicos de las primeras décadas del siglo XX leíamos la Biblia y cantábamos en buen castellano. Nuestro vocabulario se había enriquecido con la lectura y el aprendizaje de aquella traducción de Reina y Valera y de los himnos. Cuando yo era niño en la década de 1930, en mi Arequipa natal en el sur del Perú, los chicos de la iglesia evangélica cantábamos de Cristo. Aún recuerdo aquel himno cristológico que en el estribillo se hacía más agudo:

> Cantaré a Cristo quien en humildad obró siempre
> la divina voluntad
> Los enfermos el sanó, a los muertos levantó,
> A los pobres el colmó con su bondad
> Es sin igual en su infinito amor, pues en la cruz allí
> su vida dio por mí
> Ensalzaré su dulce nombre sí, ¡Oh Salvador eterno,
> loores doy a ti!

Las imágenes verbales, al igual que las láminas de colores, iban formando en nosotros la imagen de un Cristo activo en su servicio al mundo, amante de los niños, eficaz en su pedagogía, valiente ante la persecución y la muerte.

Al llegar la adolescencia, la época de decisiones y profesiones de fe, en que se va afirmando la propia voluntad y van surgiendo los afectos profundos que moldearán el resto de nuestras vidas, nuestro canto era una oración dirigida a Cristo pidiéndole orientación para la vida:

> Cristo, mi piloto sé en el tempestuoso mar;
> fieras ondas mi bajel van a hacerlo zozobrar,
> mas si tú conmigo vas pronto al puerto llegaré,
> carta y brújula hallo en tí. ¡Cristo, mi piloto sé!

Todo agita el huracán con indómito furor
mas los vientos cesarán al mandato de tu voz;
y al decir: «que sea la paz» cederá sumiso el mar.
De las aguas tú el Señor. ¡Guíame cual piloto fiel!

Los fundadores del pensamiento evangélico latinoamericano

En el intento de comprender el desarrollo de un pensamiento evangélico latinoamericano, he denominado «los fundadores» a la generación de evangélicos que empezaron a expresar su fe en Jesucristo en forma articulada, interpretando su convicción protestante con una clara percepción de su propio contexto latinoamericano. Pertenecen a esta generación personas como los mexicanos Gonzalo Báez-Camargo (1899-1983) y Alberto Rembao (1895-1962); los puertorriqueños Angel M.Mergal (1909-1971) y Domingo Marrero Navarro (1909-1960), y los argentinos Santiago Canclini (1900-1977) y Carlos T. Gattinoni (1907-1989). Sante Uberto Barbieri (1902-1991) nació en Italia y vivió luego en Brasil y en Argentina y escribió en castellano. Fue una generación en la que varios podían preciarse por un lado de haber participado en los movimientos históricos importantes de su patria y en la tarea de creación cultural y literaria. También podía preciarse, por otro lado, de haber entendido el mensaje protestante al punto de poder contextualizarlo en las categorías de su cultura nacional o continental. Del mismo modo que hubo latinoamericanos como José Carlos Mariátegui en el Perú o Pablo Neruda en Chile, que abandonando la tradición católica de su cuna accedieron a la globalidad mediante el marxismo, la generación de los fundadores en el medio evangélico accedió a una globalidad cristiana asumiendo el protestantismo.

Esta generación de latinoamericanos que nace con el siglo, poco antes o poco después, es en muchos casos parte de una segunda o tercera generación de protestantes latinoamericanos. Han vivido el protestantismo desde dentro y han permanecido en él, aunque con el tiempo hayan desarrollado un sentido crítico respecto a su historia, instituciones y vida. Algunos de ellos influyeron sobre la obra de la generación anterior de los precursores, como es el caso de Báez-Camargo cuya actuación en La Habana parece haber tenido influencia sobre la redacción final de *El otro Cristo español,* de Juan A. Mackay. Algunos miembros de esta generación no destacaron por su obra literaria o de reflexión teológica, sino por su tarea docente y formativa en instituciones teológicas o en las iglesias que tuvieron a su cargo. Pero otros siguieron una vocación literaria y dejaron una herencia de escritos que nos permite tomarle el pulso al pensamiento de su momento.

En esta etapa la Cristología es fundamentalmente comentario del texto bíblico en la mejor tradición evangélica. No se cuestiona su integridad ni se entra en exploraciones sobre cómo se formó el texto, aunque algunos de los que consideraremos como Báez-Camargo eran biblistas que trabajaban en profundidad en la traducción del texto desde sus lenguas originales. En la mayor parte de los trabajos de esta época tampoco hay referencia sistemática al desarrollo doctrinal o dogmático. Lo que sí hay es creatividad en la lectura, la cual viene de la inmersión de estos pensadores en la actividad intelectual y cultural de su tiempo, y en el dominio de la lengua escrita que les permite comunicarse de manera inteligible y desafiante. Así por ejemplo, el redescubrimiento de la humanidad de Jesús muestra la riqueza del texto bíblico y explora las posibilidades que el mismo tiene de tocar la sensibilidad de los lectores contemporáneos. El texto deriva de la manera más natural en la crítica social y en el desafío al discipulado.

Un ejemplo de este tipo de reflexión homilética es el libro *Pasa Jesús: meditaciones sobre el Evangelio* por el argentino Santiago Canclini,[1] uno de los mejores predicadores de su generación. Cada uno de sus diez capítulos es una reflexión sobre un pasaje de los Evangelios de Lucas, Marcos y Juan. En la introducción hace referencia a una novela de Teófilo Gautier sobre una momia egipcia y dice por contraste:

> Para hallar el motivo de nuestras meditaciones no hemos abierto una tumba, pero sí el Libro Vivo, hallando allí, no una momia inerte en un magnífico sarcófago doctrinario, sino un Salvador potente que vive, que ama, y que obra hoy como ayer y como siempre. ¡Que las huellas de ese Jesús que aun hoy pasa frente a nosotros queden indeleblemente grabadas en nuestra vida por el poder de su Espíritu![2]

Vamos a detenernos en tres escritores mexicanos como representativos de esta generación, cuya herencia teológica se expresó no tanto en tratados teológicos sistemáticos sino en creaciones en campos como el periodismo, la himnología, la poesía y la predicación. Son esas las manifestaciones que tenemos que explorar, ya que para la reflexión sistemática podría decirse que esta generación se nutría de los clásicos evangélicos del Protestantismo europeo, y de los tratadistas del mundo anglosajón.

---

1 Santiago Canclini, *Pasa Jesús: meditaciones sobre el Evangelio*, Junta Bautista de Publicaciones, Buenos Aires, 1944.

2 *Ibid.*, p. 5.

Una Cristología en Gonzalo Báez-Camargo

Gonzalo Báez-Camargo, maestro primario, combatiente de la revolución mexicana, periodista reconocido, miembro de la Academia Mexicana de la Lengua, maestro de escuela dominical, dirigente evangélico en su propio país y luego uno de los forjadores del movimiento ecuménico a nivel mundial, fue un biblista distinguido cuyo trabajo se realizó dentro del marco de las Sociedades Bíblicas Unidas y de la Iglesia Metodista.[3] Pero fue su tarea como periodista la que llevó sus escritos a las masas de su país, desde las columnas del diario *Excelsior* de México. Su libro *Las manos de Cristo* reúne una colección de artículos, publicada por primera vez en 1950.[4] Es en realidad una muestra de la Cristología que desde muchos púlpitos y a través de la radio difundieron también otros evangélicos de su generación.

Quienes conocimos a Gonzalo Báez-Camargo y tuvimos oportunidad de tratar con él quedamos impresionados con el entusiasmo y el sentido de vocación con que acometía su tarea docente y literaria. También con su claro sentido de pertenencia a una comunidad evangélica cuyo lenguaje fraterno usaba sin aspavientos, pero también sin apologías. Recuerdo cómo en nuestras conversaciones me llamaba «hermano Escobar», con naturalidad y sin afectación. Creo por ello que si queremos encontrar la fuente y el impulso que motivaron y dinamizaron su obra debemos explorar la Cristología de Báez-Camargo. No

---

3 Acerca de Báez-Camargo hay varios estudios en el libro *Gonzalo Báez-Camargo: una vida al descubierto*, Casa Unida de Publicaciones, México, 1994; y Jean Pierre Bastian, *Una vida en la vida del Protestantismo mexicano. Diálogos con Gonzalo Báez-Camargo,* Centro de Estudios del Protestantismo Mexicano, México: 1999, Prólogo y notas de Carlos Mondragón.

4 Pedro Gringoire, *Las manos de Cristo*, Casa Unida de Publicaciones, México, 1985. La 1ra. ed. se publicó en 1950.

pienso tanto en un esfuerzo erudito y clasificador para ver en qué escuela teológica podemos matricularlo. Quiero explorar más bien la relación vital con Cristo que se podía advertir en su persona y que fue la materia central de una parte importante de su obra publicada, a partir de la cual podemos bosquejar las líneas maestras de esa Cristología.

En el caso de Báez-Camargo, esbozaremos su Cristología prestando atención especialmente a su poesía, sus trabajos de crítica literaria y lo que él llamó sus «sermones laicos» en las páginas del periódico *Excelsior*. En esta obra advertimos un uso creativo de las Escrituras, un procedimiento hermenéutico y contextual que tiene ya las marcas de una teología evangélica autóctona. Las fuentes periodísticas, literarias u homiléticas son buen punto de partida en la exploración cristológica. Si tomamos por ejemplo el caso del periodismo, estamos frente a un esfuerzo por alcanzar a un gran público con aspectos específicos del mensaje evangélico centrado en Jesucristo. La selección de los temas y pasajes de la vida de Jesús, tomando en cuenta las características de un público lector respetuoso del Maestro pero en general ignorante acerca de su vida, requería familiaridad con el contenido cristológico de la fe y sensibilidad misionera en la forja del estilo. Por otra parte, si tomamos la himnología y la poesía estamos frente a manifestaciones que resultan especialmente importantes en la formación de los creyentes evangélicos mediante la liturgia y la educación cristiana.

Diagnóstico espiritual de América Latina

Como vimos en el capítulo anterior, en 1929 se realizó el Congreso Evangélico Hispanoamericano de La Habana. Báez-Camargo aun no había llegado a los treinta años de edad, y fue elegido para presidirlo. El historiador Wilton M. Nelson señala que lo hizo de manera brillante pues «dirigió el Congreso con 'gracia latinoamericana' y 'eficiencia anglosajona'».[5] El consenso de los historiadores, confirmado por un examen de los documentos, es que este Congreso se caracterizó por ser una clara toma de conciencia de que el protestantismo latinoamericano había llegado a su mayoría de edad. En La Habana la mayor parte de los asistentes fueron líderes latinoamericanos y Báez-Camargo fue quien mejor articuló una expresión claramente contextual de la identidad y el sentido de misión de los evangélicos. La calidad de su trabajo se puede apreciar en el libro que resume el proceso del Congreso de La Habana, *Hacia la renovación religiosa en Hispanoamérica.* [6]

Como ya vimos, en el Congreso se consideró un panorama de la situación espiritual y religiosa de América Latina. Luego de describir la religiosidad muerta y formal predominante, Báez-Camargo decía que no todo en el panorama latinoamericano era sombrío. «Corrientes espirituales de vario matiz luchan desesperadamente por inyectar en la sangre de este continente enfermo, la fe en las funciones más altas de nuestro espíritu, la confianza en las Fuerzas invisibles que crearon y sostienen el cosmos, y la posibilidad de la comunión con ellas».[7] En medio de estas corrientes que buscaban una moral sin dogmas, la religiosidad oriental, el cristianismo social o el espiritualismo místico, Báez-Camargo se refiere también a otra corriente: «Pero no pocos miran a Jesús. No siempre

---

5   Wilton M. Nelson «En busca de un protestantismo latinoamericano. De Montevideo 1925 a La Habana 1929», en *CLAI, Oaxtepec 1978 Unidad y Misión en América Latina*, San José, CLAI, Costa Rica, 1980, p. 38. Ver también William Richey Hogg, *Ecumenical Foundations*, Harper, New York, 1982, pp. 267-268..

6   Gonzalo Báez-Camargo, *Hacia la renovación religiosa de Hispanoamérica*, Casa Unida de Publicaciones, México,: 1930.

7   *Ibid.*, p.,19.

lo perciben en toda su significación. Pero se esfuerzan en conocerlo e interpretarlo».[8] A él mismo le tocó pronunciar el mensaje de clausura, y cita de dicho mensaje:

> No al Cristo literario de Renán, no al Cristo socialista de Barbusse, no al Cristo nimio de las leyendas católicas, bellos Cristos a medias, sino al Cristo único, el de los Evangelios, el Hijo de Dios, redentor del Mundo, Espíritu Eterno cuya obra ayer, hoy y por todos los siglos, es la transformación de los corazones.[9]

Podría decirse que la agenda cristológica que el Congreso de La Habana propuso, la transformó Báez-Camargo en su propia agenda teológica y literaria. Veamos algunos aspectos de la misma.

El redescubrimiento de la humanidad de Jesús

La primera nota que destaca en la Cristología de los artículos de Báez-Camargo en *Excelsior* es la presentación atractiva y recia de la humanidad de Jesús. Está basada cien por ciento en el dato bíblico pero la contextualización ha alcanzado precisión y pertinencia. Uno de los trabajos más elocuentes de su libro *Las manos de Cristo* es «El proletario de Nazaret». La humanidad de Jesús es presentada desde el ángulo que retrata la pobreza y el trabajo manual como estilo de vida elegido por el Maestro:

> Jesús era obrero. Era lo que llamaríamos un «proletario». En sus labios, como en ninguno habría palpitado con inflexión de amor, al dirigirse a los obreros, la palabra

---

8 *Ibid.,* p., 18.

9 *Ibid.,* p., 143.

consabida: CAMARADA. Ningunas manos como las suyas, fuertes y callosas por los afanes del taller, habrían
estrechado con más simpatía, con más compañerismo,
las callosas y fuertes manos de los trabajadores.[10]

Baez Camargo destaca que la enseñanza de Jesús demostraba una profunda sensibilidad hacia los pobres, y un estilo
de comunicación con ellos, que brotaban de la experiencia
misma de la pobreza: «Cuando se lanzó a la vida pública,
no iba equipado con tesoros de erudición. En sus palabras
se refleja constantemente su vida de artesano pobre».[11] La
espiritualidad de Jesús, si bien era una realidad incontrover-
tible, se compaginaba con las circunstancias humanas de su
existencia: «Jesús era un hombre de trabajo. Tenía que hurtar
horas al sueño, levantarse aun de noche, si quería disfrutar de
unos momentos de quietud para sus oraciones y meditaciones.
Oraba y meditaba más bien mientras trabajaba en su taller,
entre las astillas, acompañándose con el monótono chirriar
de la garlopa».[12]

El peso del argumento de varias de estas páginas iba dirigido a contrarrestar dos tipos de desfiguración de la persona de
Jesús corrientes en América Latina por entonces. Por un lado
el de la prensa popular marxista que en esa época describía
a Jesús como defensor de los capitalistas contra los obreros.
Por otro lado las imágenes de cierta artesanía popular en la
cual Jesús aparecía casi como una figura femenina. En otro
de los capítulos del libro mencionado Báez-Camargo parte
de la contemplación de las manos de Cristo tomando el dato
de los Evangelios, y luego saca las consecuencias sobre una

---

10 *Las manos de Cristo*, p. 45, mayúsculas del autor

11 *Ibid.* p. 49.

12 *Ibid.* p.48.

enseñanza bíblica acerca del trabajo, recorriendo páginas del Antiguo y Nuevo Testamento:

> Lo primero que advertimos al contemplar las manos de Cristo, es que son las manos varoniles y vigorosas de un trabajador. Las manos de un obrero: el carpintero de Nazaret. No son esas manos blancas y fláccidas, como un lirio desmayado, manos casi femeninas, que le han pintado por lo general en los retablos litúrgicos y las estampas devotas. Es en estas manos suyas, manos de trabajador, donde hallamos la primera y más alta proclama de la dignidad del trabajo manual y del proletariado.[13]

Muchos pensadores evangélicos han utilizado la Semana Santa como motivo de reflexión, predicación y poesía. Se han tomado las escenas y eventos de esa semana como representativos de las fuerzas que están en juego en todo drama histórico, pasando luego a su contextualización en el continente. Así Báez-Camargo en las breves líneas de su descripción de «Nuestro Señor del Látigo» en la escena del Lunes de purificación del templo:

> El Templo está hecho un mercado en que se trafica con la devoción, se explotan los remordimientos, y se hace objeto de agio la piedad...Pero aparece Jesús, transfigurado por divina indignación. Indignación por los pobres explotados y por la Casa profanada. Y enarbola un látigo -iviril y majestuosa figura la de Nuestro Señor del Látigo!- que pone confusión entre los mercaderes del altar, mientras en sus labios restalla, como otro látigo que vibrara hecho lumbre, la frase tremenda y

---

13 *Ibid.*, pp. 11-12.

perdurable: «Mi casa de oración la habéis hecho guarida de ladrones».[14]

La relación personal con Jesús como punto de partida de la vida cristiana

La segunda nota importante de la Cristología evangélica de Báez-Camargo es la insistencia en la necesidad de una relación personal con Jesucristo, que va mucho más allá de un simple contenido intelectual que se asimila o un credo que se confiesa colectivamente. Si bien el anuncio de la persona de Jesús se inscribe dentro de la tradición del Protestantismo reformado, en esta nota de una relación personal se observa la marca del pietismo a través de la herencia wesleyana del metodismo, unida a la convicción sobre la obra expiatoria de Jesús en la cruz. La distinción la establece con mucha claridad cuando describe una de las notas centrales del avivamiento metodista:

> Siendo la suya «una teología de gracia experimenta-da», el metodismo se libró de hacer de la teología una obsesión. Buscando ante todo la experiencia personal de la regeneración, evitó los excesos del dogmatismo. Como Jesús a Nicodemo, no planteó ante las almas una discusión de opiniones sino la gran interrogación «¿Has nacido de nuevo?[15]

Y agrega unas líneas más abajo:

> Porque en efecto el dogmatismo intelectualista, o sea la preocupación dominante con la mera ortodoxia, comete

---

14 *Ibid.*, p. 65.

15 Gonzalo Báez-Camargo, *Genio y espíritu del metodismo wesleyano*, Casa Unida de Publicaciones, México, 1962, p. 15.

en el fondo una suplantación del Evangelio. Hace con-
sistir la salvación, ya no en la obra redentora de Cristo,
que el creyente acepta para sí, personalmente, por la
fe, sino en el asentimiento completo y juramentado a
un sistema de fórmulas teológicas. Sustituye la persona
viva y adorable de Cristo con un hermoso, compacto,
consistente credo *acerca de Cristo*. Y de hecho proclama que lo que salva no es creer en Cristo, sino *tener
creencias ortodoxas acerca de Cristo*.[16]

Esta convicción guía también la obra literaria de Báez-Camargo, como puede observarse en uno de sus más interesantes
trabajos de crítica teológico-literaria. En 1949, en ocasión de la
Primera Conferencia Evangélica Latinoamericana realizada en
Buenos Aires, escribió uno de los materiales preliminares de
estudio y trabajo de dicha reunión. Se trataba de explorar «la
nota evangélica en la poesía hispanoamericana», en la misma
línea de su trabajo en el informe de La Habana. En la sección
introductoria de este trabajo Báez-Camargo define «los cuatro
elementos fundamentales (que) se requerirían para reconocer
como evangélico el tono y el sentido de una composición.»[17].
El primero que menciona es la «Centralidad de Cristo»:

Esto es lo esencial en la religión evangélica. El Dios
que se adora es el Dios de Cristo, el Dios revelado en
Cristo y por Cristo. Y es Cristo la devoción suprema.
Desde luego, se trata no del Cristo de las leyendas o
de las elaboraciones rituales, el Cristo hierático de las
estampas y los íconos, sino del Cristo a la vez humano
y divino de los Evangelios. Y lo que constituye la vida
religiosa, en el concepto evangélico, es fundamental-

---

16 *Ibid.*, p. 16.

17 G. Báez-Camargo, *La nota evangélica en la poesía hispanoamericana*, Ediciones
    Luminar, México, 1960, pp. 8-10.

mente la relación personal del alma con este Cristo, y la experiencia de su gracia redentora.[18]

Los otros tres elementos son «La interioridad de la experiencia religiosa. Esa comunión personal con Cristo florece en las profundidades del espíritu.» Luego «La primacía de la fe sobre las obras... el entregarse sin reservas a la sola gracia de Dios en Jesucristo, cifrando en ella, y no en adhesiones dogmáticas u obras piadosas, toda esperanza de justificación y reconciliación».[19] Finalmente, «La primacía del amor sobre el precepto, la codicia y el temor. Lo más importante no es el acto sino su motivación».[20]

La apropiación
de la muerte redentora de Jesús

Una tercera nota se advierte en una reflexión sobre las palabras de Jesús en la cruz, Báez-Camargo dice:

> Consumado está el amor: «Habiendo amado a los suyos los amó hasta el fin»... Consumado está el sacrificio, que se ofrece una vez por todas, sin necesidad de complemento o repetición. Sacrificio único, suficiente, perfecto, que logra un completo perdón. Consumada está la redención del hombre. Nuestras culpas han sido purgadas, pagado ha sido todo el precio de nuestro rescate. «Dios estaba en Cristo reconciliando el mundo a sí». La cruz es el camino, la verdad y la vida.[21]

---

18 *Ibid.,* p.8.

19 *Ibid.,* p. 9.

20 *Ibid.,* p. 10.

21 *Las manos de Cristo,* p. 105.

Para Báez-Camargo «Jesús no es un hecho histórico nada más, sino una presencia actual, viviente, cálida, amorosa y cercana. Tan cercana que es posible, hoy y aquí, comunicar con él, estar con él, vivir para siempre con él».[22] Es el paso de la fe personal lo que nos permite esa relación con Jesús hoy en día:

> La verdad y el poder de esa palabra de la Cruz, que a la vez que conduce al hombre a desesperar de sí mismo, lo impulsa a esperar únicamente en la gracia divina, quedan demostrados por el número incontable de almas que ante la Cruz, se han soltado del cable de sus esfuerzos perfectivos, y han dado el gran salto en el vacío, fuera de toda lógica y de toda razón humana, para ir a asirse de la mano que les tiende desde «la locura de la Cruz».[23]

La intensa vocación intelectual y literaria de Báez-Camargo lo llevó en 1936 a fundar la revista *Luminar* que se publicó en México hasta 1951. Consiguió atraer a sus páginas a una constelación de pensadores europeos, norteamericanos y latinoamericanos, entre los cuales se puede mencionar al ruso Nicolás Berdiaeff, al peruano Luis Alberto Sánchez, al francés Marcel Bataillon, al argentino Francisco Romero, al alemán Max Planck y a decenas más de autores cristianos y no cristianos. Como nos lo recuerda el historiador Carlos Mondragón, *Luminar* se convirtió en una plataforma de diálogo amplio y respetuoso y de interpretación de la cambiante realidad mundial de esas décadas: «Al mismo tiempo que manifestaba una política editorial abierta y crítica, el director hacía patente el

---

22 *Ibid.*, p. 166.
23 *Ibid.*, p. 126.

carácter 'cristiano' de la nueva publicación» y precisaba el alcance de su orientación:

> Pero al decir que LUMINAR es una revista cristiana no quiere decirse de ninguna manera, una revista dogmática o confesional. LUMINAR cree que la Verdad está en Cristo, pero no cree que esa Verdad pueda quedar encerrada, empaquetada y envasada definitivamente en declaraciones dogmáticas o fórmulas y recetas totalmente acabadas. Cristo es el Camino, la Verdad y la Vida. Pero ese Camino no está cercado por bardas eclesiásticas.[24]

Mondragón destaca también el hecho de que las revistas evangélicas *Luminar* y *La Nueva Democracia* fueron foros en los cuales se expresó la crítica al Fascismo que en la década de 1930 subió al poder en España, Italia y Alemania, y que conduciría luego a la Segunda Guerra Mundial.[25] Entre 1936 y 1939 se desarrolló la terrible guerra civil en España. Muchos intelectuales latinoamericanos se manifestaron a favor del lado republicano que se enfrentaba con la revuelta del general Francisco Franco, quien con la ayuda de Mussolini y Hitler venció al fin y estableció un régimen totalitario con el apoyo decidido y público de la Iglesia Católica Romana. La retórica de Franco utilizaba los gestos, símbolos y motivos religiosos del catolicismo tradicional español. De hecho llamó a su movimiento una «Cruzada». De esa época hay un poema de Báez-Camargo titulado «¡Dejad en paz a Cristo, generales!»

---

24 Citado por Carlos Mondragón, »Báez-Camargo: una faceta de su vida cultural», en *Gonzalo Báez-Camargo: una vida al descubierto*, Casa Unida de Publicaciones, México, 1994, p. 126.

25 Carlos Mondragón, *Leudar la masa. El pensamiento social de los protestantes en América Latina*, Ediciones Kairós, Buenos Aires, 2005. Ver especialmente en el cap. 5 «Dios y los rostros del fascismo».

en el cual protesta con elocuencia frente a la utilización de la fe cristiana como justificación de la guerra, la intolerancia ideológica, la defensa del militarismo y el capitalismo:

¡Dejad en paz a Cristo, generales!
¡Generales de vientres rotundos,
De entorchados suntuosos y de manos sangrantes!
No pretendáis hacerlo Patrón de vuestra guerra,
Ni secuaz vuestro, ni cófrade y compinche
De vuestro cuartelazo y vuestros crímenes!...

¡Dejad en paz a Cristo, generales!
¡Cristo no necesita pistoleros
Que lo defiendan
Ni espadachines
Que le guarden la espalda!
Su causa y su verdad un día
Inundarán la tierra como el agua
Llena la inmensidad de los océanos
Pero por el camino del amor...
¡No por la senda
Maldita y demoníaca de la guerra![26]

Una espiritualidad de relación personal y contemplación de Jesús

Pocos latinoamericanos de la generación que estamos considerando consiguieron articular las dimensiones de la espiritualidad evangélica como el poeta y profesor mexicano Francisco Estrello. Para Estrello la vida cristiana era seguimiento de Jesús. El conocimiento de los hechos de la vida de Jesús es brújula que orienta sobre cómo hay que seguirle hoy:

---

26 Gonzalo Báez-Camargo, fragmentos de »¡Dejad en paz a Cristo, generales!», en *El artista y otros poemas*, México, 3ra. ed., 1987, p. 45.

> Cristo es el Camino... El sentido de dirección para el Cristiano es un asunto que se resuelve siguiendo a Cristo. Diremos más, el sentido de dirección de la vida del mundo se resuelve de la misma manera. Pero es a los cristianos, y muy especialmente a los cristianos jóvenes, a quienes está encomendada la tarea de enseñar a las gentes cómo se va tras de Cristo, cómo se pisa terreno de Cristo, cómo se siguen rutas de Cristo, cómo se alcanzan metas de Cristo...[27]

El seguimiento implica la contemplación, el corazón y el oído a la escucha del Maestro: «Siéntate a los pies del Maestro y recoge Sus palabras en el silencio de tu corazón. Serán sus palabras como bálsamo reconfortante y como lluvia que desciende a besar la tierra reseca y sedienta... No apartes tu mirada de su rostro».[28] El libro del cual tomamos estas citas fue concebido para «ayudar a que el acto de culto, ora privado ora en grupo, sea más profundo y más inspirador. Pero también se propone hacerlo más bello. Su principal valor está en la emoción de alta espiritualidad que estremece cada una de las selecciones que la componen».[29] El examen de esta rica selección de textos mayormente de autores iberoamericanos permite ver que el cultivo evangélico de la espiritualidad era también profundamente cristocéntrico.

En la espiritualidad de Estrello, la contemplación de Cristo lleva a la devoción que se expresa luego en poesías de rica factura como ésta sobre las manos de Cristo:

---

27 Francisco E. Estrello, *En comunión con lo eterno*, Casa Unida de Publicaciones, México, 3ra ed., 1975, p. 57. Publicado por primera vez en 1949, se reimprimió en 1971 y 1975.

28 *Ibid.*, p. 103.

29 *Ibid.*, p. 7.

Manos de Cristo,
Manos divinas de carpintero...
Yo no imagino aquellas manos
Forjando lanzas, forjando espadas,
Ni diseñando nuevo modelo de bombardero;
Aquellas manos, manos de Cristo,
Fueron las manos de un carpintero...

Entre las manos febricitantes
Que hacen cruceros y bombarderos,
¡No están las Suyas!
Las Suyas llevan marcas de clavos,
Marcas heroicas de sacrificio;
Aquellas manos, manos sangrantes,
Fuertes, nervudas, manos de acero
Son manos recias de Carpintero
Que quietamente labra la vida.[30]

Otro mexicano, Vicente Mendoza, fue el autor de uno de los primeros himnos de factura latinoamericana que se cantaron en las iglesias del continente, cuya melodía tenía el ritmo valsado propio de las canciones mexicanas que por ello se aprenden de memoria con facilidad:

Jesús es mi rey soberano, mi gozo es cantar su loor,
es rey y me ve cual hermano, es rey y me imparte su amor,
dejando su trono de gloria me vino a sacar de la escoria.
Y yo soy feliz, y yo soy feliz por él.

Jesús es mi amigo anhelado y en sombras o en luz siempre va
paciente y humilde a mi lado y ayuda y socorro me da
Por eso constante lo sigo, porque él es mi rey y mi amigo.
Y yo soy feliz, y yo soy feliz por él.

---

30 Francisco E. Estrello, *Posada junto al camino*, Casa Unida de Publicaciones, México, 1951, pp. 96-97.

Alberto Rembao y la cultura evangélica

Alberto Rembao, mexicano de Chihuahua y miembro de la Iglesia Congregacional, excombatiente de la revolución mexicana y educador de nota, llegó a ser conocido en toda América Latina y los Estados Unidos sobre todo por su labor como director de la revista *La Nueva Democracia*, fundada en 1920 por el Comité de Cooperación en América Latina y que se publicó hasta 1963. Rembao fue su director de 1931 hasta su muerte en 1962. Pasó a vivir en Nueva York, desde donde mantenía correspondencia con un grupo amplio y notable de intelectuales latinoamericanos de las más variadas tendencias. Algunos de sus libros son recopilaciones de artículos y editoriales de *La Nueva Democracia*, como por ejemplo *Meditaciones neoyorquinas*.[31] Rembao se esforzó por dar a conocer y divulgar la realidad de una presencia protestante ya arraigada en América Latina y en interpretar lo que llamaba «la cultura evangélica». Su obra clásica en este sentido, que tuvo gran influencia en su momento, fue el *Discurso a la nación evangélica*.[32] Poseedor de un estilo vigoroso y peculiar, no siempre fácil de seguir, y pleno de alusiones bíblicas o históricas, Rembao fue un cronista y comentarista evangélico del quehacer cultural de Estados Unidos y América Latina, y su vena cristológica es fruto de un diálogo con el acontecer diario, las publicaciones más recientes, las visitas de intelectuales amigos o algunos eventos notables. En una reflexión dedicada al tema «Dios no es objeto de ciencia» tiene este párrafo singular de riqueza teológica:

---

31 Alberto Rembao, *Meditaciones neoyorquinas*, La Aurora, Buenos Aires, 1939.

32 Alberto Rembao, *Discurso a la nación evangélica*, La Aurora-Casa Unida de Publicaciones, Buenos Aires-México, 1949.

> Yo no conozco a Dios; pero estoy dispuesto a apostar
> mi destino y la salvación de mi alma a que ha de ser
> como Jesús de Nazareth, mismo en quien se vació el
> Cristo eterno, según decir de la Escritura, decir que yo
> encuentro muy digno de creer. Y les robo una marcha.
> Yo no digo que Cristo es como Dios, sino que Dios es
> como Cristo... De lo conocido a lo desconocido.[33]

Rembao identifica como cultura evangélica la forma de vida que van desenvolviendo las comunidades evangélicas, con la militancia de sus miembros, eso que en nivel continental él llama «la nación evangélica,» y que explica de esta manera: «Nación valga, pues, por la suma de los nacidos –y los renacidos– los que han alumbrado dos veces; los nacidos con él y para él. En suma los de la aristocracia espiritual contemporánea: los Evangélicos de la América Hispánica».[34] Comentando el pasaje paulino de Filipenses 2:7 afirma: «En cultura evangélica Dios no es idea, sino que espíritu divino que en un Hombre de la historia toma forma de terrenidad, en el vientre sacratísimo de la Muy Favorecida». Rembao considera que la deidad de Cristo es pieza fundamental de la postura cristiana:

> Se emplea el vocablo 'deidad' para no caer en el equívo-
> co ni en la ambigüedad a que lleva el otro de 'divinidad'.
> No se dice que Cristo es divino. Se afirma que Cristo
> es Dios. En cualquier teología humanista bien fraguada
> se puede mantener simultáneamente la divinidad de
> Cristo y la divinidad de la Creación entera, como que
> la Creación es también obra de Dios. En tal lucubrar
> Cristo resulta parte de la creación que no autor de ella

---

33 *Meditaciones neoyorquinas*, p. 51.

34 *Discurso*, «Definición del encabezado», párrafos introductorios al libro, p.9.

como se nos advierte en la interpretación paulina (Col 1:16)...La deidad de Cristo se recalca porque en ella descansa la peculiaridad, la diferencia, la superioridad de la cultura evangélica del tema: porque este hecho va contra natura y contra ciencia, y contra filosofía; porque es la piedra consabida de tropiezo de los judíos y de los humanistas unitarios...El título central de la posición evangélica ante el mundo es ése: Cristo es Dios.[35]

Con Rembao hemos entrado en la reflexión cristológica iberoamericana, en una postura afirmativa y también polémica.

Conclusión

El aporte de la generación de los fundadores al pensamiento evangélico tuvo una nota cristocéntrica clara y con dimensión misionera pues se expuso en forma que la persona y el mensaje de Jesucristo alcanzasen al mundo allá fuera de la comunidad evangélica. Báez-Camargo, Estrello y Rembao desde sus púlpitos literarios y periodísticos anunciaron al Cristo de los Evangelios en forma fiel a las fuentes de la fe cristiana y pertinente al pueblo latinoamericano.

La cuidada investigación del historiador costarricense Arturo Piedra sobre la evangelización protestante en América Latina ha prestado especial atención a la Conferencia Evangélica de Panamá en 1916 que trató de establecer las bases para una mayor cooperación de la obra de las diferentes misiones que para entonces trabajaban en América Latina, y al Comité de Cooperación en América Latina que se formó a raíz de dicha conferencia. Cuando se realizó esta conferencia hacía más de medio siglo que colportores y misioneros protestantes habían

---

35 *Ibid.*, p. 21.

venido predicando el mensaje evangélico. Fue organizada por un grupo de entusiastas misioneros de Estados Unidos que no habían aceptado la decisión de la Conferencia misionera de Edimburgo en 1910 de no legitimar la obra misionera protestante en países católicos u ortodoxos. Entre los organizadores había personas que habían recibido influencia de las nuevas corrientes teológicas entonces predominantes en Estados Unidos que ponían énfasis en la dimensión social del mensaje cristiano y que no aceptaban de buen grado la postura tradicional de los evangélicos en relación con la persona y el mensaje de Cristo.[36] Lo notable de la generación de los fundadores es que si bien en su esfuerzo por contextualizar la fe re-descubren la humanidad de Jesucristo y la dimensión social del Evangelio, mantienen una Cristología evangélica tradicional en sus lineamientos básicos. En este aspecto de la comprensión de su fe se mantienen en la misma ortodoxia de la generación de los Precursores.

El historiador Carlos Mondragón que ha investigado el pensamiento social de las generaciones que hemos estado considerando, ha destacado la consecuencia sociológica en lo religioso que trae la relación personal con Cristo como centro de la experiencia cristiana. Era el cuestionamiento de la pretensión de la Iglesia Católica Romana de ser la única autorizada para interpretar las enseñanzas de Cristo y poner a las personas en relación con Cristo. Dice Mondragón:

> A partir de sus posiciones teológicas frente al catolicismo los protestantes se preguntaban: ¿Para qué se necesita al Papa y la burocracia sacerdotal, si «sólo

---

36 Arturo Piedra, *Evangelización protestante en América Latina. Análisis de las razones que justificaron y promovieron la expansión protestante*, tomo 2, CLAI, Quito, 2002. Ver especialmente la sección «Jesús trasciende la teología» en el cap. III.

Cristo salva y se puede tener acceso directo a él»? ¿Para qué la intermediación de los santos y las penitencias? Esta perspectiva justificaba su vida independiente de la autoridad de Roma, así como su actividad proselitista en una Latinoamérica que para ellos sólo era cristiana de nombre.[37]

---

37 Carlos Mondragón, *Leudar la masa. El pensamiento social de los protestantes en América Latina 1920 -1950*, Ediciones Kairós, Buenos Aires, 2005, p. 86.

6

CRISTO EN EL PENSAMIENTO DEL PROTESTANTISMO ECUMÉNICO

*B*arth nos ha de ayudar a centrar todo nuestro pensar teológico real y efectivamente en la persona de
Cristo. Y será, sin duda, una ayuda de tremendas consecuencias prácticas. Frente al fanatismo y superstición
del ambiente nos recordará que si bien la tarea de la
predicación cristiana es destruir falsos dioses, esa tarea
es de carácter secundario, a posteriori, consecuencia de
un primer trabajo de predicación del Dios verdadero.
Desde el Evangelio es que se destruye la teología natural. Desde el Evangelio es que se puede redargüir al
hombre de pecado, desde el Evangelio es que se pueden
destruir de raíz todas las negaciones de Cristo que en
nombre de Cristo se han levantado en América. (Emilio
Castro, 1956)

Como ya señalamos en el capítulo primero, la teóloga
católica Elizabeth Johnson nos recordaba que 1951 fue un
año en que se puede decir que se inicia en el mundo católico
europeo una renovada búsqueda cristológica. Recordábamos
también que el teólogo Juan A. Mackay había señalado la ausencia de una presencia vigorosa de Cristo y lo cristiano en
la literatura latinoamericana. Decía al respecto el estudioso
católico español José Antonio Carro Celada:

> Los narradores de mayor notoriedad sólo acceden a
> la temática cristiana, cuando lo hacen, como recurso

ambiental que produce buenos resultados plásticos o
realistas. Las alusiones de fondo a la vivencia cristiana
no cuentan o significan muy poco, se quedan en mera
anécdota o se entretienen con el costumbrismo de la
religiosidad popular, más como fenómeno de cultura
que como expresión de fe.[1]

Por esto resulta notable que en la década de 1950 se pueda
empezar a advertir nuevas referencias a Cristo tanto en la
prosa como en la poesía.

Caballero Calderón y su «Cristo de espaldas»

Una novela colombiana publicada en Buenos Aires en 1952
tuvo repercusiones notables en Colombia, y en todo el continente americano. Se trata de *El Cristo de Espaldas* de Eduardo
Caballero Calderón. La novela lleva como epígrafe el texto de
Mateo 10:16-22, las palabras de Jesús sobre la presencia de sus
discípulos como ovejas en medio de lobos, y de la violencia
que se ejerce contra ellos. El personaje central del drama es
un sacerdote recién salido del Seminario, que va a ejercer su
ministerio en una pequeña aldea colombiana, sacudida como
tantas otras por la violencia política que asolaba a ese país, y
cuyas secuelas se viven todavía hoy. Todo el mundo oscuro de
la corrupción política, la confrontación clasista y la violencia
fratricida que estaban destruyendo a Colombia en esos días, se
refleja en esta novela, donde el cura, al igual que Cristo, vive
un doloroso calvario entre jueves y domingo. Con sorpresa y
dolor va descubriendo la maraña de intereses, deslealtades y
abusos que se atreve a identificar y criticar en medio de una

---

1   José Antonio Carro Celada, *Jesucristo en la literatura española e hispanoa-
    mericana del siglo XX*, Biblioteca de Autores Cristian, Madrid, 1997, p. 18.

tragedia en aquel pequeño pueblo. Quiso ser como Cristo entre las gentes de la montaña, y terminó recibiendo la violencia de los fieles de su parroquia y aun la incomprensión de sus superiores religiosos. El Obispo que lo conmina a regresar al Seminario lo acusa de haberse dejado dominar por el orgullo y termina diciéndole: «Haz cuenta, hijo mío, que se te volvió el Cristo de espaldas. Pero ten la seguridad de que lo vas a encontrar otra vez entre los niños, en el Seminario.» En la respuesta que el curita imagina, pero que no se atreverá a decírsela al Obispo, está la clave del título de la novela: «El Cristo no se me volvió de espaldas, excelencia, porque yo lo siento vivo y ardiente en mi corazón y mi corazón no me engaña. Verá su excelencia: lo que ocurre es que los hombres le volvieron las espaldas al Cristo».[2]

La obra de Caballero Calderón se asemeja a la novela *Nazarín* del escritor español Benito Pérez Galdós, donde también la presencia de un sacerdote que quiere ser como Cristo en un ámbito de miseria y contradicción, sirve como vehículo para plantear problemas humanos, y para expresar una perspectiva acerca de la presencia del cristiano en el mundo que el escritor describía. *Nazarín* fue llevada al cine por el director Luis Buñuel en 1958, pero ambientada en el México de comienzos del siglo XX. Está considerada entre las cien mejores películas del cine mexicano. Estos personajes de Caballero Calderón y Pérez Galdós consiguen encarnar de manera verosímil el nudo de contradicciones que trae a una comunidad la presencia inesperada de la bondad y la inocencia. Ambas van marcadas, sin embargo, por un cierto tono de impotencia frente al poder del mal. Su uso del recurso literario en el cual el personaje prefigura o evoca la figura de Cristo entre

---

2 Eduardo Caballero Calderón, *El Cristo de espaldas*, Editorial Víctor Hugo, Bogotá, p. 165

los seres humanos, viene a ser un antecedente de lo que hará más tarde el novelista mexicano Vicente Leñero al escribir su novela *El evangelio de Lucas Gavilán*, una paráfrasis del Evangelio de Lucas, ubicándola en un barrio miserable de la capital mexicana.

Notas cristológicas en poesía latinoamericana

El Primer Premio Nacional de Poesía del año 1944 en la Argentina lo gana el poeta Francisco Luis Bernárdez (1900-1978), ampliamente conocido por su labor literaria y por la calidad de su poesía. Una de las notas destacables de su labor poética es que entre sus poemas hay muchos que expresan su fe cristiana de manera desinhibida y con un lirismo delicado y elocuente. Algunos de sus poemas evocan momentos de la historia de Jesús, como estos fragmentos seleccionados de poemas sobre la Navidad y la Cruz.

> Llamó con mano cansada
> en la puerta del mesón,
> pero allí no había sitio
> para que naciera Dios.
> Recorrió todo Belén
> sin hallar un corazón
> que le hiciera un lugarcito
> para nacer por amor
> Señor, en un establo es mejor.

(de «El establo», *Poemas de carne y hueso*)

> Pájaro que te has posado
> sobre el hombro de Jesús:
> canta con todo tu canto
> mientras se apaga su luz,
> pues en el mundo callado
> nadie es capaz como tú

de consolar con su canto
al Señor que está en la cruz.
Hombre, flor, estrella, pájaro
Esta cruz es vuestra cruz.

(de «La cruz», *Poemas de carne y hueso*)[3]

En determinados momentos sus poemas alcanzan un alto grado de agudeza teológica. Así, por ejemplo, en su «Soneto de la encarnación», publicado en 1937 en el libro *Cielo de tierra*. La comprensión de todo lo que significa la venida de Cristo para la experiencia humana en las diferentes figuras que va usando es evidencia de una rica cristología:

Para que el alma viva en armonía
con la materia consuetudinaria,
y, pagando la deuda originaria
la noche humana se convierta en día;

para que a la pobreza tuya y mía
suceda una riqueza extraordinaria
y para que la muerte necesaria
se vuelva sempiterna lozanía,

lo que no tiene iniciación empieza,
lo que no tiene espacio se limita,
el día se transforma en noche oscura,
se convierte en pobreza la riqueza,
el modelo de todo nos imita,
el creador se vuelve criatura.[4]

Lo cristológico sigue una línea distinta en un célebre poema del peruano Alejandro Romualdo Valle, quien utilizó motivos

3 Francisco Luis Bernárdez, *Antología poética*, Espasa Calpe, Colección Austral, Madrid, 1972, pp.131 y 144

4 *Ibid.*, p. 51.

del vocabulario y la imaginería de los evangelios para hacer una exaltación del sacrificio heroico de Túpac Amaru, el revolucionario indígena que fuera brutalmente descuartizado por los españoles en el Cusco, en mayo de 1781. El poema «Canto Coral a Túpac Amaru que es la libertad» forma parte del libro *Edición Extraordinaria* (Lima, 1958). Describe la barbaridad de los tormentos infligidos al héroe indígena, y repite constantemente una línea como parte de una letanía: «¡Y no podrán matarlo!». El poema parece encerrar algo así como una advertencia sobre las revoluciones populares en general:

> Querrán descuartizarlo, triturarlo,
> mancharlo, pisotearlo, desalmarlo.
>
> Querrán volarlo y no podrán volarlo.
> Querrán romperlo y no podrán romperlo.
> Querrán matarlo y no podrán matarlo.
>
> Al tercer día de los sufrimientos,
> cuando se crea todo consumado
> gritando ¡libertad! sobre la tierra,
> ha de volver.
> Y no podrán matarlo.[5]

Esa referencia al tercer día, el uso del motivo cristológico en este poeta, nos acerca a lo que va a ser en las siguientes décadas un planteamiento de algunas formas de teología de la liberación que buscan identificar los motivos mesiánicos de la Biblia y la tradición cristiana con las llamadas luchas populares del pasado y del presente.

---

5   Alberto Escobar, ed., *Antología de la poesía peruana*, Peisa, Lima, 1973, tomo I, p. 147.

Inicios de un pensamiento teológico protestante

En la década de 1950 a 1960 empieza también a forjarse un pensamiento teológico protestante que pasa de la proclamación de Cristo, cuyas expresiones hemos considerado, a la reflexión sistemática sobre el mensaje cristiano. Hemos llamado a la generación que abre esta etapa la del protestantismo ecuménico, porque surge en particular en las denominaciones protestantes que se sintieron atraídas por el movimiento ecuménico que había culminado en la formación del Consejo Mundial de Iglesias en 1948. El movimiento ecuménico tuvo mayor repercusión allí donde por razones históricas se había desarrollado más un protestantismo misionero de raíz anglosajona como los metodistas y presbiterianos. A éste se unió el protestantismo de migración o trasplante como los anglicanos que acompañaron la migración británica, los luteranos la alemana, y los valdenses la italiana y la suiza en países como Argentina, Uruguay, Brasil, México y Chile. Algunos de los seminarios teológicos más antiguos de América Latina, que llegarían a ser focos de reflexión y producción teológica, estaban vinculados con estas iglesias y el movimiento ecuménico.

A estas denominaciones más antiguas se las suele llamar «históricas» para distinguirlas de las nuevas denominaciones que fueron llegando después de la Segunda Guerra Mundial, algunas de ellas provenientes de misiones interdenominacionales o independientes, especialmente de los Estados Unidos. El misiólogo Kenneth Strachan acuñó el término «grupos no-históricos» para referirse a este último sector, aunque el término puede ser equívoco porque desde fines del siglo diecinueve existían misiones e iglesias nacionales que no compartían la visión ecuménica de las denominaciones más antiguas. Siendo muchos de esos grupos de cuño conservador en lo teológico, sospechaban del movimiento ecuménico y fueron creando sus propias instituciones teológicas. A partir de la década de 1950 se empieza a bifurcar el protestantismo latinoamericano en un sector ecuménico y otro más bien conservador que adopta para sí mismo el adjetivo «evangélico».[6] Le debemos a José Míguez Bonino la caracterización o tipología más precisa sobre los diferentes «rostros» del protestantismo latinoamericano.[7]

En 1950 se funda en Buenos Aires la revista ecuménica *Cuadernos Teológicos* que es auspiciada por los seminarios y facultades interdenominacionales de teología de Buenos Aires (Argentina), Matanzas (Cuba), México y Río Piedras (Puerto Rico). El análisis de contenido de la revista permite ver que en los mencionados seminarios había focos de reflexión que no sólo se nutrían de los autores europeos y norteamericanos que empezaron a difundirse, sino también esfuerzos de articulación teológica latinoamericana y contextual. Dirigían la revista B. Foster Stockwell, misionero metodista afincado en Argentina, y el pensador bautista Ángel M. Mergal de Puerto Rico. Hay una nota cristológica en la intención de los directores que expresa con elocuencia Mergal: «Salen ahora por los extensos campos de la vida intelectual latinoamericana estos *Cuadernos Teológicos* para cumplir con un propósito: desentrañar, iluminar y enriquecer estas ideas vitales que son para nosotros, como esa única y maravillosa Palabra que nos llega desde el propio corazón de Dios, y a la cual la Escritura Sagrada ha llamado el Verbo encarnado».[8]

---

6 Me he ocupado del tema con más detalle en el cap. III de mi libro *La fe evangélica y las teologías de la liberación*, Casa Bautista de Publicaciones, El Paso, 1987.

7 José Míguez Bonino, *Rostros del protestantismo latinoamericano*, Nueva Creación, Buenos Aires, 1995.

8 Ángel M. Mergal, »Editorial», en *Cuadernos Teológicos,* No. 1, 1950, p. 4.

Bowman Foster Stockwell, el otro director de *Cuadernos Teológicos*, había sido misionero metodista en Argentina desde 1927 y se destacó como educador y escritor. En 1936 publicó su libro *¿Qué podemos creer?* que fue un esfuerzo por articular el contenido básico de la fe cristiana para creyentes pensantes. Stockwell se había formado en Alemania y estaba familiarizado con los debates teológicos de las primeras décadas del siglo XX. El capítulo dedicado a Jesucristo en su libro ofrece un resumen claro y de intención pastoral más que académica, del estado de la cuestión cristológica en el ámbito académico europeo y estadounidense del momento. Empezando por una exposición del origen de las palabras Jesús y Cristo explica:

> En los tiempos modernos se ha establecido a veces una diferencia entre el Jesús de la historia y el Cristo de la fe. Pero esta distinción por más útil que sea en ciertas discusiones no puede ser muy precisa. Cualquiera de los dos nombres representa una abstracción de la realidad total de la historia y la experiencia cristianas. Esta realidad total la expresamos mejor diciendo «Jesucristo» que no empleando «Jesús» o «Cristo».[9]

Dice además que si bien para muchos es difícil aceptar la divinidad de Cristo, «Quizás os sorprenda saber que, en los primeros siglos del cristianismo uno de los mayores problemas no fue el de la divinidad de Cristo sino de su humanidad».[10] Expone luego lo que es el docetismo y hace una afirmación que sorprendería a muchos: «La Iglesia tuvo que luchar contra

---

9 B. Foster Stockwell, *¿Qué podemos creer?, ¿Qué es el Protestantismo?*, La Aurora, Buenos Aires, 1987, p.182. Esta es una edición conjunta de los dos viejos libros de Stockwell re-editados en la colección *Obras clásicas del Protestantismo*.

10 *Ibid.*, p. 183.

esta corriente de pensamiento. A la verdad, se ha dicho que los cuatro Evangelios nunca hubieran llegado a ser de tanta importancia en la Iglesia si no hubiera sido por la imperiosa necesidad de mantener la verdadera humanidad de Cristo».[11]

Por otra parte, en su libro *Qué es el Protestantismo*, escrito en 1954 para un público general, Stockwell afirma el cristocentrismo como nota central de la fe y la experiencia protestantes: «La Reforma del siglo XVI no nació de la duda sobre los dogmas tradicionales de la Iglesia, sino de una nueva experiencia de la gracia de Dios en Jesucristo y de una nueva comprensión de la fe cristiana como vivencia personal».[12] Y líneas más adelante agrega: «La Reforma protestante significó una reafirmación de la supremacía de Jesucristo, del Cristo viviente y espiritual en la vida del creyente y de la Iglesia; y el protestantismo en todas sus formas, se ha caracterizado por este rasgo esencial».[13]

El artículo con el que se abre el número inicial de *Cuadernos Teológicos* es una clara y apasionada reflexión del precursor Juan A. Mackay acerca de «La restauración de la teología». Mackay, quien por entonces era rector del Seminario Teológico de Princeton y muy activo en el movimiento ecuménico, se esfuerza en explicar la necesidad de la teología reconociendo que hay en las iglesias evangélicas personas que sospechan de la teología como un ejercicio inútil o innecesario. Expone también la necesidad de la teología para la iglesia en un mundo en el cual ideologías totalitarias habían conseguido la lealtad absoluta de los pueblos que había dado lugar a la segunda guerra mundial. Solo cinco años habían

---

11 *Ibid.*

12 *Ibid.*, p. 59.

13 *Ibid.*, p. 60.

transcurrido desde el fin de esa guerra y la atmósfera cultural europea y norteamericana estaba marcada por la decepción ante la impotencia de la cristiandad establecida para evitar esa catástrofe. La visión de Cristo que Mackay había ido profundizando desde su adopción de la agenda cristológica en *El otro Cristo español*, le lleva a formular la tarea teológica con un principio cristológico:

> La iglesia necesita recordar que Dios ha hablado con palabras y hechos en el plano de la historia. Su eterno 'No' ha resonado contra toda lealtad última a todo lo que no sea Dios. Sea Baal o César quien dispute su soberanía, sea su rival el Mammón del materialismo o el yo del idealismo, sólo Dios debe ser Dios en la vida de los hombres y las naciones. Su eterno 'Sí' ha resonado también en Jesucristo, el Dios-Hombre. Esto debe recordarlo la Iglesia para su vida y su servicio efectivo. El Dios-Hombre es el punto de partida y el alma de la teología cristiana, el centro de la historia y la clave de su significación, el espejo en el cual el hombre llega a conocerse a sí mismo y a Dios, el Redentor por la fe en el cual puede llegar a ser lo que Dios quiso que fuera.[14]

En su libro *Prefacio a la teología cristiana* (1946) Mackay había acuñado una metáfora que ha dado muchas vueltas por los ámbitos culturales latinoamericanos. Es la distinción que hace entre dos actitudes humanas contrastantes que él describe como *la del balcón* y *la del camino*, refiriéndose a la perspectiva desde la cual los humanos buscamos la verdad. «El balcón –esa pequeña plataforma de madera o piedra, que sobresale de la fachada en las ventanas altas de las casas

---

14 Juan A. Mackay, «La restauración de la teología», *Cuadernos Teológicos*, No. 1, p. 9

españolas e hispanoamericanas», es el lugar en el cual desde una distancia segura se contempla la realidad, es «el símbolo del espectador perfecto».[15] Por el contrario, el Camino es «el lugar en que la vida se vive tensamente, donde el pensamiento nace del conflicto y el serio interés, donde se efectúan elecciones y se llevan a cabo decisiones». A Cristo no se le llega a conocer contemplando la procesión desde la distancia y la comodidad del balcón, como en una experiencia puramente estética que nos lleva a decir «pobre Cristo». Para conocer a Cristo hay que descender al camino y seguirle y para saber si lo que él dice es verdad hay que estar dispuesto a aceptar las consecuencias. Con esta misma idea Mackay culmina su reflexión en 1950:

> Nuestro papel como maestros o estudiantes de teología cristiana será dignamente desempeñado; lograremos borrar el estigma de la enseñanza teológica y escapar a los peligros inherentes en dicha enseñanza, sólo en la medida en que la fe en el Crucificado nos ponga en el camino de la Cruz. Entonces como maestros y como estudiantes, participaremos de la comunión de sus sufrimientos y seguiremos a nuestro Maestro en amante y humilde obediencia, en las tareas que él nos asigna en la vida de hoy.[16]

Pensadores evangélicos en Puerto Rico

Otro de los focos de reflexión era el Seminario Evangélico de Puerto Rico. En el caso de este país, contamos con un estudio de los principales pensadores protestantes, gracias al

---

15 Juan A. Mackay, *Prefacio a la teología cristiana*, Casa Unida de Publicaciones, México, 2da. ed., 1957, pp. 37-38

16 Juan A. Mackay, «La restauración...», p. 14.

teólogo puertorriqueño Luis Rivera Pagán.[17] Entre ellos hay
dos, algunas de cuyas obras se publican durante la década que
consideramos: Angel M. Mergal y Domingo Marrero. Mergal
fue un estudioso apasionado de la Reforma en la España del
siglo XVI como lo demuestra su libro *Reformismo cristiano y
alma española,*[18] en el cual propone que la Reforma tuvo en
España un impacto mayor de lo que se suele admitir entre los
estudiosos de esa época. En toda la obra de Mergal hay un
esfuerzo por recuperar los elementos de la cultura hispánica
que pueden conectar con su exposición de la fe evangélica. Encontramos notas cristológicas claras en su libro *Arte
cristiano de la predicación*[19] que es un tratado de homilética
en el que utiliza los recursos de lo que en su momento eran
novedades en los estudios antropológicos, lingüísticos, gra-
máticos y retóricos.

En la primera parte de su libro Mergal ofrece una introducción teológica al arte de la predicación y en ella hay una larga
meditación sobre la experiencia cristiana del predicador de
la cual brota su discurso:

> Hemos visto que las cualidades del sermón pueden
> realizarse solamente cuando se tiene una visión global
> de la verdad que es el objeto inmediato y remoto de
> nuestra predicación. El ministro cristiano es adminis-
> trador de la Palabra de Dios . Es el vaso de barro. No va
> a predicarse a sí mismo. Pablo dice 'No es mi propósito
> saber algo sino a Jesucristo y su crucifixión, a Jesucristo

17 Luis Rivera Pagán, *Senderos teológicos. El pensamiento evangélico puertorriqueño*, Editorial La Reforma, Río Piedras, 1989.

18 Angel M. Mergal, *Reformismo cristiano y alma española*, La Aurora, Buenos
Aires, 1949.

19 Angel M. Mergal, *Arte cristiano de la predicación*, Comité de Literatura de la
Asociación de Iglesias Evangélicas, Puerto Rico, 1951.

y el sentido de su cruz' (1 Cor 2:1). Estas dos frases son las más plenas de sentido y las más prácticas para el predicador cristiano.[20]

La nota cristológica de la reflexión de Mergal aparece siempre dentro de un marco trinitario. Haciendo referencia al testimonio interno del Espíritu Santo, según la enseñanza de Calvino, dice Mergal: «la comprensión de la verdad total de Dios, como ha sido suprema y definitivamente expresada y encarnada en Jesús de Nazareth, se conoce en la medida en que el Espíritu Santo ilumine nuestra experiencia a lo largo de toda nuestra vida».[21] Y culmina esta sección de su obra afirmando:

> Todas las demás verdades encontrarán su pleno significado solamente dentro de este esquema. Este es el contenido de la predicación cristiana. Este es el tesoro de la revelación de Dios, en su Hijo Jesucristo, por su Espíritu Santo. El predicador es el vaso de barro; en su flaqueza se manifiesta el poder de Dios (2 Corintios 12:8), para salvación a todo aquel que cree (Romanos 1:19). Esta es la gloria del ministerio de la predicación y el peso de su yugo.

El poeta que hay en Mergal lo lleva a describir con realismo la existencia humana y lo que para ella significa el encuentro con Cristo:

> Sale del polvo de la tierra el hombre,
> forjador de quimeras,
> y al romperse el ensueño de su angustia
> se desvanece su fugaz estrella.

---

20 *Ibid.*, p. 81.
21 *Ibid.*, p. 94.

Si al transitar camino del sepulcro
halla en Jesús la puerta
hacia el misterio donde Dios reside,
nace otra vez para la vida eterna;
por el Verbo de Dios entra en la vida,
redimido del polvo de la tierra.

(De «El ángel de la vida»)[22]

Dos pensadores evangélicos rioplatenses

Un repaso a la revista *Cuadernos Teológicos* nos permite ver cómo los pensadores protestantes, especialmente los de Argentina y Uruguay, entraron en diálogo con la teología europea y empezaron a procesar el pensamiento de teólogos protestantes destacados del momento, como Karl Barth, Rudolf Bultmann, Emil Brunner y Dietrich Bonhoeffer. Los dos teólogos que vamos a considerar estudiaron primero en Buenos Aires y luego fueron a complementar su formación en Europa. En la década de 1950 José Míguez Bonino fue pastor metodista pero también dedicó tiempo a los estudios. Viajó a Europa en 1952 y luego en 1953-54 a la Universidad de Emory en Atlanta, Estados Unidos, donde estudió la teología de Oscar Cullmann y Rudolf Bultmann. En 1958 recibió una beca para estudiar en el Union Theological Seminary de Nueva York y escribió su tesis sobre la relación entre Escritura y tradición en la teología contemporánea tanto católica como protestante. En 1955 Míguez Bonino había publicado *El mundo nuevo de Dios,*[23] una breve guía de estudio acerca del Sermón del Monte

---

22 *Ibid.* p. 71

23 José Míguez Bonino, *El mundo nuevo de Dios. Estudios bíblicos sobre el Sermón del Monte*, Consejo Metodista de Educación Cristiana, Buenos Aires, 1955.

que era resultado de su tarea docente en grupos juveniles y estudiantiles de las iglesias ecuménicas.

Dos trabajos en el número 18-19 de la revista (1956) nos permiten captar la reflexión cristológica que se estaba desarrollando. Míguez Bonino escribe una cuidadosa reseña crítica acerca del libro *Teología del Nuevo Testamento* de Rudolf Bultmann que se había publicado en alemán en dos tomos (1951 y 1955). Identifica la metodología seguida por Bultmann en su lectura del Nuevo Testamento mediante una hermenéutica existencial que reconoce una «pre-comprensión» del texto expresada en categorías propias de la filosofía existencialista.

En la forma de acercamiento al testimonio acerca de Cristo en los Evangelios y las Epístolas, la crítica histórica y textual se había desarrollado durante la última parte del siglo XIX y comienzos del XX. Bultmann con su planteamiento de la desmitologización del texto se había convertido en una figura influyente en los estudios bíblicos y en consecuencia en la labor teológica dedicada a la Cristología. Al exponer el proyecto hermenéutico de Bultmann, Míguez Bonino lo hace con precisión y respeto, reconociendo aportes importantes del teólogo alemán. Sin embargo va también criticando su metodología, teniendo en cuenta especialmente el trabajo de otros autores respetables del momento como Cullmann, Manson y Bowman cuyos trabajos contribuían a poner en tela de duda el escepticismo de Bultmann respecto a la autenticidad histórica de lo que dice el Nuevo Testamento acerca de Jesús y en particular de la resurrección. Míguez argumenta que el Nuevo Testamento tiene como eje la persona de Jesucristo. Intentar una lectura del Nuevo Testamento trayendo interrogantes propios de la filosofía existencialista como lo hacía Bultmann, por ejemplo, es un acercamiento hermenéutico inaceptable:

Todo el N.T. nos dice que pretende dar testimonio de Jesucristo. Es, por lo tanto, tergiversar el sentido del N.T. llevar otra pregunta que no sea la pregunta acerca de Jesucristo... El único terreno común entre el autor y el exégeta es Aquel de quien el texto testifica. Él constituye el único 'principio' hermenéutico válido en la interpretación de la Biblia. Porque muy sencillamente, ésta entiende hablarnos no de esta o aquella comprensión de la existencia sino de Jesucristo.[24]

Por su parte el uruguayo Emilio Castro estudió primero en Buenos Aires y luego asistió a la Universidad de Basilea donde fue el primer alumno latinoamericano del teólogo Karl Barth, regresando luego a la actividad ministerial en su patria como pastor de la Iglesia Metodista Central de Montevideo. En el mismo número de *Cuadernos Teológicos* que hemos mencionado, y que estaba dedicado como homenaje a Karl Barth en su septuagésimo aniversario, Castro escribe sobre la situación teológica de Latinoamérica y la teología de Karl Barth. Habiendo escrito originalmente para lectores europeos, Castro aclara que se refiere específicamente a la situación teológica latinoamericana en el ámbito evangélico o protestante. «No entra mayormente el panorama católico de estos pueblos –a no ser como fondo contra el cual trabaja la teología evangélica–, pues lamentablemente se ha mostrado completamente impermeable a toda influencia teológica exterior a su misma Iglesia».[25]

---

24 José Míguez Bonino, «La teología del Nuevo Testamento de Bultmann», en *Cuadernos Teológicos*, No. 18-19, 1956, p. 56.

25 Emilio E. Castro, «La situación teológica de Latinoamérica y la teología de Karl Barth», *Cuadernos Teológicos*, No. 18-19, 1956, p. 5.

Castro señala que la polémica con el Catolicismo ha sido una de las primeras expresiones del pensamiento evangélico latinoamericano y explica la razón:

> La presencia del catolicismo romano en una forma de eclesiasticismo autoritario, de ritos elaborados que eluden conexión con la vida moral, de un énfasis en la veneración –prácticamente adoración– de María que en la generalidad de los casos ha eclipsado a Cristo de la vida de los creyentes, y con un obscurantismo intelectual y religioso casi imposible de concebir fuera de los pueblos hispánicos.[26]

Castro entiende que una pregunta urgente que el protestantismo latinoamericano tiene que responder es: ¿Qué mensaje dar?, ¿cómo predicar?, ¿cómo anunciar? Describe la situación dentro de la cual se ha de predicar: «Viviendo en medio de una cultura que cree conocer el cristianismo y que por lo tanto ya lo ha eliminado como posible fuente de verdad... y encarando el problema del fanatismo y la superstición de las masas católicas convertidas a un cristianismo nominal».[27] En tal situación la inclinación es adoptar un mensaje apologético destinado en primer lugar a criticar los errores como forma de abrir el camino a la verdad. Pero Castro encuentra en Barth la fuerza de una teología que ante todo, antes aun de cualquier intento apologético, se centra en el anuncio de Jesucristo.

> Barth nos ha de ayudar a centrar todo nuestro pensar teológico real y efectivamente en la persona de Cristo. Y será, sin duda, una ayuda de tremendas consecuencias prácticas. Frente al fanatismo y superstición del

26 *Ibid.*, p.7.
27 *Ibid.*, p. 14.

ambiente nos recordará que si bien la tarea de la predicación cristiana es destruir falsos dioses, esa tarea es de carácter secundario, *a posteriori*, consecuencia de un primer trabajo de predicación del Dios verdadero. Desde el Evangelio es que se destruye la teología natural. Desde el Evangelio es que se puede redargüir al hombre de pecado, desde el Evangelio es que se pueden destruir de raíz todas las negaciones de Cristo que en nombre de Cristo se han levantado en América.[28]

Este cristocentrismo que parte de la revelación y que caracteriza el pensamiento de Míguez, Castro y otros pensadores ecuménicos, iba a jugar un papel destacado en las controversias teológicas de la década siguiente. Puede decirse que de esta manera un protestantismo joven y en proceso de expansión entraba en diálogo con el protestantismo europeo de postguerra marcado por cierto pesimismo y falto de un sentido agudo de misión.

La revista Pensamiento Cristiano

Aunque este capítulo está dedicado en especial a los teólogos ecuménicos, cabe en este punto señalar la aparición de un órgano de expresión del sector evangélico. En 1953 un grupo de laicos y pastores evangélicos de denominaciones históricas en Argentina como los llamados «hermanos libres», bautistas y metodistas fundó la revista trimestral *Pensamiento Cristiano* que dirigía Alejandro Clifford, catedrático universitario en Córdoba. Se explicaba su propósito de esta manera: «Como lo indica su nombre, ha de presentar un panorama de lo que es el pensamiento cristiano actual, entendiéndose por tal el que

---

28 *Ibid.*, pp. 15-16.

está basado sobre las Sagradas Escrituras. Su posición ha de
ser la de aquellos que creen en la inspiración plenaria de la
Biblia y en la obra expiatoria del Señor en la cruz». Estos dos
puntos doctrinales eran objeto de controversia en el mundo
evangélico de habla inglesa, en el cual también había surgido
una nueva generación de pensadores evangélicos que buscaban expresar y defender la herencia teológica evangélica sin
caer en los extremos del fundamentalismo. Destacaban entre
ellos biblistas como los británicos F. F. Bruce, G. Bromiley y
Donald Wiseman y teólogos como el estadounidense Bernard
Ramm.

Precisamente uno de los primeros libros de F. F. Bruce,
por entonces Decano del Departamento de Historia y Literatura Bíblica de la Universidad de Sheffield, sobre la probada
veracidad y autenticidad de los Evangelios y las Epístolas,
apareció durante 1956 en forma de artículos en *Pensamiento
Cristiano* y se publicó luego como libro: *¿Son fidedignos los
documentos del Nuevo Testamento?*[29] Al alcanzar esta revista
difusión continental, se unieron como redactores escritores
latinoamericanos de una nueva generación y de una gran
variedad de iglesias protestantes como Plutarco Bonilla, Juan
Stam, Miguel Ángel Zandrino, además de españoles como José
Grau y Ernesto Trenchard. Más adelante colaborarían también
René Padilla y Samuel Escobar. La sección *Bibliografía* de esta
revista fue durante muchos años el registro más completo de
lo que las editoriales evangélicas y ecuménicas publicaban en
castellano, y de los libros católicos que podrían tener interés
para el lector evangélico.

---

29 F. F. Bruce, *¿Son fidedignos los documentos del Nuevo Testamento?*, Editorial
   Caribe, San José, 1957.

Cristo la esperanza para América Latina

La reflexión ecuménica de esta década culmina en el comienzo de la década siguiente en la cual nos encontramos a los mismos teólogos rioplatenses que hemos mencionado, afirmando su cristocentrismo en mensajes dirigidos a la II Conferencia Evangélica Latinoamericana que se reunió en Lima en 1961 bajo el lema «Cristo la esperanza para América Latina». Dos de las tres ponencias presentadas al plenario fueron «Nuestro mensaje», por José Míguez Bonino, y «Nuestra tarea inconclusa», por Emilio Castro. Míguez empezaba afirmando: «Nuestra proclamación no es la de un Jesucristo que nosotros inventamos, creamos, imaginamos, o siquiera meramente experimentamos. Es el Jesucristo de la Escritura. Por otra parte, los cristianos no anunciamos simplemente un libro sino la persona que ese libro nos presenta y propone como objeto de nuestra fe. Cristo-Escritura...»[30]

Míguez desglosa de manera creativa el significado de lo que implica el anuncio del Cristo de la Escritura. Lo hace al ocuparse en primer lugar de «La plenitud de Jesucristo». Empieza identificando tres cristologías predominantes en el ámbito evangélico latinoamericano. Aclarando las limitaciones de las etiquetas, sostiene que en el Protestantismo «conservador» se ha hecho un énfasis exclusivo en Jesucristo, la víctima expiatoria, cuya sangre nos limpia de todo pecado. En el Protestantismo «liberal» se ha mostrado a Jesucristo como maestro cuyas enseñanzas sobre Dios el Padre, el amor y el Reino de los cielos según el Sermón del Monte han sido lo principal. En tercer lugar algunos grupos evangélicos

---

30 *Cristo, la esperanza para América Latina.* Ponencias, informes, comentarios de la II Conferencia Evangélica Latinoamericana, Buenos Aires, 1962, pp. 70-71

han presentado a Cristo como el Juez que viene al final de
los tiempos a consumar su obra. Al evaluar estas posturas
Míguez sostiene:

> Sin duda estos tres aspectos de la cristología bíblica son
> fundamentales e irremplazables; sin ellos el mensaje
> evangélico viene a ser una caricatura. Pero es necesario
> insistir en que los tres deben ser mantenidos en cons-
> tante relación y a veces allí hemos pecado. La insis-
> tencia unilateral en un Cristo Maestro viene a resultar
> en un mero moralismo impotente. El énfasis exclusivo
> en la segunda venida resulta en un ultramundanismo
> pasivo, en una especie de fanatismo, y la separación del
> sacrificio de Cristo de su vida y enseñanzas nos da la
> figura de un Cristo pasivo cuya humanidad verdadera
> poco significa. Es necesario mantener la unidad de
> estos tres aspectos: Jesucristo sacrificio por nosotros,
> Jesucristo nuestro maestro, Jesucristo el Juez y Rey que
> viene en gloria.[31]

Luego Míguez vincula el mensaje con las características
de la situación latinoamericana en la cual las iglesias tenían
que cumplir su misión. Primero, se proclama en un mundo
revolucionado y hambriento de una transformación total. Aquí
Míguez afirma verdades que iban a ser ampliadas, discutidas
y profundizadas en las siguientes décadas:

> El Cristo que proclamamos responde a la ansiedad de
> transformación de nuestro pueblo. Él es el que hace en
> verdad todas las cosas nuevas. Él no está nunca lejos de
> los que sufren, de los que buscan o de los que anhelan.
> Su venida fue anunciada como el acto por el cual Dios

---

31 *Ibid.*, pp. 72-73.

«derriba a los poderosos de sus tronos, a los ricos envió vacíos y a los pobres colmó de bienes».[32]

Segundo, se proclama en un mundo desorientado y que busca el significado de lo humano. Tercero, en un mundo donde predomina la Iglesia Católica Romana que debe ser confrontada con el juicio de Jesucristo. Cuarto en el seno de las propias iglesias evangélicas que deben evitar el orgullo, la jactancia y la suficiencia.

Agrega Míguez que hay dos aspectos de «la plenitud de Jesucristo» a los que se ha prestado poca atención en América Latina: «El primero de ellos es la encarnación: Cristo es Dios en la carne. Dios hecho verdaderamente hombre para nuestra salvación. Creo que ha faltado en América Latina un reconocimiento de las consecuencias prácticas de la encarnación».[33] Consecuentemente plantea entonces la pregunta: «¿No nos ha faltado en nuestra obra evangélica un sentido de identificación con el hombre latinoamericano que corresponda al mensaje de la encarnación, un sentido de solidaridad con los perdidos, con los pecadores, con los desorientados?» El otro aspecto es «la soberanía presente, actual de Jesucristo sobre el universo entero»[34] y en relación con éste plantea la pregunta: «¿no parecemos proceder los evangélicos sobre la base que Cristo sólo tiene derecho de soberanía en la Iglesia pero que el mundo no le pertenece? ¿No le hemos reconocido a Satanás derechos de soberanía sobre el mundo que no le son propios sino usurpados y que por lo tanto no tenemos por qué

---

32 *Ibid.*, p. 84.

33 *Ibid.*, p. 73.

34 *Ibid.*, p. 74.

reconocerle?»[35] La consecuencia de esto sería que operamos con una doble moral y en el mundo obedecemos a Satanás y sólo en la Iglesia Jesucristo es Señor, y que obramos como si Jesucristo sólo tuviera interés en las cosas que suceden dentro de la Iglesia.

En relación con la búsqueda del significado de lo humano Míguez bosqueja una antropología de raíz cristológica, anunciando así una exploración que había de profundizarse en las décadas siguientes. Señala que el ser humano en América Latina se ve enfrentado con imágenes de lo humano que se le ofrecen como alternativas: «el hombre cansado, desilusionado o pesimista de Europa, o el hombre airado de África, o el hombre sacrificado del mundo oriental o el hombre materializado y ambicioso de América del Norte».[36] Luego propone que la frase de Pilato acerca de Jesús *ecce homo*, he aquí el hombre, apunta al hombre verdadero:

> Él es el hombre gozoso, libre, espontáneo y profundo a la vez. Es el modelo de hombre, la verdadera existencia humana. Es la existencia del Hijo de Dios en la carne. Él es el hombre, por Dios y para Dios, el hombre cuya voluntad se ha subordinado gozosa y libremente a la voluntad divina, y él es el hombre por los demás hombres, cuyo amor lo ha ungido al servicio de todo prójimo. He allí la existencia humana auténtica, la imagen de la verdadera humanidad que el hombre latinoamericano busca vanamente. Pero no solamente eso. Jesús no es solamente el modelo de la verdadera humanidad sino la fuente de la verdadera humanidad... Dios nos ofrece la vida nueva, incorporarnos a esa humanidad verdadera por la gracia de su Espíritu. Cristo

---

35 *Ibid.*, p. 75.
36 *Ibid.*,pp. 85-86.

es la esperanza del hombre latinoamericano, ansioso de encontrar la verdadera dimensión de la existencia humana.[37]

La ponencia de Emilio Castro sobre «Nuestra tarea inconclusa» parte del texto de la Gran Comisión de Jesucristo en Mateo y del clásico pasaje cristológico de Filipenses 2 sobre la encarnación de Jesucristo. Con innegable criterio pastoral Castro analiza la situación de las iglesias en América Latina regocijándose por los avances comprobados, pero al mismo tiempo ofreciendo los elementos analíticos que permitan una autocrítica de cara al futuro. Un punto clave de la agenda que propone toca el tema de la encarnación que en los años siguientes iba a ser objeto de reflexión, debate y elaboración cristológica: «La tarea que se impone en nuestra generación y que recién ahora estaremos en condiciones de hacer es la encarnación del evangelio en todas las capas de nuestras comunidades, de nuestra nacionalidad. La gran comisión, el anuncio del evangelio debe entenderse también en términos de comunidad».[38] Partes claves de las ponencias de Míguez y Castro fueron incorporadas en los informes de las comisiones que trabajaron con cada ponencia y que se pueden considerar como el mensaje de la conferencia a las iglesias del continente.

La Cristología del púlpito evangélico: Cecilio Arrastía

Además del inicio de la reflexión teológica en los centros de estudios ecuménicos es también en la predicación donde

---

37 *Ibid.*, p. 86

38 Emilio Castro, «Nuestra tarea inconclusa», *Cristo la esperanza...*, p. 97.

hay que tratar de identificar los inicios de una Cristología evangélica. En este punto nos referiremos a un teólogo y predicador ecuménico que tuvo aceptación en amplios sectores del protestantismo, y cuya Cristología fue proclamada en incontables púlpitos de las Américas. Se trata del cubano Cecilio Arrastía (1922-1995) de quien dice Plutarco Bonilla que es «el más elocuente orador sagrado evangélico de América Latina en el siglo XX».[39] La homilética de Arrastía tenía profundidad teológica y alcanzaba en la calidad oratoria la misma brillantez que el periodismo de Báez-Camargo. Arrastía era un teólogo cristiano, porque estaba siempre, como diría Plutarco Bonilla, «en tesitura teológica», es decir en actitud de ver el mundo y hablar de él desde la postura de la fe en Jesucristo.

No hay un libro en el cual este teólogo haya sistematizado una suma de su teología. Podría haberlo escrito, sin duda, y habría sido un libro bello por dentro y por fuera. Por dentro, porque habría tenido esa estructura homilética tan característica de las formas de pensar y predicar que lo hicieron un maestro del púlpito. Y habría sido bello por fuera, en esa prosa magistral, trabajada, precisa y elegante en la cual está escrito todo lo que nos ha legado. Sin embargo, en otro sentido, todos los libros que publicó, y en especial su *Teoría y práctica de la predicación* dentro de la serie «Comentario Bíblico Hispanoamericano»,[40] son libros auténticamente teológicos. Sus sermones de contenido cristológico han sido reunidos en tres libros. El primero fue *JesuCristo, Señor del Pánic,*[41] que se abre con una meditación sobre la palabra Emmanuel y luego

---

39 En Justo L. González, ed., *Diccionario Ilustrado de Intérpretes de la fe*, CLIE, Terrasa, España, 2004, p. 44

40 Editorial Caribe, Miami.

41 Cecilio Arrastía, *JesuCristo Señor del pánico*, México, 1964.

va comentando teológicamente doce pasajes y personajes de los evangelios. Después vino *Diálogo desde una cruz*,[42] que son meditaciones sobre las siete palabras de Jesús en la cruz, y ese ciclo se cierra con *Itinerario de la pasión*,[43] una serie de meditaciones para la Semana Santa. Lo que caracteriza a estos trabajos homiléticos es que pasan de la lectura y actualización del texto a la reflexión teológica, o bien que pasan de un enunciado teológico a una exposición contextual del texto bíblico.

Escuchando a Arrastía o leyéndolo uno se enfrentaba a cada paso con frases o párrafos que son joyas que podrían reunirse en una valiosa antología que sería algo así como su retrato teológico. Plutarco Bonilla inició la labor de recuento biográfico y sistematización del aporte de Arrastía, en el estudio que precede la colección de sus ensayos titulada *La predicación, el predicador y la iglesia* (CELEP, San José, 1983). Tomando algunas notas de este trabajo de Bonilla y haciendo mi propio recuento apresurado, creo que podemos señalar algunas líneas maestras de la Cristología de Arrastía, expresada siempre en el contexto de la vocación homilética desde la cual él hablaba y escribía. De este modo decía:

> El predicador cristiano hace su proclamación desde una plataforma doble. Un lado lo provee su propia experiencia religiosa, su encuentro con el Cristo de quien va a hablar; el otro es la interpretación de ese encuentro. Detrás de ambos elementos encontramos siempre la iniciativa de Dios. Si pensamos que teología es, en fin de cuentas, interpretación de lo que Dios

---

42 Cecilio Arrastía, *Diálogo desde una cruz*, Casa Unida de Publicaciones, México, 1965.

43 Cecilio Arrastía, *Itinerario de la pasión*, Casa Bautista de Publicaciones, El Paso, 1978.

hace por el hombre, hay que concluir que el púlpito
cristiano y cierto grado de teología son inseparables.[44]

La brevísima definición de teología en dos líneas, resume
bien la visión teológica de Arrastía: «La teología es, en fin de
cuentas, interpretación de lo que Dios hace por el hombre».
Está clara aquí la raigambre reformada de su postura: la iniciativa de Dios, la precedencia de Dios. Antes del predicador,
antes de la Iglesia, antes del teólogo, está Dios y sus grandes
actos en favor del ser humano. Teología es la tarea humilde
de escuchar la Palabra de ese Dios que ha hablado e intentar
interpretarla, recordando que la acción de Dios es siempre a
favor del ser humano. Tanto en su Cuba natal, como en Puerto Rico, donde vivió, y luego en el exilio que le impusieron
las circunstancias políticas en Estados Unidos, Arrastía fue
un activista social. Cuando con vigor misionero empezó una
iglesia de habla hispana en el corazón del «Barrio» de Nueva
York, realizó por igual tareas pastorales y tareas comunitarias.
Fue un activismo social arraigado en la vida de la iglesia, porque en la teología de Arrastía destacaba la nota de Dios como
Aquel que actúa en la historia, que promete y cumple. Decía
que «el predicador cristiano predica... desde una promesa, con
la convicción de que esa promesa se ha cumplido en Cristo».[45]
Y aunque esto nos lleva a tomar en serio la historia, por otra
parte Cristo y Dios apuntan al futuro y están en el futuro. Con
gran vigor lo afirmaba así:

> Dios es Dios de la historia en la historia. No podemos
> aislarlo en un campo de concentración, confinándolo
> al pasado porque la historia que ocurre hoy viene de

---

44 Cecilio Arrastía, «Teología para predicadores», en *La predicación, el predicador
  y la Iglesia,* CELEP, San José, Costa Rica, 1983, p. 47.

45 *Ibid.*, p. 28.

lo que pasó ayer. En forma hebrea la historia es línea proyectada al futuro. Tiene dirección y sentido. Dios la va trazando y se mueve al frente de ella. Él no empuja a la historia desde atrás. La hala desde el frente. Es el Dios de la esperanza de Moltmann: no sólo el Dios que está *por encima* de nosotros; o el Dios subjetivo que vive *dentro de* nosotros. Es preciso pensar en el Dios que se mueve *delante* de nosotros. El que guía al pueblo a Canaán, después de haberlo sacado de Egipto. Vivir mirando el pasado es forma cómoda de escapar del presente. Y los que se escapan del presente no pueden discernir la mano de Dios.[46]

Uno de los temas teológicos fundamentales que Arrastía definió para mi generación fue el tema de la fe y la cultura. Cuando lo oí por primera vez era yo estudiante universitario que provenía de una iglesia evangélica en las cuales el rechazo de «lo mundano» había llevado a un velado o abierto anti-intelectualismo. Experiencia similar la han compartido colegas de mi generación. Por ello fue refrescante escuchar de Arrastía una lectura de la Biblia que partiendo del Dios Creador demostraba la obligación cristiana de participar en la creación de la cultura, y de cumplir el «mandato cultural» para el cual Dios nos había puesto en el mundo. En ese sentido su teología refleja también una nota reformada pero que se mueve claramente en dirección misionera, porque hay alrededor del pueblo cristiano una sociedad necesitada del evangelio. Él sostenía que hacía falta una reforma que trajese de vuelta la teología al púlpito:

> Esta reforma no persigue meros cambios de forma, sino cambios esenciales en la comunicación del Evangelio,

---

46 Arrastía, *Itinerario de la pasión*, pp. 44-45.

y en el enfoque doctrinal. No ha de significar, claro está, la fabricación de nuevas doctrinas, pero sí la interpretación de la única realidad redentora –Cristo mismo– en forma tal que se produzca una asociación real del Evangelio y de la Iglesia Cristiana con la sociedad secular, grávida de vacíos fatales.[47]

Como en el caso de mi experiencia en el Perú, en varios otros países latinoamericanos Arrastía era invitado a dar conferencias en las universidades, precisamente porque era un maestro en el arte de conseguir que el Evangelio entrase en una asociación real con la sociedad secular de los cientos de universitarios que acudían a escucharlo. En sus conferencias exponía las grandes líneas del mensaje bíblico en diálogo creativo con los novelistas latinoamericanos del momento, o con las corrientes filosóficas predominantes expresadas en el cine y el arte. Los universitarios encontraron en las ideas teológicas que Arrastía articulaba, no sólo la satisfacción de seguir el hilo lógico de un discurso claro sino también un pensamiento que conectaba el Génesis o el Evangelio de Juan con los desafíos de hoy. Encontramos también en esa teología la inspiración que nos ha sostenido en una vocación ministerial, en la docencia universitaria, en la arena política. No ha sido teología de manual, sino teología que se iba forjando en diálogo con la vida diaria.

La Cristología era central en la teología de Arrastía. Sus sermones tienen pasajes magistrales de descripción y narrativa. Son cuadros en los que la riqueza expresiva hace vivir con nuevo vigor dramático las páginas de los Evangelios, describiendo las acciones de Jesús o mostrando la actualidad palpitante de su enseñanza. En ese sentido Arrastía se ubicaba

---

47 *Ibid.*, p. 47.

en la continuidad de los pensadores evangélicos latinoamericanos. Sigue la agenda del precursor Juan A. Mackay y del fundador Gonzalo Báez-Camargo, anunciando la humanidad de Jesús desconocida en nuestra cultura. Pero también Arrastía sabía expresar con claridad y vigor la significación teológica más profunda del hecho de Cristo crucificado, la palabra encarnada de Dios: «Prescindamos de especulaciones sobre las dos naturalezas del Señor y digamos, así de golpe, que lo primero que esta palabra nos dice es que allí está muriendo, no el Dios gnóstico sino el Dios de los cristianos; no una aparición sino un Dios hombre, muy de carne, muy de hueso».[48]

Como buen evangélico latinoamericano Arrastía tenía también una Cristología con sentido misionero. Sus sermones invitaban a la contemplación de Cristo y lograban abrirnos los ojos a la rica humanidad, la belleza y el vigor del Jesús de los evangelistas. Sin embargo no era una Cristología que se quedara en la contemplación o en el deleite estético. Era siempre una invitación a la acción, al discipulado y el seguimiento. Porque aquel que murió en la cruz y resucitó tiene una agenda de transformación hoy y aquí mismo:

> Nadie que se acerque a Cristo permanece impasible, indiferente. Más tarde o más temprano, un cambio se realiza y la vida como que comienza de nuevo. El hombre ha pasado del plano biológico que termina en la tumba, al plano moral, que se queda en la historia; y ha entrado finalmente en el plano espiritual, que ha vencido a la tumba y que ha trascendido la historia.[49]

---

48 Arrastía, *Diálogo desde una cruz*, p. 33.

49 Arrastía, *Jesucristo, Señor del pánico*, p. 90.

Es significativo que tanto los pensadores evangélicos como los ecuménicos, en la etapa histórica que estamos considerando, tienen como materia prima de su reflexión cristológica al Cristo de los Evangelios y las Epístolas. Los teólogos europeos con los que empiezan a relacionar su obra son protestantes que también vinculan su cristología fundamentalmente al testimonio bíblico y que como Barth, Bultmann o Cullmann hacen trabajo exegético aunque parten desde ángulos teológicos muy diferentes. Casi dos décadas después estos mismos teólogos, entre otros, influirían sobre el despertar de una reflexión de teólogos católicos latinoamericanos acerca de la persona de Jesús. La teóloga católica Elizabeth Johnson ofrece una apreciación que viene al caso:

> A mediados del siglo XX, cuando empezó la renovación en la cristología católica, el pensamiento católico, a diferencia del protestante, estaba decididamente atrincherado en el acercamiento a Jesucristo a través del dogma, y casi no se vio afectado por los turbulentos debates sobre cuestiones bíblicas que tanto influyeron en la cristología protestante.[50]

---

50 Elizabeth A. Johnson, *La cristología, hoy. Olas de renovación en el acceso a Jesús*, Editorial Sal Terrae, Santander, 2003, pp. 11-12.

7

CRISTOLOGÍA EN TIEMPOS DE REVOLUCIÓN

*L*a verdad es que Cristo es respetado y admirado por el habitante de las grandes ciudades de nuestro mundo iberoamericano. Pero también es verdad que Cristo es un desconocido y que esta romántica admiración de una figura, idealizada y acomodable a la ideología de cada uno, podría trocarse en abierto rechazo si a Cristo se le examinara más a fondo. Un Cristo admirado desde lejos es inofensivo. Un Cristo desconocido erigido en símbolo utilizable no molesta; más bien sirve a veces. Pero un Cristo cuyas palabras rotundas y demandas absolutas no hacen concesiones a ningún idealismo humano, resulta intolerable y lleva a tomar partido: con él o contra él (Samuel Escobar, ¿Quién es Cristo hoy?, 1970).

De los muchos ataques que el racionalismo ha formulado contra el cristianismo, los más graves han sido indudablemente aquellos cuyo intento ha sido minar la historicidad de Jesús. Su gravedad radica en que van dirigidos a un aspecto del mensaje cristiano sin el cual éste perdería toda validez. Hay religiones para las cuales el asunto de la historia no reviste ninguna importancia en lo que atañe a la fe de sus adherentes: el objeto de su interés no está en eventos históricos sino en ideas o verdades que trascienden el tiempo. El cristianismo, por el contrario, descansa en la afirmación de que Dios se ha revelado por medio de una serie de hechos históricos que culminan en la vida de Jesús. Por eso si se niega la realidad histórica de Jesús, se niega el dato central del cristianismo (René Padilla, ¿Quién es Cristo hoy?, 1970).

La década de 1960 fue un tiempo de cambios y expectativas, durante el cual América Latina aparecía como un continente que atravesaba por una revolución. Justo González, historiador y educador teológico cubano que enseñaba en el Seminario Evangélico de Puerto Rico, escribía estas líneas en 1965, en la Introducción a su libro *Revolución y encarnación*:

> Si hemos de tratar con exactitud y justicia acerca de la relación entre el cristianismo y los movimientos revolucionarios del mundo de hoy –particularmente el comunismo– debemos hacerlo a partir de un concepto claro del carácter del cristianismo. A nuestro juicio tal concepto sólo puede y debe surgir del hecho de la encarnación.[1]

Por otra parte, en el Perú se publicó en 1967 el libro *Diálogo entre Cristo y Marx* de Samuel Escobar. En el primer capítulo que da título a todo el libro, Escobar se plantea la posibilidad de un diálogo entre Cristo y Marx y responde a quienes pensarían que eso sería algo imposible. Señala que en los Evangelios Jesús aparece dialogando con todo tipo de personas, y afirma:

> Sin duda que muchas veces se nos presenta a un Cristo desfigurado que pareciera temer el diálogo, amar la comodidad del monólogo y no preocuparse por las ideas e inquietudes que agitan las almas de los hombres. En los relatos evangélicos encontramos que muchas veces los diálogos que mantuvo Jesús con los hombres de su tiempo terminaron en escenas de violencia. Más de una vez la vida de Jesús peligró ante las pasiones que sus

---

1   Justo L. González, *Revolución y encarnación*, La Reforma, Río Piedras, 1965, p.12.

palabras habían despertado. Cristo no temió el diálogo aunque jamás comprometió su verdad. [2]

Es así como el quehacer teológico que se centra en Cristo como punto de referencia en esta década no puede evitar responder al desafío de la revolución y del comunismo.

Una atmósfera revolucionaria

El estado de ánimo que estalló en esta etapa revolucionaria en América Latina se prolongó en las siguientes décadas, convirtiéndose en el marco de referencia de la vida de las iglesias y de la reflexión teológica. No sólo el tema de la revolución entró a dominar la vida cultural del continente sino que sectores importantes de la juventud, en varias sociedades latinoamericanas, abandonaron su vida normal y abrazaron distintas causas revolucionarias. Esa situación confrontó a los pastores y teólogos evangélicos latinoamericanos con la necesidad de responder a los desafíos que los hechos revolucionarios planteaban a la vida cristiana y la militancia evangélica. El libro mencionado de Escobar eran conferencias públicas que el autor había ido presentando en universidades de Brasil, Perú, Argentina, Bolivia, y México, de 1963 en adelante. Se ocupaba de temas como la respuesta cristiana al desafío del marxismo, la visión cristiana y la visión marxista de la historia, el concepto cristiano del trabajo y el tema de la libertad. Fue usado como instrumento para la comunicación del Evangelio en las universidades del Perú durante el año especial del esfuerzo misionero conocido como «Evangelismo a Fondo» (EVAF), en 1967. Por su parte el libro de Justo L. González estaba respaldado por la solvencia de su autor

---

2 Samuel Escobar, *Diálogo entre Cristo y Marx*, AGEUP, Lima, 1967, p. 15.

como historiador del pensamiento cristiano, y se convirtió en una primera aproximación contextual a la Cristología, escrita desde la perspectiva evangélica de un latinoamericano. Como veremos más adelante, en las décadas siguientes González continuó con su reflexión cristológica siguiendo la línea inicial marcada por este libro.

Del triunfo de la revolución cubana de Fidel Castro y el Che Guevara en 1959 resultó el inicio de una etapa nueva de agitación, protesta y búsqueda de cambios sociales en América Latina. El desafío del marxismo y de la izquierda nacionalista en general había dejado de ser sólo ideológico y político, y entró en el terreno del conflicto armado. La guerrilla como posibilidad de acceder al poder y transformar el mundo se volvió de pronto una doctrina y una práctica sumamente atractiva, especialmente en las universidades. Todas las preguntas acerca de la violencia y la subversión tocan de una u otra manera el terreno de la teología y la enseñanza bíblica. En el curso de esta década las figuras del médico argentino Ernesto Che Guevara y el sacerdote colombiano Camilo Torres, que se había unido a un grupo guerrillero en Colombia, llegaron a ser para muchos jóvenes objeto de una mezcla curiosa de admiración al héroe, fanática a veces, y de vocación religiosa.

Además Cuba representaba un abierto desafío a la hegemonía estadounidense en las Américas y a la evidente influencia del gran vecino del Norte sobre la vida cultural y política de los países latinoamericanos. Grandes empresas estadounidenses dominaban la vida económica y los medios masivos de comunicación difundían la música, el cine y la literatura de Estados Unidos y las noticias sobre los movimientos sociales que se iban produciendo en ese país. Dentro de la atmósfera mundial de rechazo al colonialismo y el surgimiento de nuevos países en África y Asia, en América Latina se manifestó un resurgimiento cultural con una fuerte nota de afirmación de los valores propios de la cultura latinoamericana, tanto en su dimensión hispánica como en la de las culturas nativas de los pueblos originales anteriores a la llegada de los españoles. La atmósfera de expectativa histórica que despertaba la revolución cubana y la militancia revolucionaria de los intelectuales latinoamericanos se empezó a reflejar, por ejemplo, en la música folklórica que tuvo un gran resurgimiento en países como Argentina, México y Brasil, como expresión de «lo popular» por contraste con lo europeo o norteamericano. Estos países que tradicionalmente habían tenido fuerte influencia cultural en toda América Latina, tanto por la literatura como por el cine y la música, resultaron también fuente de una revolución cultural.

Ésta le planteaba en forma aguda un problema nuevo al Protestantismo en general, dado el origen anglosajón de buena parte de la obra misionera, y por los vínculos institucionales que había entre las iglesias latinoamericanas y el protestantismo de los Estados Unidos. Cuando se llega al fin de la década, en el ámbito de las iglesias de tendencia ecuménica ya se había producido un cuestionamiento abierto de dicha relación. Esto se ve, por ejemplo, en el título de una consulta auspiciada por el organismo ecuménico recién surgido UNELAM y por el Consejo Nacional de las Iglesias de Estados Unidos y Canadá: «Misioneros norteamericanos en América Latina ¿para qué?»[3] Por otra parte, en 1969, durante el Primer Congreso Latinoamericano de Evangelización (CLADE I) en Bogotá decíamos: «Por las mismas razones históricas nuestras iglesias han vivido dentro de una sub-cultura anglosajonizada. Con qué frecuencia hemos observado entre nuestros líderes y

---

3 *Misioneros norteamericanos en América Latina ¿para qué?*, UNELAM, Montevideo, 1971.

pastores un total desconocimiento de la literatura, el folklore y la historia de América Latina».[4]

Sin embargo en ninguno de estos casos se trataba de una cerrada postura regionalista. El quehacer teológico protestante se dio en el marco de relaciones con el protestantismo mundial. Hubo una creciente participación latinoamericana en los eventos ecuménicos del Consejo Mundial de Iglesias y sus diferentes agencias y organismos, en los cuales se replanteaba la misión de la iglesia a la luz de una teología europea y norteamericana que se preocupaba también por interpretar el sentido de lo que se dio en llamar «rápidos cambios sociales.» Así por ejemplo, al inicio de la década, dos latinoamericanos participan en una Conferencia de la Federación Mundial de Estudiantes Cristianos (FUMEC) en Estrasburgo, Francia. José Míguez Bonino presenta una conferencia sobre «El testimonio cristiano en un continente descristianizado», en la cual describe la condición espiritual de América Latina. Al explicar su uso del término «descristianizado», Míguez aclara que «Por cierto el testimonio de Cristo no ha estado ausente de América Latina. El Catolicismo Romano trabaja aquí desde hace cuatro siglos». Y luego afirma: «Pero yo creo que sería justo decir que América Latina no ha experimentado una «evangelización» en el sentido de una penetración genuina del carácter y del pensamiento cristiano, en la vida interior de su pueblo».[5] Usando fuentes católicas describe luego el abandono de la Iglesia Católica por los sectores intelectual y políticamente activos: «La rebelión contra Cristo en América Latina es la rebelión de un mundo que no quiere atarse a una religión. En

---

4 Samuel Escobar, «Responsabilidad social de la iglesia» en *Acción en Cristo para un continente en crisis*, San José-Editorial Caribe, Miami, 1970, p. 34.

5 José Míguez Bonino, «El testimonio cristiano en un continente descristianizado», *Testimonium*, Vol. IX, Fasc. 1, Primer trimestre de 1961, p. 32.

nuestra historia la religión siempre se opuso, en una cierta forma, a todo lo que fuera movimiento; y el movimiento es la esencia de nuestra vida».[6] Al plantear la misión de la iglesia en un mundo así, Míguez propone: «La Iglesia Cristiana en América Latina debe aprender el camino de la encarnación. ¿Cómo puede interceder por un pueblo cuyas preocupaciones ignora, y de cuyas esperanzas no tiene ni la más leve noción?»[7]

En la misma conferencia, el uruguayo Valdo Galland, al asumir la secretaría general de la FUMEC, plantea la misión de la Federación y destaca la importancia del espíritu de servicio para cumplirla, usando una referencia cristológica:

> Exégetas modernos del Nuevo Testamento han mostrado el rol importante que el concepto de siervo en el Antiguo Testamento, especialmente en el libro del profeta Isaías, ha tenido en el pensamiento de Jesús acerca de su propia misión. Como lo demostró al lavar los pies de sus discípulos, durante su última cena con ellos; Él quiso ser siervo hasta lo último de los hombres. Podemos sacar las consecuencias de este hecho para la Iglesia que el Nuevo Testamento llama el cuerpo de Cristo. Ella también es siervo de los hombres y no solamente siervo de Dios.[8]

Interpretar el hecho de la revolución

Durante esta década, hay encuentros teológicos y publicaciones dedicadas al tema de la revolución como marco de la actividad de los cristianos pero también como desafío a una nueva comprensión del cristianismo y de la misión de

---

6 *Ibid.*, p. 32.

7 *Ibid.*, p. 38

8 Valdo Galland, «La misión de la Federación», *Testimonium*, p. 53.

la iglesia. En el ámbito del protestantismo ecuménico hubo una actitud de apertura hacia el hecho revolucionario y un esfuerzo por interpretarlo desde una perspectiva que se consideraba profética. Podemos tomar dos ejemplos de lo que se estaba dando en el seno de las denominaciones históricas. En 1963 el Comité de Cooperación Presbiteriana de América Latina (CCPAL) realiza un encuentro sobre la naturaleza de la iglesia y su misión en tierras latinoamericanas, en el cual se prestó atención detenida a la naturaleza revolucionaria de la situación social dentro de la cual las iglesias tenían que realizar su misión. Decía el pastor colombiano Gonzalo Castillo Cárdenas: «La primera realidad de 'los tiempos' que vivimos en América Latina es la revolución o cambio brusco. Este hecho no escapa a nadie. La instituciones que representaron nuestros pueblos están en quiebra y no satisfacen».[9] Por su parte el teólogo brasileño Joaquim Beato decía:

> Tenemos la seguridad de que la Iglesia es, en Jesucristo, heredera legítima de una misión profética para con el mundo contemporáneo. Nos preocupa pues la necesidad de descubrir la forma en que ella ha de desempeñar tal misión, llegada a ser urgente y vital en la coyuntura decisiva y revolucionaria que estamos viviendo en todo el mundo, especialmente en las áreas subdesarrolladas de Asia, África y América Latina.[10]

Por otra parte, en 1966 la Iglesia Metodista realizó en Cochabamba, Bolivia, una Consulta Continental de Evangelización bajo el lema «Evangelización y revolución en América latina». Un libro que reúne los documentos previos, trabajos

---

9 CCPAL, *La naturaleza de la iglesia y su misión en América Latina*, IQUEIMA, Bogotá, 1963, p. 40.

10 *Ibid,* p. 19.

y conclusiones de la consulta, editado por el teólogo metodista uruguayo Mortimer Arias, permite ver cómo un sector
del protestantismo latinoamericano interpretaba la situación
revolucionaria del continente. «Es ya un lugar común pero a
la vez un hecho que se impone, que vivimos en medio de la
revolución» es la frase con la que se abre la primera sección
del libro y se afirma luego:

> En términos generales, el impulso revolucionario de
> nuestros tiempos es un movimiento radicalmente
> valorizador de la condición humana, que destruye las
> estructuras y tradiciones que han sostenido la desigual-
> dad, el predominio y el privilegio. Lo nuevo que aparece
> en el horizonte es la posibilidad de ser más humanos en
> una sociedad más humana, poniendo en tela de juicio
> toda actitud o estructura humana que aísle al hombre
> de su prójimo.[11]

En este libro se enumeran diversas revoluciones como la
estadounidense o inglesa del pasado, las revoluciones socia-
listas, la rebelión de los pueblos de color contra el predominio
blanco y la reacción existencialista en Europa, contra la obje-
tivación del ser humano, concluyendo en que «en todos estos
cuatro movimientos, el cristianismo ve la mano de Dios, hu-
manizando, liberando, juzgando, redimiendo. Evangelización
en este contexto, es la proclamación de la presencia de Dios
en estos movimientos seculares».[12] Además de ver la mano
de Dios en los movimientos revolucionarios se afirma que «la
evangelización es también una revolución, puesto que busca

---

11 *Evangelización y revolución en América Latina*, Iglesia Metodista en América
Latina, Montevideo, 1969, p. 18.

12 *Ibid.*

la revolución total del hombre por la acción del Espíritu de
Dios». En consecuencia:

> Esta es una faceta explosiva del Evangelio, revolucio-
> naria y dinámica. Si la predicación evangélica ha de
> cumplir su cometido, tendrá que ser una fuerza que
> trastorne, que perturbe, que intranquilice, incluso que
> cause disturbios, porque las personas tocadas por esa
> fuerza no podrán seguir siendo iguales que antes. Este
> carácter explosivo y revolucionario del Evangelio está
> vívidamente manifestado en el ministerio de Jesús.[13]

Iglesia y Sociedad en América Latina (ISAL)

En el ámbito del protestantismo ecuménico surge también
el movimiento Iglesia y Sociedad en América Latina (ISAL), a
partir de reuniones iniciales auspiciadas por el Consejo Mundial de Iglesias en 1957, como parte de un estudio sobre las
iglesias en los rápidos cambios sociales. Su primera Consulta
Latinoamericana se realiza en el Perú, en Huampaní (julio de
1961), y su agenda específica era profundizar en el tema de
la responsabilidad social de los cristianos.

ISAL empezó tratando de articular las bases bíblicas de
una acción responsable por parte de los cristianos. Quienes
teníamos la misma preocupación en las iglesias evangélicas
reconocimos que en determinado momento sus encuentros y
publicaciones eran los únicos foros en los que se ventilaban
cuestiones urgentes. Pedro Arana decía en su tesis sobre *Providencia y revolución*: «tendremos que decir que los miembros
de ISAL tienen el mérito de haber pensado y trabajado en
este importante aspecto de testimonio cristiano, mientras que

---

13 *Ibid*, p. 21.

muchos que nos preciamos de evangélicos habíamos olvidado nuestras responsabilidades para con la sociedad».[14]

Al hacer un balance de la primera década de este movimiento, su primer Secretario general, el teólogo uruguayo Julio de Santa Ana señala dos etapas muy distintas en su desarrollo: « En primer término un período en el cual el pensamiento de ISAL ha sido elaborado en relación de estrecha dependencia con la teología barthiana (1962-1964)».[15] Santa Ana evalúa negativamente ese período inicial en el cual la reflexión y el lenguaje están relacionados con la llamada teología revelacional: «Ésta se desarrolla estrechamente ligada a la Biblia (entendida como el libro fundamental), lo que hace que dichas cogitaciones resulten difícilmente aptas y útiles en circunstancias como las de América Latina en la actualidad».[16] Esta conclusión deja a ISAL sin puntos de referencia en la revelación bíblica, y con el tiempo alejará al movimiento tanto de las iglesias ecuménicas como del resto del protestantismo.

El segundo período de ISAL, a partir de 1965, sería para Santa Ana «un quehacer teológico en términos cada vez más originales» y consistiría en « preguntar por el ser de Dios en Jesucristo, por la acción de su Espíritu, y por la forma de la iglesia, por el sentido del testimonio cristiano en situaciones revolucionarias, como son aquellas por las que pasan los

---

14 Arana, *Providencia y revolución*, Subcomisión de Literatura Cristiana, Grand Rapids, 2da, ed., 1986, p. 15.

15 Julio de Santa Ana, «ISAL, un movimiento en marcha», en *Cuadernos de Marcha*, Montevideo, Num. 29, setiembre de 1969, p. 50. Aunque como veremos más adelante hay estudios cuidadosos y críticos de ISAL, en esta presentación hemos dependido de un artículo panorámico de su primer Secretario.

16 *Ibid.*

diferentes países de América Latina».[17] El pensamiento del brasileño Rubem Alves y del estadounidense Richard Shaull pasan a tener gran influencia en esta etapa de ISAL. Una de las preguntas claves que se plantean es la de cómo actúa Dios en la historia hoy y en la exploración de este tema se llega a la necesidad de la ideología, pasando de una consideración negativa a una apreciación positiva del papel de la ideología en los cambios sociales. Dice Santa Ana: «El tipo de transformación social propuesto por determinadas tendencias ideológicas latinoamericanas coincidía con el movimiento central hacia nuevas formas de humanización que los cristianos veíamos en la historia».[18] Luego pasa a reconocer la alineación de ISAL dentro del panorama social y político latinoamericano, aunque ve la conceptualización de dicha alineación como una tarea inconclusa: «Desgraciadamente, si bien existen elementos como para indicar una cierta línea izquierdista, de inspiración marxista, en ISAL, hasta ahora el punto no ha sido encarado con total franqueza».[19]

La nueva postura lleva también a plantearse el papel de las iglesias en el mundo. Según Santa Ana, el teólogo Richard Shaull había propuesto una «dispersión» de los cristianos en el mundo para su participación en los movimientos revolucionarios. «Fue entonces que Rubem Alves distinguió a la comunidad de creyentes por su naturaleza escatológica, dado que es 'partera de un nuevo mañana'. Este mañana no es únicamente el de los creyentes, sino el de todos los hombres, a los que les ha sido prometido un futuro libre».[20] Para Santa Ana esta

---

17 *Ibid.*

18 *Ibid*, p. 52.

19 *Ibid.*

20 *Ibid.*

posición lleva a «borrar toda distinción entre lo eclesiástico y lo secular. El pueblo de Dios y la humanidad se encuentran en la participación común en una comunidad que vive para un futuro nuevo». Con esto viene también un nuevo concepto del ecumenismo. Desde sus comienzos en ISAL se había ido dando una colaboración entre católicos y protestantes, pero ahora había un elemento nuevo: «Por lo tanto será un ecumenismo de creyentes y no creyentes, de cristianos y marxistas, habiéndose operado la reconciliación mediante la acción de Dios en Cristo que abre caminos para que los hombres se encuentren y luchen juntos por su liberación».[21]

Como Santa Ana reconoce en este honesto esfuerzo de valoración de ISAL, al cabo de su primera década, aunque sus publicaciones como la revista *Cristianismo y Sociedad* y sus libros tenían difusión amplia, en realidad era un movimiento que movilizaba a pocas personas. El rechazo de la teología revelacional y de la fuente bíblica para la tarea teológica lo fue distanciando de las iglesias y de los centros de reflexión teológica protestantes. También tuvo como consecuencia que no hubiera un aporte específico de ISAL a la Cristología en América Latina.

Revolución y evangelización

Mientras tanto, en el ámbito de las nuevas denominaciones y misiones independientes descritas por el misiólogo Kenneth Strachan como «grupos no-históricos», que no participaban en el movimiento ecuménico, la década de 1950 había sido un tiempo de evangelización intensiva, utilizando las llamadas «cruzadas», el evangelismo de masas y los medios

---

21 *Ibid.*, p. 55.

de comunicación como la radio. Algunas de estas organizaciones misioneras, de origen estadounidense, reaccionaron ante la experiencia misionera de China, donde al triunfar el comunismo de Mao Tse Tung en 1948 se había expulsado a todos los misioneros extranjeros. Cayeron así dentro de la mentalidad de la guerra fría que veía el comunismo como una amenaza mundial, y que sospechaba de cualquier referencia a la responsabilidad social cristiana, como algo originado en la teología liberal o en el comunismo. Sin embargo, al llegar a la década de 1960 surge un movimiento de reflexión crítica sobre la práctica que busca una evangelización más efectiva que aúne esfuerzos dispersos y responda a las necesidades específicas de la situación latinoamericana. Este examen autocrítico va acompañado de un esfuerzo por forjar una teología en la cual pudiera basarse un nuevo impulso, determinado por la urgencia de la situación revolucionaria.

Uno de los focos de esta reflexión se centra en Costa Rica, sede de la Misión Latinoamericana, cuyo director, el argentino Kenneth Strachan, y un equipo de diferentes países formularon la idea de *Evangelismo a Fondo* (EVAF), un esfuerzo por movilizar al mayor número posible de iglesias y de miembros de las iglesias de un país, para la comunicación del Evangelio en todos los ámbitos de la sociedad durante un año. Al explicar la idea, Strachan hacía su propia lectura de la situación latinoamericana:

> Nuestra preocupación evangelística se hace más angustiosa cada día debido al carácter apocalíptico de la época en que vivimos. Todas nuestras instituciones cristianas están en crisis. La revolución social, política, científica y tecnológica de hoy está desafiando la existencia misma de la Iglesia de Cristo y poniendo en tela de juicio la validez de todos sus tradicionales patrones de vida y testimonio. Consecuentemente ha

de ser reconsiderado todo en términos de nuestra razón para existir. La misión esencial de la Iglesia y de cada individuo cristiano debe ser, por lo tanto, redefinida y reafirmada.[22]

La propuesta de EVAF vino a ser considerada como revolucionaria por sus proponentes, y entre las personas que escribían sobre el movimiento había la convicción de que no se trataba solamente de «una revolución en los métodos de evangelización» sino que también se proponía que EVAF era una «revolución teológica». Escribiendo acerca de este tema el teólogo costarricense Juan Stam decía «EVAF es una revolución teológica distinta. Su objetivo es hacer toda la teología revolucionaria colocando la doctrina dentro del contexto original del evangelismo».[23] La reflexión acerca de EVAF pasó a darse especialmente en el ámbito del Seminario Bíblico Latinoamericano (SBL) de San José, Costa Rica. Stam y varios otros profesores de dicho seminario escribían regularmente en las publicaciones de EVAF.

A mediados de la década, EVAF había alcanzado una repercusión notable no sólo en América Latina sino también en otras partes del mundo. Unos años antes, en 1957, Strachan había sido invitado a una consulta del Consejo Misionero Internacional, organismo ecuménico vinculado al Consejo Mundial de Iglesias. Los contactos establecidos allí le permitieron a Strachan, al año siguiente, contar con un amplio respaldo de todo tipo de iglesias evangélicas en la cruzada evangelística de Billy Graham que él contribuyó a organizar.

---

22 Kenneth Strachan, «Llamado al testimonio», *Cuadernos Teológicos,* No. 54-55, abril-setiembre, 1965, p. 68.

23 Juan Stam, «Evangelismo a Fondo como revolución teológica», *En Marcha Internacional*, pp. 4-6.

Strachan había estudiado en el Wheaton College y luego en el Seminario Teológico de Dallas, dos centros del Protestantismo conservador de Estados Unidos. Pero luego de unos años de experiencia misionera fue también a estudiar en el Seminario Teológico de Princeton donde recibió la docencia de Juan A. Mackay y amplió su visión misionera y teológica. Luego de la experiencia mencionada en Puerto Rico, y de un estudio profundo del material bíblico sobre la Iglesia, Strachan había abandonado el separatismo exclusivista propio de las organizaciones misioneras fundamentalistas que sólo cooperaban con organizaciones fundamentalistas en la tarea misionera y evangelizadora.[24]

En 1964 el teólogo Lesslie Newbigin, director de la prestigiosa revista *International Review of Mission* invitó a Strachan a escribir sobre su experiencia y visión de EVAF y pidió a Victor Hayward, director de la División de Estudios del Consejo Mundial de Iglesias, que respondiese al trabajo de Strachan, dándole a éste una segunda oportunidad para responder a Hayward. El resultado fue un debate que llegó a ser famoso entre los estudiosos de la misión cristiana y que apareció en versión castellana en la revista *Cuadernos Teológicos,* junto a trabajos de otros teólogos[25] europeos y del uruguayo Emilio Castro.

Uno de los temas centrales de este debate tenía que ver con el alcance de la obra de Cristo en el mundo y la manera de comprender la tarea misionera de la iglesia, asuntos can-

---

24 Sobre Strachan y la Misión Latinoamericana he escrito ampliamente en «The Two Party System and the Missionary Enterprise», capítulo 18 de Douglas Jacobsen y William Vance Trollinger, eds. *Re-Forming the Center. American Protestantism 1900 to the Present*, Eerdmans, Grand Rapids, 1998, pp. 349-360.

25 Kenneth Strachan, «Llamado al testimonio», *Cuadernos Teológicos* No. 54-55, abril-setiembre, 1965;

dentes en la reflexión misiológica de ese momento. Strachan sostiene que entre las convicciones en que se fundamenta EVAF está el hecho de que «todo cristiano sin excepción está llamado a ser un testigo de Cristo, de acuerdo con sus dones y su situación. El ímpetu con que una iglesia da su testimonio y su expansión son afectados directamente por el grado de participación de sus miembros».[26] Por otra parte sostiene Strachan: «Esta actividad individual y comunal debe relacionarse constructivamente con el testimonio total de todo el cuerpo de Cristo. Por consiguiente, de alguna manera práctica, sin contemporizar ni empañar la verdad, debe darse un testimonio tangible de la unidad del cuerpo de Cristo».[27] El programa de EVAF iba dirigido justamente a capacitar a todos los miembros de cada iglesia y a todas las iglesias para la realización de este testimonio personal y colectivo.

Sin cuestionar estos principios, Hayward plantea una pregunta sobre la naturaleza del mensaje del Evangelio:

> ¿Es Cristo el Salvador del mundo o el Salvador sólo de la Iglesia? ¿Es Salvador solamente de 'aquellos que creen', Señor solamente de la Iglesia? ¿O es el Salvador de todos los hombres, aunque 'especialmente de aquellos que creen', y Señor del mundo tanto como de la Iglesia? ¿Proclamamos su venida como un evento secular o religioso? ¿Es su salvación un medio para que las almas de los hombres escapen de este mundo impío, u osamos anunciar 'la redención del mundo por nuestro Señor Jesucristo'?[28]

---

26 *Ibid..* p. 72

27 *Ibid.*

28 Victor E. Hayward, «Llamado al testimonio –¿Pero qué clase de testimonio?», *Cuadernos Teológicos,* No. 54-55, abril-setiembre, 1965, p. 80.

Strachan reconoce que en este planteamiento hay una crítica a quienes conciben la evangelización simplemente como
una metodología para acrecentar el número de miembros de
su propia iglesia, pero critica también el planteamiento de
Hayward como una falsa dicotomía o dilema y se pregunta:
«¿No debemos reconocer que a pesar de los fracasos en sus
actitudes o su conducta, la Iglesia de la era presente *está* en
el mundo y que el Evangelio le ha sido confiado *a* ella *para*
el mundo?»[29]

Lo que el debate refleja, en última instancia, es la diferencia
entre personas de iglesias que, aunque no niegan la importancia de la evangelización, no la ven como un componente
esencial de su misión, y por otro lado personas provenientes de
iglesias que han hecho de la evangelización su tarea principal,
alrededor de la cual gira toda otra actividad de la iglesia. En
un editorial de la revista *International Review of Mission,* al
año siguiente del debate, el teólogo y editor Lesslie Newbigin
resumía estas dos posturas, afirmando «negar que la misión
es lo mismo que la extensión de la iglesia no es negar que la
misión busca la conversión. Ésta es una de las cuestiones que
debe aclararse en el debate presente sobre las misiones.» Y
terminaba diciendo que en el mundo ecuménico hacía falta
escuchar más a la segunda posición.[30]

Aproximación a la Cristología bíblica

En el ámbito del Seminario Bíblico Latinoamericano se estaba realizando también un trabajo de investigación bíblica bási-

---

29 Kenneth Strachan, «Un comentario más», *Cuadernos Teológicos*, No. 54-55,
   abril-setiembre, 1965, p. 88.

30 «From the Editor», *International Review of Mission*, April 1965, pp. 148-149.

ca como fundamento de una teología de la evangelización. Un
ejemplo valioso de ello es la tesis de licenciatura del profesor
Plutarco Bonilla en la Universidad de Costa Rica, defendida
en 1961. Su tema fue «El concepto paulino de Logos» y el autor
entra en profundidad en el estudio del pensamiento de Pablo
respecto a Jesucristo en el texto griego.[31] Situando este estudio
en su contexto cultural, Bonilla muestra que Pablo no utiliza el
término griego *logos* en el mismo sentido que el evangelista Juan.
Pero muestra también que hay una clara coincidencia entre la
cristología paulina y la juanina. Los presupuestos de su trabajo
sobre la veracidad del texto bíblico atienden a los estudios más
recientes que habían llevado a superar el escepticismo de la
teología liberal con respecto a los documentos bíblicos acerca de
Jesucristo. Bonilla ponía énfasis en que el Cristo acerca del cual
Pablo construye su cristología es el Cristo histórico, la persona
del Cristo, de quien se ocupan los Evangelios:

> Indiscutiblemente Pablo, el Apóstol de los Gentiles,
> es la figura predominante del cristianismo del primer
> siglo, excepción hecha de la persona de Jesucristo, el
> fundador y el genio del cristianismo en tanto tal. Por
> esta razón Pablo ha sido llamado con toda propiedad 'el
> intérprete de Cristo', pues en realidad el fundamento
> teológico, la 'exégesis' de la persona y la obra del Jesús
> histórico, del carpintero de Nazaret, se debe a la inmor-
> tal figura del apóstol por excelencia.[32]

Para Bonilla, Pablo presenta a Cristo como el mensaje, el
kérygma cristiano: «Es decir Cristo no sólo define el significado
y el valor teológico de la proclamación sino que también él

---

31 Plutarco Bonilla Acosta, *El concepto paulino de Logos*, Publicaciones de la
   Universidad de Costa Rica, San José, 1965.

32 Bonilla, *op. cit.*, p. 14.

mismo es el mensaje, pues a fin de cuentas lo importante no es lo externo cambiante e inestable de la exposición humana». Conecta aquí la Cristología con lo que podemos llamar una antropología integral: «Es Jesucristo, el Cristo histórico interpretado teológicamente, desde el punto de vista de lo que los eruditos bíblicos han llamado *la historia de la salvación*, de la salvación del hombre en tanto hombre, y del hombre integral, de carne y hueso, como lo expresaba Unamuno».[33]

Bonilla hace referencia también a la centralidad de la cruz en el mensaje de Pablo:

> La teología paulina descansa en su totalidad en el hecho de la crucifixión, establecido y corroborado en su significado por el otro hecho: la resurrección. En relación con el kerigma Pablo no pretende hablar de Cristo como el creador del Universo o el resplandor de la gloria de Dios. Lo presenta exclusivamente como el Salvador tanto de griegos como de judíos, como el que 'murió por nuestros pecados y resucitó para nuestra justificación' (Rom. IV, 25). Su significado no es propiamente filosófico. Sí teológico.[34]

El uso que hace Bonilla de su trabajo académico en un nivel pastoral se puede ver en el artículo «El cristiano de hoy frente a la cruz», que publicó en el boletín *En Marcha* de EVAF y que fue reproducido por la revista *Pensamiento Cristiano*. Introduce su tema señalando que en ese momento en América Latina había una creciente dificultad en creer en Dios y también una institucionalización de la violencia como medio para resolver las situaciones críticas en el plano socio-económico-político. «Esta doble situación nos obliga a preguntarnos qué significa

---

33 *Ibid.*, p. 31.

34 *Ibid.*

Cristo hoy, cuál es el mensaje que la Cruz (ya que no hay Cristo sin Cruz, ni Cruz válida que no sea la de Cristo), le dice al hombre de nuestro tiempo».[35] Bonilla resume la proclamación de la Cruz en tres propuestas: la Cruz proclama la victoria final del amor, la Cruz proclama la posibilidad de restauración, y la Cruz proclama la realidad de un nuevo mañana.

Evangelización en el mundo universitario

Otro de los focos de reflexión teológica vinculada a la evangelización se desarrolló en el ámbito del testimonio evangélico en el mundo universitario. Una generación se agrupó alrededor de la revista *Certeza*, fundada en 1959, y la Comunidad Internacional de Estudiantes Evangélicos. Fue lo más natural que durante la década agitada de 1960 encaminaran su reflexión teológica siguiendo la agenda cristológica que había propuesto Mackay. En el caso del Perú, Samuel Escobar y Pedro Arana habían sido representantes en los gremios estudiantiles de la Universidad de San Marcos de Lima, y se habían familiarizado no sólo con la teoría del marxismo sino también con la estrategia política marxista aplicada en el mundo de la política estudiantil, que era una extensión de la política nacional.[36]

En el ámbito de las universidades latinoamericanas, era todavía necesario proclamar los hechos básicos de la vida y enseñanza de Jesús a generaciones que habían rechazado su religión tradicional sin haber sido confrontados por el meollo

---

35 Plutarco Bonilla, «El cristiano de hoy frente a la Cruz», *Pensamiento Cristiano*, Córdoba, Año 16, No. 62, junio de 1969, p. 85.

36 Samuel Escobar, «Heredero de la reforma radical», en *Hacia una teología evangélica latinoamericana*, ed. C. René Padilla, Editorial Caribe, San José-Miami, 1984, pp. 59-60.

de la fe. En muchos casos además de la nota kerigmática era indispensable la nota apologética respecto a la historicidad de Jesús, debido al continuo debate con interlocutores marxistas que a veces se limitaban a repetir lo que habían leído acerca de Jesús en la Enciclopedia Soviética. La revista *Certeza* publicó una serie de artículos por René Padilla, Samuel Escobar y Edwin Yamauchi bajo el tema «¿Quién es Cristo hoy?». Eran trabajos que surgían de la actividad de conferencias públicas en las universidades y que al fin de la década aparecieron en forma de libro, cuyas dos ediciones se difundieron ampliamente en las aulas.[37]

Otro desafío pastoral importante que enfrentaba el testimonio en el ámbito estudiantil era el ejercicio de la profesión dentro de las tensiones de un continente en revolución. Los temas centrales de lo que significaba ser discípulo de Cristo tuvieron que ser entendidos de nuevo a la luz de las demandas de la realidad social. Así se fue desarrollando a partir de un esquema kerigmático de proclamación del Evangelio, un esquema de discipulado y responsabilidad social arraigado en los puntos fundamentales de la Cristología. En esta búsqueda, Padilla y Escobar encontraron gran afinidad con el trabajo teológico del británico John Stott, quien había contribuido a un cambio de perspectiva cristológica sobre la misión cristiana. En el Congreso de Evangelización en Berlín (1966) Stott había destacado la importancia de la Gran Comisión de Jesús como fundamento de una teología de la evangelización. Sin embargo, su propuesta era que la versión juanina de la Gran Comisión (Juan 20:21) encerraba una riqueza cristológica más adecuada para el contexto actual que la versión de Mateo (Mateo 28:18) que era la que tradicionalmente habían venido

---

37 Samuel Escobar, René Padilla y Edwin Yamauchi, *¿Quién es Cristo Hoy?*, Certeza, Buenos Aires, 1970.

usando los evangélicos. El texto de Juan ofrecía no sólo un imperativo «Yo os envío», sino también un indicativo, un modelo «Como me envió el Padre», es decir la encarnación como modelo de presencia misionera. Un resumen del material desarrollado en este proceso latinoamericano y mundial fue presentado en la ponencia sobre «Responsabilidad social de la Iglesia» durante el Primer Congreso Latinoamericano de Evangelización (CLADE I, Bogotá, 1969), a la cual haremos referencia más adelante.[38] El bosquejo de esta ponencia tomaba la encarnación de Jesucristo, su crucifixión y su resurrección como claves para articular la forma de presencia de la iglesia en el mundo que precedería cualquier tarea de proclamación.

Esta agenda de desafíos, tanto en la difusión del Evangelio como en la pastoral universitaria, había guiado también los estudios teológicos avanzados de René Padilla y Pedro Arana en Europa durante esta década. Padilla hizo un doctorado en Ciencias Bíblicas bajo la dirección del biblista F. F. Bruce en la Universidad de Manchester en Inglaterra (1963-1965). Él mismo ha narrado cómo las preguntas surgidas en su época de colegial, planteadas por sus profesores marxistas, por un lado, y sus experiencias en la evangelización en las universidades latinoamericanas por otro lado, le llevaron a escoger el tema de su tesis doctoral: «Iglesia y mundo: un estudio de la relación entre iglesia y mundo en el pensamiento del Apóstol Pablo».[39] Por su parte Arana, que era ingeniero químico, cuando fue a estudiar teología en el New College de Edimburgo en Escocia (1967-1969) escribió su tesis de Maestría sobre el tema «Providencia y revolución», en la cual contextualizaba

---

38 Ver el texto en Samuel Escobar, *Evangelio y realidad social,* Casa Bautista de Publicaciones, El Paso, 1988.

39 René Padilla, «Siervo de la Palabra» en *Hacia una teología evangélica latinoamericana,* Editorial Caribe, San José-Miami, 1984, pp. 115-116.

su comprensión de la herencia calvinista en el ámbito revolucionario latinoamericano.[40] También durante su tiempo de estudios en Escocia, Arana reunió el texto de conferencias que había dado en universidades en un libro breve que fue publicado en la década siguiente.[41]

El Cristo de Jorge Luis Borges

Al final de la década de 1960 muchos latinoamericanos que admiraban al poeta argentino Jorge Luis Borges se sorprendieron de que su esperado libro *Elogio de la sombra* se abriera con un poema acerca de Jesús, titulado con la cita de un versículo bíblico, Juan 1:14, y cuyo texto es central en la introducción de Juan a su Evangelio: «Y el Verbo se hizo hombre y habitó entre nosotros. Y hemos contemplado su gloria, la gloria que corresponde al hijo unigénito del Padre, lleno de gracia y de verdad». El profesor Alejandro Clifford comentaba que el título del libro era conmovedor pues hacía referencia a la ceguera progresiva del poeta, y recordaba también que Borges era un conocedor profundo de la Biblia y de su influencia en la literatura universal, especialmente la inglesa.[42] El poema tiene un tono de nostalgia, e imagina a Jesús haciendo memoria:

> Yo que soy el Es, el Fue y el Será
> Vuelvo a condescender al lenguaje,
> Que es tiempo sucesivo y emblema...

---

40 Pedro Arana, «De la ingeniería al ministerio pastoral» en *Boletín Teológico* de la FTL, Nos. 23, 24 y 25, 1986-1987; *Providencia y revolución*, Subcomisión de Literatura Cristiana, Grand Rapids, 2da. ed., 1986.

41 Pedro Arana, *Progreso técnica y hombre*, Ediciones Evangélicas Europeas, Barcelona, 2da. ed., 1973.

42 Alejandro Clifford, «Libros en ratos de ocio», *Pensamiento Cristiano,* No. 66, junio de 1970, p. 103.

Conocí lo pulido, lo arenoso, lo desparejo, lo áspero,
El sabor de la miel y de la manzana,
El agua en la garganta de la sed,
El peso de un metal en la palma,
La voz humana, el rumor de unos pasos sobre la hierba,
El olor de la lluvia en Galilea,
El alto grito de los pájaros...
A veces pienso con nostalgia,
En el olor de esa carpintería.

Acierta poéticamente José Juan García cuando comenta que «El Cristo que nos presenta Borges aquí ofrece la imagen de un Dios nostálgico de la experiencia humana».[43]

Aunque Borges mostraba familiaridad con los relatos de los Evangelios sobre Jesús, no se consideraba cristiano y su antipatía por lo sistemático hizo que nunca tratara de establecer un hilo conductor entre sus numerosas y variadas referencias a Cristo. En un diálogo sobre Cristo con María Esther Vásquez, ella le pregunta acerca de cómo ve a Cristo y le comenta: «Jesucristo fue justo». Borges responde: «Y además tiene que haber sido un hombre extraordinario. Al mismo tiempo, si una persona cree que es Hijo de Dios, si confiesa opiniones tan extraordinarias como ésa, no sé hasta dónde podemos juzgarlo. Indudablemente es una de las personas más raras y más admirables con que ha contado el mundo. Pero no sé si los cristianos se parecen a Cristo».[44]

---

43 José Juan García, «El Cristo de Borges», *Criterio* No. 2170, Buenos Aires, 14 de marzo de 1996, p. 49.

44 María Esther Vásquez, *Borges, sus días y su tiempo*, Suma de Letras, Madrid, 2da. ed., 2001, p. 117. El diálogo se sostuvo en 1972.

De la Cristología a la ética social

Para entender el impacto y la significación del trabajo teológico que inicia Justo L. González con su libro *Revolución y encarnación* hay que recordar lo que decíamos en el capítulo 2 acerca de un abismo entre la religión y la ética, propio de la cultura iberoamericana. Las opiniones críticas que emitieron protestantes como Mackay o Rycroft en la década de los años cuarenta fueron rechazadas por el catolicismo oficial, como exageraciones de misioneros proselitistas que querían justificar su intromisión en un mundo que ya era cristiano y devoto. Sin embargo, veinte años después, al abrigo de las corrientes del Vaticano II, el espíritu de autocrítica católica empieza a manifestarse, y las mismas notas críticas protestantes toman nueva forma en los escritos de laicos católicos como el chileno Alejandro Magnet o sacerdotes como el uruguayo Juan Luis Segundo. Nos ocupamos de este proceso en el siguiente capítulo.

El libro *Revolución y encarnación*[45] era un estudio histórico del desarrollo de la doctrina de la encarnación en los primeros siglos del cristianismo, y de las controversias cristológicas en respuesta a herejías que iban surgiendo. Se prestaba atención al material juanino en el Nuevo Testamento, especialmente la Primera Epístola. Por primera vez en el ámbito evangélico la temática cristológica era tratada desde una perspectiva sistemática para responder a una necesidad pastoral. En su Introducción González toma distancia de la teología liberal, a la cual describe como una etapa ya pasada de la historia del pensamiento cristiano. Toma distancia también del Marxismo, recordando que desde los tiempos de Karl Marx la iglesia

---

45 Justo L. González *Revolución y encarnación,* Librería La Reforma, Rio Piedras, Puerto Rico, 1965.

cristiana ha regresado y avanzado hacia una comprensión más profunda y a la vez más auténtica del carácter del cristianismo. Como historiador ofrece un enfoque muy claro: «Puesto que nuestro estudio trata de dos realidades históricas, es decir de las revoluciones por una parte, y del cristianismo por otra, debe entenderse desde el comienzo que no trataremos aquí acerca de la veracidad de la encarnación. El hecho que nos interesa es que el cristianismo se basa en la doctrina de la encarnación». [46]

Como recordaremos, Mackay había sostenido que el Cristo de la religiosidad predominante en Iberoamérica era en la práctica un Cristo docetista. Sin hacer referencia a Mackay, González profundiza en aquella observación inicial y de manera didáctica ofrece primero una historia de la doctrina de la encarnación de Jesucristo y de las aproximaciones equivocadas que surgieron en el proceso de explicitación de dicha doctrina, como el docetismo y sus equivalentes contemporáneos:

> Demasiado a menudo nosotros los cristianos, tras haber rechazado toda insinuación de docetismo en lo que a la persona de Cristo se refiere, caemos en un docetismo práctico que es una negación implícita de la encarnación de Dios en Cristo. Este docetismo se caracteriza por una interpretación espiritualista del cristianismo, como si éste no tuviera que ver más que con ciertas realidades espirituales y supracelestes. Según él, todo lo que sea material se halla lejos de guardar relación alguna con el cristianismo. [47]

Por otra parte señala el peligro constante de caer en el error opuesto, el ebionismo. Así por ejemplo:

---

46 *Revolución...*, p. 13.

47 *Ibid.*, p. 22

> El error del 'evangelio social' estaba en su interpretación
> teleológica del sentido de la historia – el Reino de Dios
> habría de realizarse en este plano horizontal en que
> vivimos como la culminación de nuestros esfuerzos de
> reorganización social –y no es por simple coincidencia
> que su cristología era francamente ebionita– Jesús era
> simplemente la máxima expresión de las posibilidades
> o de la moral humana. [48]

A continuación González examina la relación entre la encarnación y la vida sacramental de la iglesia, y plantea que el servicio que la iglesia ha de prestar al mundo es un servicio sacramental. Continúa examinando la vocación de servicio de la iglesia en relación con el hecho de la revolución. Su interpretación de la revolución y sus desafíos arraiga en la verdad de la encarnación que obliga al cristiano a interesarse por el sentido de la revolución tomando en cuenta las realidades materiales dentro de las cuales Dios se manifiesta.

> La doctrina de la encarnación se basa en el hecho de
> que 'de tal manera amó Dios al mundo que dio a su Hijo
> unigénito.' Es decir que la doctrina de la encarnación
> implica una relación entre Dios y el mundo que es distinta de lo que a menudo imaginamos. El mundo y no
> la iglesia es el objeto primario del amor de Dios. Porque
> nuestro Dios no es un Dios que pretenda arrancarnos
> del mundo que él mismo ha creado. Porque nuestro
> Dios no es un Dios que se da a conocer en 'lo espiritual,'
> en contraposición a lo material. Porque nuestro Dios
> es Emmanuel, Dios con nosotros, Dios en el mundo.[49]

48 *Ibid.*, p.37

49 *Ibid.*, p. 22

González explica también la visión cristiana de la historia y su raíz escatológica en contraste con una visión puramente teleológica como la del marxismo. Finalmente plantea lo que significa la encarnación en relación con la posición del cristiano en el mundo revolucionario del momento y las opciones que la situación le planteaba, a la luz del hecho de la encarnación. Lo que captamos de su recorrido es que la doctrina central de la encarnación de Jesucristo va íntimamente unida a la visión de cómo actúa Dios en el mundo y en la historia y al sentido cristiano de la historia en contraste con las teleologías como la marxista. González llamaba a los evangélicos a tomar conciencia de que habían caído en una Cristología docética que les impedía desarrollar una ética social adecuada a las necesidades del momento. Su libro era una propuesta constructiva de cómo fundamentar la ética social en un paradigma cristológico. Como veremos más adelante la obra teológica de este autor continuó con una profundización de esta propuesta inicial.

Conclusión

La década de 1960 culmina en 1969 con dos encuentros continentales latinoamericanos, en los cuales el trabajo teológico que se había venido desarrollando es objeto de debate y reflexión tanto en el ámbito ecuménico como en el evangélico conservador. El mundo ecuménico celebra en julio de 1969 la Tercera Conferencia Evangélica Latinoamericana CELA III en Buenos Aires. El teólogo puertorriqueño Orlando Costas ve esta conferencia como la aparición de «Una nueva conciencia protestante». Luego caracteriza las propuestas de CELA III como una misionología encarnacional, una eclesiología diaconal, una Cristología autóctona y una antropología liberadora.

Durante la conferencia hubo dos comisiones que se ocu-
paron del tema de la Cristología. Los dictámenes de ambas
no coincidían del todo pero Costas afirma:

> Ambos dictámenes denunciaban a los protestantes
> latinoamericanos no sólo por caer en la herejía cristo-
> lógica práctica sino también por distorsionar la misión
> evangelizadora de la iglesia. Con ello sacan a luz una
> interesante perspectiva teológica: una misión distorsio-
> nada puede estar, y de hecho a menudo está, cimentada
> en una teología distorsionada. Aun más importante es el
> hecho de que ambos informes detectan una contradic-
> ción entre el Cristo que han predicado los protestantes
> y el Cristo de la Biblia a quien confiesan.[50]

En el ámbito del Protestantismo evangélico conservador se
celebra en noviembre de 1969 el Primer Congreso Latinoamericano de Evangelización (CLADE I), en Bogotá, Colombia, que
consigue convocar al espectro más amplio del protestantismo latinoamericano. Como iniciativa vinculada al Congreso
de Evangelización de Berlín 1966, ya mencionado, tanto el
programa como la selección de los participantes fue responsabilidad de un Comité *ad hoc* con fuerte presencia estadounidense. Sin embargo el desarrollo del Congreso mostró que la
revolución que sacudía al continente estaba motivando una
búsqueda teológica latinoamericana. La Declaración final de
diez puntos resume el material presentado en las ponencias
e informes. Hay dos puntos que llaman la atención. El tercero
sobre teología y evangelismo dice:

---

50 Orlando E. Costas, «Una nueva conciencia protestante: la III CELA,» en *CLAI
en formación, Oaxtepec 1978: Unidad y misión en América Latina*, CLAI, San
José, 1980, p. 88.

Nuestra teología sobre el evangelismo determina nuestra acción evangelizadora, o la ausencia de ella. La sencillez del Evangelio no está reñida con su dimensión teológica. Su naturaleza es la auto-revelación de Dios en Cristo Jesús. Reafirmamos la historicidad de Jesucristo según el testimonio de las Escrituras: su encarnación, su crucifixión y su resurrección. Reafirmamos el carácter único de su obra mediadora, gracias a la cual el pecador encuentra el perdón de los pecados y la justificación por la sola fe, sin reiteración de aquel sacrificio.

Por otra parte el sexto punto hace referencia explícita al contexto latinoamericano del momento:

El proceso de evangelización se da en situaciones humanas concretas. Las estructuras sociales influyen sobre la iglesia y sobre los receptores del evangelio. Si se desconoce esta realidad se desfigura el Evangelio y se empobrece la vida cristiana. Ha llegado la hora de que los evangélicos tomemos conciencia de nuestras responsabilidades sociales. Para cumplir con ellas el fundamento bíblico es la doctrina evangélica y el ejemplo de Jesucristo llevado hasta sus últimas consecuencias. Ese ejemplo debe encarnarse en la crítica realidad latinoamericana de subdesarrollo, injusticia, hambre, violencia y desesperación. Los hombres no podrán construir el Reino de Dios sobre la tierra pero la acción social evangélica contribuirá a crear un mundo mejor como anticipo de aquel por cuya venida oran diariamente.[51]

---

51 Todas las ponencias, estudios e informes del congreso y la «Declaración final» se encuentran en *CLADE I, Acción en Cristo para un continente en crisis*, Editorial Caribe, Miami, 1970.

8

Renovación cristológica en el Catolicismo

Si en América Latina el cristianismo sólo puede sobrevivir al cambio social en la medida en que se vuelva en cada hombre una vida personal, heroica, interiormente formada, la pastoral debe asumir una tarea formalmente nueva. Nueva con respecto a esa época constantiniana en que hemos vivido hasta aquí; pero por otro lado la más antigua y la más tradicional: la tarea de evangelizar... ¿Qué es evangelizar? De acuerdo con lo que ya hemos dicho, es presentar a cada hombre el cristianismo de tal modo que por su propio contenido, por su valor intrínseco produzca en él una adhesión personal, heroica, interiormente formada (Juan Luis Segundo, 1970)[1].

Para cuantos observábamos atentamente el desarrollo de los acontecimientos religiosos y culturales en América Latina, la década de 1960 trajo cambios significativos. Uno de ellos fue la atención masiva con que se recibió el esfuerzo de algunos católicos por actualizar la expresión de su fe. En la Argentina, en 1964 se publicó *El Evangelio criollo*, del autor jesuita Amado Anzi, una paráfrasis de material de los cuatro Evangelios usando la versificación típica del *Martín Fierro*, el poema na-

---

1 Juan Luis Segundo, *De la sociedad a la teología*, Carlos Lohlé, Buenos Aires, 1970, p. 37.

cional argentino en lenguaje gauchesco, representativo de la más arraigada tradición nacional.[2] Los veinte mil ejemplares de la primera edición se agotaron rápidamente y los lectores empezaron a familiarizarse con la historia de Jesús, que en general apenas había sido conocida. Correspondiendo con el resurgimiento de la cultura nacional, en contraste con las tendencias europeizantes o norteamericanas impuestas por los medios de comunicación, la relectura del material bíblico alcanzó a multitudes, como nunca antes.

La contextualización del texto bíblico en el escenario del campo argentino permitió a muchos captar por primera vez la riqueza del relato de los evangelistas y su significado para el presente. Por medio de esta obra mucha gente joven comprendió por primera vez la vida del Jesús encarnado «como uno de nosotros». La búsqueda cristológica que había propuesto Mackay unas décadas antes entró en el pensamiento católico. El prólogo en la primera sección de *El Evangelio Criollo* es un resumen teológico de lo que va a venir con la narración:

> Pa que el hombre juera Dios
> el mesmito Dios se hizo hombre,
> y pa subir con renombre
> hasta el cielo nuestro ser,
> bajó al mundo pa tener
> nuestra carne y nuestro nombre.

> Por aquel tiempo de Dios,
> viendo al hombre tan bagual,
> le envió el Patrón Celestial
> a Jesús, Nuestro Señor,

---

2 Amado Anzi S.J., *El Evangelio criollo*, Agape, Buenos Aires,1964, con ilustraciones de Eleodoro Marenco. Esta edición fue seguida de varias otras y ha continuado publicándose con otro sello editorial.

pa atarlo con ese pial
al palenque de su amor...

Siguió nomás el Señor
enseñando al pobrerío;
se apiaba en los rancheríos
y contaba por la zona
que Dios ya estaba en persona
pa salvar al hombre impío.

«¡Hagan todos penitencia!»,
afirmaba en alta voz.
Su fama corrió veloz
pues de palabra curaba,
al mismo tiempo que daba
el Evangelio de Dios.[3]

Esta proclamación del hecho de Cristo y su significado, dirigida intencionalmente al gran público, era parte de una renovación litúrgica y catequética que había empezado a darse en los sectores de avanzada del catolicismo europeo y latinoamericano y que constituía uno de los fermentos que precedió al Concilio Vaticano II. Así pues, para el Catolicismo mundial, y en especial para el latinoamericano, la década de 1960 fue un tiempo de fermento y de cambio, una respuesta al proceso revolucionario que sacudía el continente. Conviene entender la toma de conciencia que precedió al movimiento renovador.

---

3 Amado Anzi, *El Evangelio Criollo*, Editora Patria Grande, Buenos Aires, 1994, pp. 6, 18, 19.

La preocupación pastoral
en el origen del Concilio Vaticano II

A nadie escapa hoy el hecho de que el Concilio Vaticano II (1962-1965) fue un esfuerzo notable por poner al día (*aggiornamento*) a la Iglesia Católica para que enfrentara las nuevas situaciones históricas que se estaban dando en el mundo. Dado que en la década de 1960 más de un cuarto de los católicos del mundo vivían en América Latina, los problemas del Catolicismo latinoamericano tuvieron que entrar en la agenda del Concilio y los decretos de éste irían dirigidos en parte a responder a los problemas de la región. En las décadas previas al Concilio hubo teólogos y pastores en el Catolicismo que manifestaban preocupación por el fenómeno de la «descristianización» en los lugares donde el cristianismo había sido un factor importante de la sociedad. Así en el año 1943 dos sacerdotes franceses, Henri Godin e Ivan Daniel, publicaron su célebre libro *Francia: país de misión*, para indicar que el análisis de la práctica religiosa de los franceses y su adhesión a la Iglesia Católica mostraba que al igual que los países de misión en África o Asia, quienes practicaban su cristianismo eran una pequeña minoría de la población. De esa inquietud brotaron después de la segunda Guerra Mundial experiencias misioneras como las de los llamados «curas obreros» que trataron de encarnar una presencia cristiana en el mundo obrero para llamarlo de vuelta a la fe en Cristo. Se reconoció entonces el hecho de la «descristianización».

El carmelita belga Ireneo Rosier se dedicó al estudio del fenómeno en diferentes países europeos, y luego vino a estudiarlo en América Latina, lo cual le permitía un análisis comparativo. Su descripción del proceso afirma: «Lo específico de la descristianización sería entonces la indiferencia religiosa en la cual no se encuentra más una conmoción por Cristo o por su

Evangelio, Su mensaje de verdad y de felicidad».[4] Precisando aun más dice Rosier: «El concepto descristianización como tal indica una realidad dinámica, es decir señala el proceso de aflojamiento de un estado donde Cristo tiene un puesto central y normativo en los pensamientos y en los actos de la gente, en la dirección de una actitud de vida donde ya no se toma más en cuenta a Cristo».[5] En su libro *Ovejas sin pastor* resume sus investigaciones de varios años, especialmente en el caso de Chile.

Sin embargo, la sorpresa de Rosier fue que en Chile, aunque las masas católicas estaban descristianizadas, había un protestantismo vigoroso y creciente que era cristocéntrico. Para Rosier: «El protestantismo ha abierto el camino directo a Cristo, mientras que en el catolicismo es como si el rostro auténtico de Cristo estuviera velado por la civilización y por las complicaciones de tantos siglos».[6] A diferencia de otros libros católicos propios de esa época que sólo se referían al Protestantismo en términos hostiles, como si fuese una anomalía indigna de existir, el libro de Rosier no abandonaba la actitud crítica ante el Protestantismo, pero era una llamada de alerta con la convicción de que para el Catolicismo eran necesarios cambios pastorales fundamentales: «Porque si una pastoral católica inadecuada a las exigencias de nuestro tiempo conduce a la gente al protestantismo, quiere decir que a la larga la falta de una pastoral viva tendrá la culpa del renacimiento del paganismo».[7]

---

4 I. Rosier, *Ovejas sin pastor*, Carlos Lohlé, Buenos Aires, 1960, p.19.

5 *Ibid.*, p. 20.

6 I*bid.*, p. 104.

7 I*bid.*, p. 108.

Un encuentro ecuménico protestante convocado en 1965 por el Centro de Estudios Cristianos del Río de la Plata estudió el tema de la presencia protestante en un continente católico. Se hizo referencia a la descristianización describiendo el proceso más bien como el fin de la cristiandad, como la desaparición de las sociedades «sagradas» y el advenimiento de las «secularizadas», utilizando los términos en sentido sociológico y no teológico. Sin embargo, se hizo referencia a la evaluación positiva de dicho fenómeno por teólogos como el anglicano Dennis Munby que decía: «Tal sociedad es mucho más íntimamente conformada a la voluntad de Dios como lo vemos en la Escritura, en la Encarnación y el modo en que Dios actúa con los hombres en el presente que aquellas sociedades que han tratado de imponer sobre la masa humana lo que un pequeño grupo de cristianos han creído que concordaba con la voluntad de Dios».[8] Se cita también al filósofo personalista católico Emmanuel Mounier, quien valora el fin de la Cristiandad y el surgimiento de la sociedad plural como una oportunidad:

> Parece que después de haber quizás rozado durante algunos siglos la tentación judía de la instalación directa del Reino de Dios en el plano del poder terrenal, el Cristianismo vuelve lentamente a su posición primigenia: renunciar al gobierno de la tierra y a las apariencias de su sacralización para formar la obra propia de la Iglesia, la comunidad de los cristianos en Cristo, mezclados con los otros hombres para llevar a cabo la obra profana. Ni teocracia ni liberalismo sino retorno al doble rigor de la trascendencia y de la encarnación.[9]

---

8 Citado en José Míguez Bonino, ed., *Polémica, diálogo y misión*, Centro de Estudios Cristianos, Montevideo, 1966, p.30.

9 *Ibid.*, p. 31.

La triple «repristinación» del movimiento conciliar

En cierto modo el Vaticano II no era un punto de partida sino un punto de llegada, la aceptación oficial de un fermento de renovación que había estado dándose especialmente en el Catolicismo francés, belga y holandés. El canónigo Gustavo Thils resumía el fermento teológico en el seno del Catolicismo hacia 1959, con un término elocuente: «repristinación» (en francés *ressourcement*), es decir un «regreso a las fuentes». Para Thils era un proceso con tres dimensiones: regreso a las fuentes bíblicas, a las fuentes patrísticas y a las fuentes litúrgicas.[10] Este proceso conectaba con la intención primigenia del Concilio resumida en estas palabras del Papa que lo convocó: «El Concilio se ocupa de la adaptación de sus medios (de la Iglesia Católica) de modo que la enseñanza del Evangelio pueda ser dignamente vivida y más fácilmente asimilada por el pueblo».[11]

Resumimos aquí algunos aspectos de este proceso. Desde comienzos del siglo XX, con la fundación de la «Escuela Bíblica de Jerusalén» (1892) y del «Instituto Bíblico Pontificio» (1909) había crecido el movimiento bíblico católico. En 1943 la encíclica *Divino Afflante Spiritu* del Papa Pío XII promovía el estudio bíblico intensivo en la vida de la iglesia. Los efectos del retorno a la Escritura no fueron inmediatos, pero a mediados de siglo ya se podían observar aun en el caso de América Latina. Desde 1938 un misionero alemán en Argentina, Monseñor Juan Straubinger, había empezado desde

---

10 Gustavo Thils, *Orientaciones Actuales de la Teología*, Troquel, Buenos Aires, 1959.

11 Juan XXIII, citado por José Míguez Bonino en *Concilio abierto*, La Aurora, Buenos Aires, 1967, p. 23.

ese país un apostolado bíblico que culminó en su excelente traducción de la Biblia de los originales hebreo y griego. La antigua oposición católica a la difusión de la Biblia fue dando paso a una nueva actitud que más bien buscaba emular el celo protestante por la misma.

El regreso a las fuentes patrísticas significó un redescubrimiento de los Padres de la Iglesia en los primeros tres o cuatro siglos de la era cristiana, antes de que la teología se hubiese endurecido con categorías escolásticas provenientes de Aristóteles. La teología patrística era más *kerigmática* que casuística, es decir dirigida a la predicación para el pueblo de Dios más bien que al debate entre teólogos ilustrados. En ese sentido se parecía más al tipo de exposición bíblica y predicación que caracterizaron más tarde el ministerio de Lutero y Calvino.

El regreso a las fuentes de la liturgia primitiva fue un esfuerzo por descubrir cómo era el culto y la comunicación de la verdad en la iglesia primitiva. Ello significó regresar a fuentes y estilos anteriores a la predominancia de fuentes y formas latinas que la alta Edad Media había consagrado. Todo este fermento encontró expresión en las reformas y propuestas renovadoras que salieron del Vaticano II. No se puede negar que los vientos de cambio se habían ido generando en diferentes partes del mundo.

En el caso específico de América Latina puede decirse que la presencia y el crecimiento del Protestantismo fueron y siguen siendo un acicate y un estímulo indudables que obligan a los católicos a la autocrítica y la renovación. De este triple proceso de repristinación iba a salir el decreto *De Divina Revelatione*, uno de los decretos del Concilio que los protestantes apreciaron más por su novedoso tratamiento de la relación entre Escritura y Tradición que, aunque no cambiaba la doctrina tradicional católica, manifestaba un aprecio mucho mayor por la Biblia y su promoción en la vida de la iglesia. Fue especialmente importante para la labor teológica católica que entonces pasó a utilizar intensamente la Biblia. Ésta iba a ser una nota destacada, por ejemplo, en las teologías de la liberación.

Autocrítica católica latinoamericana

En un espíritu similar al del Concilio Vaticano II, durante la segunda parte del siglo XX empezaron serios esfuerzos de autocrítica de parte de los propios católicos romanos latinoamericanos. Un paso importante del esfuerzo renovador fue la Tercera Semana Interamericana de Acción Católica realizada en el puerto de Chimbote en el Perú en 1953. Una de las conclusiones a que llegó respecto a los católicos en América Latina era que «la vasta mayoría lo son sólo de nombre, es decir, católicos nominales».[12] En febrero de 1960 el sacerdote Carlos Ranken CSC, entrevistado por la revista norteamericana *Maryknoll*, decía: «Lo que se necesita en América Latina es revivificar un cadáver. Puede que eso suene muy fuerte, pero la Iglesia es una caparazón cuya vitalidad y dinamismo religiosos han sido succionados y vencidos. Ya no tiene influencia en la vida del pueblo... La fe se sobreentiende demasiado como una herencia o tradición social. Está demasiado ligada a la cultura hispánica».[13]

La pastoral católica llegó a admitir que el proceso de evangelización del continente había sido muy deficiente. Escribiendo

---

12 El misionero católico estadounidense William J. Coleman presenta una valiosa traducción e interpretación de las conclusiones de Chimbote: *Latin American Catholicism. A Self-Evaluation*, Maryknoll Publications, New York, 1958.

13 Citado por W. Stanley Rycroft, *A Factual Study of Latin America* , UPCUSA, New York, 1963, p. 211.

sobre el Perú, Cesar Arróspide, líder laico católico, decía: «Existen en el Perú –a pesar de hacer ya cuatro siglos de la llegada del cristianismo y del establecimiento firme de la jerarquía eclesiástica– vastas zonas que son terreno de misión, en sentido estricto, es decir, donde hace falta predicar el evangelio entre infieles».[14] Así pues, la Iglesia Católica empezaba a darse cuenta, aun en América Latina, que Cristo no estaba presente como Salvador y Señor vigente en la vida diaria de los latinoamericanos. El catolicismo empezaba a admitir la validez de lo que los pioneros de la misión protestante como Mackay y otros diversos analistas habían señalado. Se tomaba consciencia de la crítica situación misionera del continente.

A instancias de Roma, en 1955 se realizó una reunión de obispos de toda América Latina en Río de Janeiro, y se formó el Consejo Episcopal Latinoamericano (CELAM). Los historiadores del CELAM reconocen que el crecimiento del Protestantismo fue un factor determinante, decisivo para la formación de ese organismo continental de los obispos.[15] Una de las primeras acciones del Consejo fue lanzar un llamado a que vinieran misioneros católicos de otras regiones para ayudar a una iglesia que se sentía amenazada por el crecimiento del marxismo y el protestantismo entre las masas.[16] ¿Cómo explicaba la jerarquía católica la necesidad de misioneros en este continente que antes había sido presentado como cristiano? Los esfuerzos misioneros católicos desde Norteamérica y

---

14 Arróspide citado en Ricardo Pattee, *El catolicismo contemporáneo en Hispanoamérica*, Fides, Buenos Aires, 1951, pp.388-389.

15 Hernán Parada, *Crónica de Medellín*, Indo American Press Service, Bogotá, 1975, p. 25; Alberto Methol Ferré en *Elementos para su historia 1955-1980*, CELAM, Bogotá, 1982, pp. 75ss.

16 Ver Samuel Escobar, «Mission and Renewal in Latin American Catholicism», *Missiology* 15(2), pp. 33-46.

Europa hacia América Latina fueron presentados como una inversión necesaria que permitiría después la movilización de una fuerza misionera latinoamericana hacia otras partes del mundo. Tal era el razonamiento del Papa Pío XII cuando escribió en 1955:

> Tenemos firme esperanza de que los medios ahora empleados se tornarán inmensamente multiplicados en lo futuro. Y los devolverá ciertamente América Latina a toda la Iglesia de Cristo cuando, como es de esperar, haya podido poner en activo a numerosas y preciosas energías que no parecen esperar sino la acción del sacerdote para contribuir intensamente al incremento del Reino de Cristo.[17]

Cinco años después y en ese mismo espíritu, Monseñor Casaroli, representante especial del Papa Juan XXIII, pronunció un célebre discurso ante los superiores de las principales órdenes religiosas de Estados Unidos. Pedía que cada provincia religiosa norteamericana enviara un diez por ciento de sus religiosos, sacerdotes y religiosas como misioneros a América Latina. Hay que recordar que China, donde varias órdenes norteamericanas hacían misión, se había cerrado para los misioneros cristianos con la llegada del comunismo de Mao Tse Tung al poder. El llamado de Monseñor Casaroli fue acogido con una respuesta entusiasta y un famoso promotor misionero norteamericano llegó a pedir que se enviasen cuarenta mil misioneros. Nunca se llegó a la meta propuesta por el Papa, pero se generó mucho entusiasmo y muchos hombres y mujeres de Estados Unidos y Canadá fueron como misioneros a América Latina. Desde Europa llegaron también olas

---

17 I Conferencia General del Episcopado Latinoamericano, *Documento de Río,* Vida y Espiritualidad, Lima,1991, p. 10.

de franceses, belgas, irlandeses, suizos, que se unieron a los españoles e italianos que siempre habían estado colaborando con los católicos latinoamericanos.

Estos misioneros católicos de Europa y Norteamérica fueron muy influyentes en la comprensión crítica de la situación del catolicismo latinoamericano y en el despertar de una conciencia social católica que desembocó luego en las teologías de la liberación. Fue la inmersión misionera en el mundo de la pobreza y la marginación la que cambió a los propios misioneros. Lo decía dramáticamente un misionero que había trabajado treinta años en Nicaragua:

> A menos que una persona se 'vista de la mente de Cristo' será mejor que no entre como misionero a América Latina... Cristo vino como uno de los oprimidos, con un mensaje de vida para los opresores. Nosotros, la Iglesia, hoy en día tenemos la tendencia a venir como los opresores para decir a los oprimidos que tenemos un mensaje de vida –y ellos nos dicen: «Ah sí, ¿a ver demuéstralo?».[18]

Las próximas reuniones del CELAM en Medellín (1968) y Puebla (1979) registraron el impacto de esa influencia, aunque todavía no se ha estudiado bien todo el alcance del efecto que tuvo sobre el Catolicismo la labor misionera de los católicos que vinieron desde Europa y Norteamérica en ese período.[19] El propio estudio de la cuestión misionera en América Latina ha recibido mucha influencia de misioneros extranjeros

---

18 Gerald M. Costello, *Mission to Latin America,* Orbis Books, Maryknoll, 1979, p. 41.

19 Para el caso de los misioneros católicos estadounidenses, dos trabajos muy importantes son el de Costello que acabamos de mencionar y Mary M. McGlone, CSJ *Sharing Faith Across the Hemisphere,* Orbis Books, Maryknoll, 1997.

ya afincados en tierra latinoamericana como por ejemplo el
estadounidense Juan Gorski, el español Manuel M. Marzal,
SJ, el belga Franz Damen y el suizo Roger Aubry.

Una nueva propuesta pastoral

Dos teólogos que llegaron a hacerse famosos con la teología
de la liberación nos permiten apreciar cómo en esta década se
interpretaba el espíritu del Concilio en el nivel de la incipiente
reflexión teológica latinoamericana. Se trata del peruano Gustavo Gutiérrez y del uruguayo Juan Luis Segundo cuyas obras
más tempranas planteaban críticamente la situación pastoral
que enfrentaba la Iglesia Católica en América Latina. Eran
crisis graves en Perú, país mestizo con minorías indígenas y
desigualdades sociales escandalosas, y Uruguay, el país más
secularizado de América Latina. Las ideas de estos autores
tuvieron influencia en la Conferencia del CELAM en Medellín, en la cual Gutiérrez participó como uno de los diecisiete
peritos que asesoraban a los obispos. Nos referiremos acá a
textos de estos teólogos escritos en la década de 1960, antes
que aparecieran formalmente las teologías de la liberación.
Como generalmente se vincula a éstas con la praxis política
es importante entender que el impulso inicial de la labor
teológica de Gutiérrez y Segundo fue de naturaleza pastoral
y que una de sus preocupaciones era la necesidad de tomar
en serio la tarea de la evangelización. En ese sentido se trata
de personas arraigadas en su iglesia, aunque con una postura
crítica que no siempre coincidiría con la de las jerarquías de
la Iglesia.

Gustavo Gutiérrez: la pastoral profética

Gutiérrez analiza la situación pastoral en América Latina a partir de sus estudios pero también de su práctica como asesor del movimiento estudiantil Unión Nacional de Estudiantes Católicos (UNEC) del Perú y su docencia en la Universidad Católica de Lima. En su libro *Líneas pastorales de la Iglesia en América Latina* incluye trabajos presentados en conferencias en 1964 y 1967, que aparecieron publicadas por primera vez en 1968. Ofrece primero un panorama histórico y describe luego cuatro tipos de pastoral presentes en la Iglesia Católica del continente en ese momento: la pastoral de cristiandad que sería la más extendida y persistente, la pastoral de nueva cristiandad, la pastoral de la madurez en la fe, y la pastoral profética que es la línea por la cual él se inclina. Luego de describir cada una de ellas explora detenidamente la teología que les era subyacente. La exploración teológica se concentra en la eclesiología pero Gutiérrez sostiene que en el Concilio Vaticano II «Nos encontramos, igualmente, ante el paso de un eclesiocentrismo a un cristocentrismo. La experiencia de la cristiandad había llevado a la iglesia a centrarse sobre ella misma, tendiendo a ocupar el lugar de Cristo en la historia. El Concilio ha renovado la fe de la iglesia en el primado de su Señor, en quien todo fue creado y todo subsiste».[20] Se podría decir que el trabajo crítico de Gutiérrez brota de una postura cristológica. Sostiene que la evangelización de América Latina se hizo en plena época de Cristiandad y que España y Portugal no pasaron por la crisis de Cristiandad que otros países europeos tuvieron debido a la Reforma protestante. A ello atribuye el hecho de que «el Cristianismo no cala profundamente en

---

20 Gustavo Gutiérrez, *Líneas pastorales de la Iglesia en América Latina*, CEP, Lima, 1970, p. 87.

América Latina».[21] También sostiene que con el Vaticano II la pastoral de Cristiandad ya ha pasado pero que aún sigue vigente en América Latina. Al caracterizar a esta pastoral sostiene: «En cuanto al acceso a la Fe en esta opción pastoral existe una equivalencia entre la conversión (la conversión del corazón, la mutación interior) y la pertenencia a la Iglesia visible, que se realiza por el bautismo. El bautizado es considerado como creyente aunque en la práctica no lo sea... se descuida la evangelización por la sacramentalización inmediata».[22] Al considerar la práctica sacramental como la forma de medir la fe de las personas, «Se llega a extremos como considerar el sacramento como un seguro de salvación, sin que importe mayormente la conducta posterior de la persona».[23]

Aplicando una metodología que adoptarán luego las teologías de la liberación, Gutiérrez hace uso del análisis social en relación con la situación de la Iglesia en América Latina:

> La Iglesia aparece, además, fuertemente ligada a las formas tradicionales de la sociedad, a determinadas clases sociales, presentando una imagen chocante para muchos hombres... La pastoral de Cristiandad responde a un sector del hombre latinoamericano: la masa proletaria y subproletaria; pero curiosamente responde también al sector de la oligarquía conservadora que aprecia este cristianismo tradicional y lo reconoce como suyo... La Iglesia en esta pastoral recibe el apoyo económico de la oligarquía, para construir templos, colegios, seminarios, etc.[24]

---

21 *Ibid.*, p. 16.

22 *Ibid.*, pp.16-17.

23 *Ibid.*, p. 17.

24 *Ibid.*, pp. 20-21.

Además, en contraste con la pastoral de Cristiandad que partía de la noción que «fuera de la iglesia no hay salvación», la nueva pastoral presupone un nuevo concepto de la salvación. Dada la nueva situación surgida al desaparecer la Cristiandad,

> La teología de la pastoral profética está muy marcada por la preocupación por el estatuto religioso del no cristiano, es decir por su situación frente a Cristo... El punto de vista desde el cual se elabora la noción de salvación en la pastoral de diálogo es fundamentalmente cristológico, retomando textos de San Pablo que nos dicen que en Cristo todo ha sido creado, todo subsiste, todos los hombres han sido salvados.[25]

Gutiérrez señala la necesidad de una teología de la salvación «que saque las consecuencias lógicas de la afirmación de que todos los hombres han sido salvados por Cristo, en principio».[26] Al bosquejar esa teología Gutiérrez hace uso del pensamiento de teólogos católicos como el alemán Karl Rahner y el holandés Edward Schillebeeckx, conocidos por su visión universalista que incluye «la noción del cristiano implícito o anónimo que es aquel que vive la caridad sin saberlo, sin confesar explícitamente la fe».[27] Pero hay una nota más original en el planteamiento de Gutiérrez: «En la pastoral profética se afirmará que la condición de la salvación es el amor; la salvación es fruto del amor; se salva aquel que ama, es decir entra en comunión con Dios el que entra en comunión con los hombres».[28] En el pensamiento de Gutiérrez a esta altura de

---

25 *Ibid.*, pp. 63-64.

26 *Ibid.*, p. 64.

27 *Ibid.*, p. 69.

28 *Ibid.*, pp. 64-65.

su quehacer teológico no hay referencia a la obra mediadora de Jesucristo ni a la naturaleza expiatoria de su muerte.

Juan Luis Segundo: evangelización y socialismo

Los trabajos de Juan Luis Segundo incluyen además de sus observaciones pastorales de primera mano, trabajo con textos bíblicos y exégesis de los textos conciliares del Vaticano II. En 1964 publicó en la revista jesuita *Mensaje* de Chile un artículo titulado «Pastoral latinoamericana: hora de decisión,» en el cual invita a revisar actitudes tradicionales tomando en cuenta el hecho nuevo de ese momento: «El gran hecho del mundo moderno que le plantea una pregunta radical a nuestra pastoral cristiana es la destrucción de los ambientes cerrados».[29] Con ello se refiere a que la Iglesia no puede ya controlar las vidas de las personas como lo hacía en la época de la Cristiandad, en la cual la Iglesia era como una inmensa máquina de hacer cristianos que transmitía de una generación a otra ideas, valores, símbolos y costumbres. «Pues bien, toda esa máquina ha dejado de funcionar –dice Segundo. Ya no existe ninguna máquina de hacer cristianos y es inútil tratar de poner en funcionamiento sus piezas sueltas». Sin más fuerza que su atractivo interno, la Iglesia va a tener que apelar a lo que cada ser humano tiene de más profundo y más personal, buscando la autenticidad:

> Si en América Latina el cristianismo sólo puede sobre-
> vivir al cambio social en la medida en que se vuelva
> en cada hombre una vida personal, heroica, interior-
> mente formada, la pastoral debe asumir una tarea
> *formalmente nueva*. Nueva con respecto a esa época

---

29 El artículo de *Mensaje* está reproducido en Juan Luis Segundo, *De la sociedad a la teología*, Buenos Aires, Carlos Lohlé, Buenos Aires, 1970, p. 32.

constantiniana en que hemos vivido hasta aquí; pero
por otro lado la más antigua y la más tradicional: la tarea
de *evangelizar*... ¿Qué es evangelizar? De acuerdo con
lo que ya hemos dicho, es presentar a cada hombre el
cristianismo de tal modo que por su propio contenido,
por su valor intrínseco produzca en él una adhesión
personal, heroica, interiormente formada.[30]

Para Segundo resulta evidente que la tarea de evangelizar
requiere de los propios evangelizadores un viaje hacia las
fuentes de su fe, una comprensión de la verdad central del
Evangelio. Utilizando una referencia al capítulo 8 del libro
de *Hechos de los Apóstoles* en el cual el diácono Felipe comparte el Evangelio con un funcionario etíope, Segundo llama
la atención a la sencillez de la explicación y al hecho de que
poco tiempo después el funcionario pide ser bautizado y
Felipe lo bautiza. «Y allá va el hombre hecho cristiano, por
el camino del desierto, hacia un país donde no lo esperan
catequistas, ni sacerdotes, ni manuales de teología, ni universidades católicas».[31] Se ha comunicado lo esencial de la
fe a un hombre que venía leyendo el libro del profeta Isaías.
Segundo comenta: «Evangelizar supone, en efecto, esas dos
cosas inseparables y complementarias: que sabemos nosotros
mismos hallar y comunicar lo esencial de la buena nueva,
primero, y, segundo, que sabemos detenernos allí y aceptar
el ritmo de la maduración de la Palabra de Dios».[32]

En 1968, Segundo publicó un artículo sobre justicia social
y revolución en la revista *America,* publicación de los jesui-
tas de Estados Unidos. Es un esfuerzo por comunicar a un

---

30 *Ibid.,* p.37.

31 *Ibid.,* p.38.

32 *Ibid.,* p.39.

público católico norteamericano el por qué de la militancia social intensificada de los católicos latinoamericanos y de su manera de entender la Doctrina Social de la Iglesia. Tanto en los documentos conciliares como en el Documento Final de Medellín hay críticas abiertas al capitalismo que sin duda sorprendían a los católicos de Estados Unidos. Segundo describe la situación dramática de América Latina:

> Paradójicamente, al mismo tiempo que las guerrillas reciben un fuerte golpe en América Latina con la muerte de Ernesto «Che» Guevara, la condenación del sistema capitalista recibe creciente acentuación por parte de la jerarquía latinoamericana. Nuestra impresión es que existe cada vez más en América Latina, una desesperación latente sobre la posibilidad de victoria del último medio aparente de derribar la injusticia hecha orden legal y explotación humana: la violencia de las víctimas.[33]

Luego ofrece un panorama histórico del desarrollo del pensamiento cristiano en relación con la pobreza y la riqueza, para ayudar a entender por qué los documentos papales y conciliares hacen referencia al socialismo como alternativa económica al capitalismo puro y duro. Recuerda Segundo:

> Los Evangelios o, si se quiere, el Nuevo Testamento, no presentan una teoría de la sociedad o especiales procedimientos para modificarla. '¡Ay de los ricos!', dijo Cristo de distintas maneras y en diferentes ocasiones. Y explicó por qué. Pero no es posible deducir de ello un sistema económico o político. Se trata de una orientación humana que rechaza el lucro como

---

33 *Ibid.*, p. 127.

centro de la actividad de un hombre y de sus relaciones interpersonales».[34]

Muestra luego de manera esquemática la evolución del pensamiento cristiano sobre riqueza y pobreza, un panorama histórico que permite entender mejor los documentos católicos sobre cuestiones sociales, y termina con una nota un tanto irónica pero elocuente:

> En otras palabras, si leemos con seriedad y valentía en el contexto del desarrollo latinoamericano estas repetidas orientaciones, nos encontramos otra vez con formas de socialismo que la política internacional, sobre todo estadounidense, interpretará o castigará como comunistas y hostiles a los intereses estadounidenses, convirtiéndolas entonces, práctica y fatalmente, en comunismo soviético. No obstante son, en sí, pensamiento cristiano.[35]

De esta manera, la reflexión teológica católica que conduce a la Conferencia de Medellín expresa por un lado la urgencia de las cuestiones sociales en América Latina, al mismo tiempo que la conciencia autocrítica de que la Iglesia misma necesitaba regresar a cumplir tareas básicas como la evangelización. El pastoralista chileno Segundo Galilea, uno de los estudiosos más prolíficos sobre este tema, rehúsa llamar al continente latinoamericano «tierra de misión», y sin embargo reconoce que hay vastos sectores que necesitan una primera evangelización: «...hay hoy día grupos de latinoamericanos que necesitan ser evangelizados en un sentido aun más estricto. Por de pronto los no creyentes, indígenas amazónicos, gru-

---

34 *Ibid.*, p. 130.
35 *Ibid.*, p. 139.

pos estudiantiles, intelectuales, ideológicos, reivindicativos.
Muchas veces bautizados han dejado la iglesia y la religión.
Algunos son 'post-cristianos'».[36]

El Documento de Conclusiones de Medellín

En 1968, la segunda asamblea del CELAM en Medellín
presentó un contraste evidente con la de Río de Janeiro en
1955. Ya no estaba la Iglesia Católica a la defensiva frente a
protestantes y comunistas, sino que era más bien una iglesia
que atravesaba por una etapa de transformaciones que un
observador desde fuera tenía que reconocer como señal de
vitalidad. Escribiendo con la perspectiva que da el tiempo,
el obispo metodista Mortimer Arias resume con gran acierto
lo que significó Medellín:

> Parecería como si la antigua Iglesia Católica de la
> Contrarreforma repentinamente estuviera tratando
> de alcanzar una Reforma aplazada por 400 años, y
> al mismo tiempo involucrarse en la revolución del
> siglo XX. La nueva era de la Iglesia fue visiblemente
> dramatizada por la presencia del Papa Pablo VI y por
> primera vez en la historia de representantes de iglesias
> no-católicas... América Latina era vista por primera vez
> por los representantes oficiales de la Iglesia Católica
> Romana como 'un mundo todavía no evangelizado, un
> continente nuevo todavía por cristianizar'.[37]

---

36 Segundo Galilea, *Evangelización en América Latina*, CELAM-IPLA, Quito,
   1969; ver también su trabajo *La responsabilidad misionera de América Latina*,
   Ediciones Paulinas, Bogotá, 1981.

37 Esther y Mortimer Arias, *El clamor de mi pueblo*, Friendship Press-CUPSA,
   Nueva York-México, 1981, p. 116.

Sin embargo, para Arias, además de esta nueva conciencia misionera, «el significado esencial y revolucionario de Medellín fue el descubrimiento de los pobres por parte de la iglesia, y con él la recuperación del evangelio bíblico total... Nunca antes en este continente había la iglesia tomado tan seriamente las condiciones humanas y sociales».[38]

El Documento de Conclusiones de Medellín, tal como lo conocemos ahora, había sido preparado por un grupo de peritos y circulado como borrador inicial entre los obispos meses antes de la reunión. Las diferentes conferencias nacionales de obispos hicieron sus comentarios y aportes y su contenido se trabajó en comisiones durante la Asamblea. Tiene, por tanto, el carácter de consenso que refleja las mencionadas tomas de conciencia. La estructura del Documento consta de tres partes: promoción humana, evangelización y crecimiento de la fe, y la iglesia visible y sus estructuras. En su Introducción se reconoce que la Conferencia episcopal «centró su atención en el hombre de este continente, que vive un momento decisivo de su proceso histórico» y la comprensión del ser humano tiene una perspectiva cristológica: «La Iglesia ha buscado comprender este momento histórico del hombre latinoamericano a la luz de la Palabra, que es Cristo, en quien se manifiesta el misterio del hombre». El punto 5 de la introducción dice:

> El hecho de que la transformación a que asiste nuestro continente alcance con su impacto la totalidad del hombre se presenta como un signo y una exigencia. No podemos, en efecto, los cristianos, dejar de presentir la presencia de Dios, que quiere salvar al hombre entero, alma y cuerpo. En el día definitivo de la salvación Dios resucitará también nuestros cuerpos, por cuya

---

38 *Ibid.*

redención gemimos ahora, al tener las primicias del
Espíritu. Dios ha resucitado a Cristo y, por consiguiente,
a todos los que creen en él. Cristo, activamente presente
en nuestra historia, anticipa su gesto escatológico no
sólo en el anhelo impaciente del hombre por su total
redención, sino también en aquellas conquistas que,
como signos pronosticadores, va logrando el hombre a
través de una actividad realizada en el amor.

Otro punto clave de la sección sobre promoción humana es
el de la paz. Ya hemos hecho referencia a la toma de conciencia
de la vida en una sociedad conflictiva y la interpretación de
esa conflictividad, ante la cual la iglesia no podía permanecer
indiferente; era un tema candente. Aquí el enunciado es claro:

La paz es, finalmente, fruto del amor, expresión de una
real fraternidad entre los hombres: fraternidad aportada
por Cristo, Príncipe de la Paz, al reconciliar a todos los
hombres con el Padre. La solidaridad humana no puede
realizarse verdaderamente sino en Cristo quien da la
Paz que el mundo no puede dar. El amor es el alma de
la justicia. El cristiano que trabaja por la justicia social
debe cultivar siempre la paz y el amor en su corazón
(Paz, 9c).

A la luz de este enunciado teológico viene luego la advertencia pastoral: «La paz con Dios es el fundamento último
de la paz interior y de la paz social. Por lo mismo, allí donde
dicha paz social no existe; allí donde se encuentran injustas
desigualdades sociales, políticas, económicas y culturales, hay
un rechazo del don de la paz del Señor; más aún, un rechazo
del Señor mismo» (Paz, 9c).

Probablemente una de las más fecundas ideas en el Documento de Medellín es la que expresa lo que se vino a llamar
«opción preferencial por los pobres». En la sección «pobreza

de la Iglesia» se busca una comprensión bíblica de la pobreza. Hay referencia a la pobreza como carencia de bienes y a la pobreza espiritual como actitud ante Dios. Pero hay además otro tipo de pobreza:

> La pobreza como compromiso, que asume, voluntariamente y por amor, la condición de los necesitados de este mundo para testimoniar el mal que ella representa y la libertad espiritual frente a los bienes, sigue en esto el ejemplo de Cristo que hizo suyas todas las consecuencias de la condición pecadora de los hombres y que «siendo rico se hizo pobre», para salvarnos.

Con referencia a este punto, escribiendo en 1988 con la perspectiva de dos décadas, Gustavo Gutiérrez explica que es una idea clave de las teologías de la liberación:

> Ese es el contexto de un tema central en esta teología y hoy ampliamente aceptado en la iglesia universal: *la opción preferencial por el pobre*. Medellín hablaba ya de 'dar preferencia efectiva a los sectores más pobres y necesitados y a los segregados por cualquier causa' (Pobreza, No.9). El término mismo de preferencia rechaza toda exclusividad y subraya quiénes deben ser los primeros –no los únicos– en nuestra solidaridad.[39]

Para un observador evangélico es importante recordar que en los conflictos sociales de las décadas que siguieron a Medellín el hecho de que algunos sacerdotes, monjas y obispos expresaran abiertamente su opción preferencial por los pobres los puso en la mira de las oligarquías dominantes y de los regímenes totalitarios que se multiplicaron después

---

[39] Gustavo Gutiérrez, «Mirar lejos», Introducción a la nueva edición de *Teología de la Liberación. Perspectivas*, CEP, Lima, 1988, p. 24.

del golpe militar del general Pinochet en Chile que derrocó al presidente elegido Salvador Allende (1973). En el cuadro social latinoamericano el hecho de que un pastor evangélico se pusiera al lado de los pobres no tenía el impacto ni provocaba la conmoción que cuando un obispo católico lo hacía. Se trataba de un cambio radical y notable.

Prioridades en la renovación catequística

Si la renovación bíblica y teológica se expresa en el Documento en las afirmaciones acerca de la justicia, la paz y la pobreza, la reflexión auto-crítica y pastoral que había venido avanzando en esta década, impulsada por misioneros y pastores, se expresa en una agenda para el futuro de la iglesia, en la cual se plantea nuevas formas de catequesis, evangelización y educación cristiana.

> De acuerdo con esta teología de la revelación, la catequesis actual debe asumir totalmente las angustias y esperanzas del hombre de hoy, a fin de ofrecerle las posibilidades de una liberación plena, las riquezas de una salvación integral en Cristo, el Señor. Por ello debe ser fiel a la transmisión del Mensaje bíblico, no solamente en su contenido intelectual, sino también en su realidad vital encarnada en los hechos de la vida del hombre de hoy (Catequesis, 6).

Tras la agenda catequética se puede detectar la influencia de ideas de la educación liberadora que había desarrollado el pedagogo brasileño Paulo Freire, cuyas primeras experiencias de alfabetización y educación popular se habían dado en círculos católicos del Nordeste brasileño.[40] Es una referencia al texto y el contexto:

> Las situaciones históricas y las aspiraciones auténticamente humanas forman parte indispensable del contenido de la catequesis; deben ser interpretadas seriamente, dentro de su contexto actual, a la luz de las experiencias vivenciales del Pueblo de Israel, de Cristo, y de la comunidad eclesial, en la cual el Espíritu de Cristo resucitado vive y opera continuamente.

Destaca también la nota evangelizadora que provenía del reconocimiento de la precariedad de la fe de muchos de los bautizados en la iglesia, por razones históricas pero también por fenómenos como la migración o el ascenso social. Con respecto a este punto se reconocía una gran variedad de situaciones nacionales y regionales y sin embargo se subrayaba el talante evangelizador que era indispensable:

> A pesar de este pluralismo de situaciones, nuestra catequesis tiene un punto común en todos los medios de vida: tiene que ser eminentemente evangelizadora, sin presuponer una realidad de fe, sino después de oportunas constataciones. Por el hecho de que sean bautizados los niños pequeños, confiando en la fe de la familia, ya se hace necesaria una «evangelización de los bautizados», como una etapa en la educación de su fe. Y esta necesidad es más urgente, teniendo en cuenta la desintegración que en muchas zonas ha sufrido la familia, la ignorancia religiosa de los adultos y la escasez de comunidades cristianas de base.

---

40 Sobre Freire ver mi libro *Paulo Freire: Una pedagogía latinoamericana*, Kyrios-CUPSA, México, 1983.

Juan Luis Segundo había hecho una referencia histórica comparativa en relación a la evangelización diciendo que si bien en el cristianismo primitivo la tarea era bautizar a los evangelizados, en la situación actual latinoamericana la tarea era diferente porque se trataba de evangelizar a los bautizados. El Documento dice:

> Dicha evangelización de los bautizados tiene un obje-tivo concreto: llevarlos a un compromiso personal con Cristo y a una entrega consciente en la obediencia de la fe. De ahí la importancia de una revisión de la pastoral de la confirmación, así como de nuevas formas de un catecumenado en la catequesis de adultos, insistien-do en la preparación para los sacramentos. También debemos revisar todo aquello que en nuestra vida o en nuestras instituciones pueda ser obstáculo para la «re-evangelización» de los adultos, purificando así el rostro de la Iglesia ante el mundo.

A la luz de esta agenda se puede entender mejor el esfuer-zo contextualizador de obras como *El Evangelio criollo* al que hacíamos referencia al abrir el presente capítulo. También en Argentina y en el mismo año de 1964 había alcanzado difusión masiva la *Misa Criolla*, una obra musical folklórica para solistas, coro y orquesta, creada por el popular músico argentino Ariel Ramírez. Los textos litúrgicos fueron traduci-dos y adaptados por los sacerdotes Antonio Osvaldo Catena, Alejandro Mayol y Jesús Gabriel Segade. Los ritmos de sus diferentes partes iban desde los tonos menores y el estilo de lamento de las canciones andinas hasta la alegría tropical de las canciones del noroeste argentino. La obra fue lanzada al público como un álbum en 1965, cantado por Los Fronterizos, uno de los conjuntos musicales más famosos de la Argentina, y por la Cantoría de la Basílica del Socorro de Buenos Aires. Pronto siguieron experimentos similares en países como México, Perú, Chile y Nicaragua, adoptando los ritmos y el estilo literario popular de cada país. El Protestantismo popular ya lo había hecho desde la década de 1950 demostrando el valor de una participación del pueblo en la lectura de la palabra, el canto y la oración, en su propio estilo y lenguaje. Ahora el Catolicismo se lanzaba a la misma tarea. Muchos católicos escucharon por primera vez los textos de los Evangelios en las palabras de la misa en castellano, al ritmo de música folklórica, y descubrieron así el núcleo cristológico central de su liturgia. Decía el Documento de Medellín:

> El lenguaje que habla la Iglesia reviste una importancia particular. Se trata de las formas de la enseñanza: simple catecismo, homilía en las comunidades locales, o formas más universales de la palabra del Magisterio. Se impone un trabajo permanente para que se haga perceptible cómo el Mensaje de Salvación contenido en la Escritura, la liturgia, el Magisterio y el testimonio es hoy palabra de vida. No basta pues repetir o explicar el mensaje sino que hay que expresar incesantemente, de nuevas maneras, el «Evangelio» en relación con las formas de existencia del hombre, teniendo en cuenta los ambientes humanos, éticos y culturales y *guardando siempre la fidelidad a la Palabra revelada* (Medellín 8.15).

Lectura protestante del Vaticano II y Medellín

Los dos grandes encuentros protestantes con los que termina esta década registran los cambios que se están dando en el Catolicismo latinoamericano. El cónclave ecuménico CELA III se había reunido bajo el lema «Deudores al mundo», basado en la afirmación del apóstol Pablo en Romanos 1:14. Una de las ponencias principales fue la de José Míguez Bonino. Hay que recordar que Míguez había sido el único ob-

servador evangélico latinoamericano en el Concilio Vaticano
II, y se puede leer su crónica y evaluación del evento en su
libro *Concilio abierto*, texto de la Cátedra Strachan que había
presentado en el Seminario Bíblico Latinoamericano de Costa
Rica.[41] Su ponencia en la CELA III fue sobre la «Deuda evangélica para con la comunidad católica romana». Míguez hace
un resumen de la crisis del Catolicismo Romano en América
Latina debido a los numerosos cambios que se estaban dando,
algunos de los cuales el Papa Pablo VI había llegado a describir como «fermento prácticamente cismático» o «tendencias
centrífugas.» Míguez hace referencia a los cambios positivos
propugnados por diversos sectores, y luego de pasar revista
a la tradicional actitud polémica de los protestantes frente al
catolicismo dice que la crisis católica pone también en crisis
a los protestantes: «Un catolicismo con la Biblia en la mano,
despojado de imágenes, con un clero reducido en número
pero purificado éticamente y consagrado al Evangelio, este
catolicismo nos deja perplejos. Nuestra tradicional polémica
'golpea en el aire'. ¿Qué hacer?»[42]

Míguez plantea que «lo que debemos es el Evangelio.
Ninguna otra cosa tenemos de valor y nada hay que sea com-
parablemente necesario para la comunidad católica romana,
para la nuestra o para cualquier otra». Nuestra deuda podría
resumirse en tres aspectos: le debemos una actitud evangélica
que brota del amor que el Espíritu Santo derrama en el creyente, le debemos el servicio de la reprensión y amonestación del
amor, y le debemos el anuncio del Evangelio a toda criatura.
Termina diciendo:

---

41 José Míguez Bonino, *Concilio abierto*, La Aurora, Buenos Aires, 1967.

42 José Míguez Bonino, «Deuda evangélica para con la comunidad católica
romana», *Pensamiento Cristiano*, Año 17, No. 66, junio 1970, p.125.

Jesucristo es mayor que nuestras tradiciones. El Evangelio es mayor que nuestras doctrinas. El poder del Espíritu trasciende nuestras fronteras eclesiásticas. La misión de Dios en un continente sediento de justicia y sediento de Cristo es mayor que todas nuestras iglesias. Es esa deuda la que debe regir todas nuestras relaciones con la comunidad católicorromana o con cualquier otro grupo o persona.[43]

En el cónclave evangélico CLADE I en Bogotá, una reunión que se concentró en la tarea de evangelizar, fue el teólogo salvadoreño Emilio Antonio Núñez, quien se ocupó del tema «Posición de la iglesia frente al *aggiornamento*». Su presentación se dividió en tres partes: la realidad del *aggiornamento*, los riesgos frente a él y la responsabilidad ante el mismo. Núñez reconoce la renovación litúrgica y el renacimiento bíblico:

> Es innegable que la Iglesia Católica Romana está empeñada en un esfuerzo sin precedentes en pro de la traducción, distribución y uso de la Biblia...De todos los cambios en el catolicismo posconciliar no hay otro más prometedor de mejores cosas en la vida de miles de católicos que el relacionado con la nueva actitud de la Iglesia Romana hacia las Sagradas Escrituras. Debemos confiar en el poder redentor de la revelación escrita.[44]

Señala también las limitaciones de la revolución teológica y que «Los documentos del Concilio reflejan opiniones sustentadas por teólogos progresistas, pero al mismo tiempo dejan incólumes los postulados del catolicismo tradicional». Sostiene

---

43 *Ibid.*, p. 129

44 CLADE I, *Acción en Cristo para un continente en crisis*, Editorial Caribe, Miami, 1970, p. 40.

que hay una ambivalencia en el Concilio y un movimiento pendular bajo la presión de los sectores más conservadores influyentes en el Vaticano, pero no pierde la esperanza: «Sin embargo, es la esperanza de muchos que la semilla plantada en las declaraciones conciliares germine vigorosa y eche raíces capaces de abrir grietas profundas en la estructura monolítica de la Iglesia Romana».[45]

Para Núñez la nueva actitud hacia los cristianos evangélicos es lo que ha tenido mayor resonancia entre los latinoamericanos: «El viraje de la Iglesia Romana hacia el ecumenismo parece hasta increíble a muchos evangélicos que no han tenido tiempo para pensar serenamente en la actitud que deben asumir ante la mano de compañerismo ecuménico extendida por los católicos».[46] La respuesta debe ser doble: edificación del cuerpo de Cristo y evangelización de las masas que todavía no conocen a Cristo. Los documentos conciliares deben ser objeto de estudio entre evangélicos, pero no ve necesidad ni urgencia de embarcarse en diálogo institucional para buscar la unidad de las iglesias: «Hay mucha diferencia entre el diálogo ecuménico, en el que se entra con la mira de promover la unidad de todas las iglesias, y el diálogo evangelístico, en el que participamos con el fin de presentar a Cristo como la única respuesta para el problema espiritual del hombre contemporáneo».[47]

---

45 *Ibid.*

46 *Ibid.*, p. 41.

47 *Ibid.*, p. 43.

9

JESUCRISTO Y LOS REVOLUCIONARIOS

El lenguaje teológico tradicional aparecía demasiado recostado sobre los trasmundos de eternidad. En un lenguaje que retaceaba o negaba la relación con el mundo, la historia, la vida... Esa teología vernácula que están haciendo católicos y protestantes trata de entroncar las mismas fuentes de la fe bíblica con las categorías sociales y políticas que juegan en el contexto latinoamericano (concientización, imperialismo, monopolios, clases sociales, desarrollismo). Esa teología «haciéndose» ve la Iglesia como la «memoria institucionalizada de la peligrosa libertad de Cristo», como «fenómeno crítico de la sociedad» (Mauricio López, 1971).[1]

El 15 de febrero de 1966 muere el sacerdote colombiano Camilo Torres en un enfrentamiento entre el ejército colombiano y un grupo de guerrilleros vinculados al Frente Unido, de Torres, y al Ejército de Liberación Nacional. Torres era sociólogo y sacerdote y había estudiado teología en la Universidad de Lovaina en Bélgica, junto a Gustavo Gutiérrez. Al regresar a Colombia su activismo social a favor de los pobres le creó dificultades con las autoridades religiosas y en junio de 1965 pidió su reducción al estado laical. Su postura política se fue radicalizando hasta llegar al punto de proponer la lucha

---

1 Mauricio López, «La liberación de América Latina y el cristianismo evangélico», *De la iglesia y la sociedad*, Tierra Nueva, Montevideo, 1971, p. 87.

armada como el único modo de conseguir un cambio social.[2] Por otra parte, el 9 de octubre de 1967 muere fusilado de manera sumaria en La Higuera, un pueblo remoto de Bolivia, el médico argentino Ernesto Guevara de la Serna, conocido como «el Che». Había participado en las guerrillas de Fidel Castro que llegaron al poder en Cuba en 1959. Llegó a ser Ministro de Economía y representante de ese país en diversos foros internacionales. Pero a partir de 1965 se dedicó a la actividad guerrillera primero en el Congo y luego en Bolivia, donde fracasó su proyecto de encender un foco revolucionario que se extendiese a toda América Latina.

Jesús, Camilo y el Ché

La década de 1970 se abre con el creciente impacto de estas dos figuras sobre un sector de la población latinoamericana. En varios países se creó una iconografía con imágenes de estos personajes parecidas a algunas de las imágenes tradicionales de Jesucristo. Inclusive los puestos de revistas y periódicos del continente vendían en 1968 una imagen del Che yacente, en medio de nubes y con una cruz brillante al fondo. En autobuses argentinos pudimos ver calcomanías con esa imagen del yacente y un texto que decía: «Mi vida di por ti». Este intento de que los héroes de la revolución de izquierda se pareciesen a Jesús dice mucho acerca del respeto y admiración que todavía el latinoamericano promedio sentía por Jesús, y que yo mismo había tenido ocasión de comprobar en diálogo con universitarios del continente durante más de quince años. No se podría afirmar si era una táctica propagandística revolucionaria, cultivada exprofeso, o si se trataba de un fenómeno espontá-

---

2 Hernán Parada, *Crónica de Medellín*, Indoamerican Press Service, Bogotá, 1975, pp.124-131.

neo pero expresivo de un estado de ánimo impaciente frente al statu quo social y político opresivo e injusto. En el primer capítulo de su introducción a la teología de la liberación, José Míguez Bonino hace referencia a casos en que había observado este fenómeno, a lo que llama la «cristologización» de la figura del Che. Dice Míguez:

> No ha de sorprendernos, por cierto, el que la figura de Cristo asuma el rostro de una persona –real o imaginaria– que en un momento histórico parezca resumir mejor lo que la religión cristiana o la humanidad más plena representan... Lo que es nuevo y un tanto escandaloso, es que un grupo de cristianos eligiera para este rol a un guerrillero y más aún a alguien que –con toda conciencia y lucidez– no se consideraba a sí mismo cristiano sino un revolucionario marxista.[3]

Por supuesto, no era sólo cuestión de iconografía. Había un esfuerzo en ciertos círculos por mostrar que si Jesús hubiese venido a América Latina se habría hecho un guerrillero como el Che y como Camilo Torres. Más aún, que ésa era la única forma auténtica de ser cristiano. Nótese la asimilación de categorías teológicas y políticas encerradas en estas palabras de Fidel Castro como parte de un discurso en octubre de 1967:

> Che se ha convertido en un modelo de hombre no sólo para nuestro pueblo sino para cualquier pueblo de América Latina.... sangre suya fue vertida en esta tierra cuando lo hirieron en diversos combates... sangre suya por la redención de los explotados y los oprimidos... por eso elevemos nuestro pensamiento y con optimismo en el futuro, con optimismo absoluto en la victoria

---

3   José Míguez Bonino, *La fe en busca de eficacia*, Sígueme, Salamanca. 1977, pp. 23-24.

definitiva de los pueblos, digamos al Che, y con él a los héroes que combatieron y cayeron junto con él: ...¡Hasta la victoria siempre! ¡Patria o muerte! ¡Venceremos![4]

La revista peronista y católica *Cristianismo y Revolución* difundió en 1971 el documento de una reunión realizada en Cuba como homenaje a Camilo Torres. El documento tiene párrafos muy expresivos. Su núcleo básico es una frase del finado sacerdote colombiano: «La revolución es un imperativo cristiano». Entre otras cosas el documento afirma:

> Queremos subir los montes de Nuestra América a la manera genuinamente cristiana de Camilo y jamás unirnos a los que bendijeron a sus asesinos. Creemos que debemos proclamar nuestra admiración por aquellos que «poniendo su vida por sus hermanos dan prueba de que no hay nadie que tenga mayor amor que éste». Camilo Torres y Ernesto Che Guevara son en nuestra opinión los ejemplos máximos hoy en América Latina de una actitud legítimamente cristiana y de una realización verdadera del nuevo hombre en Nuestra América.[5]

Esta identificación de guerrilla y revolución de Jesús hay que entenderla con precisión. Nótese que no cualquier revolución era la de Jesús. No cualquier cambio era el deseable. Se trata específicamente de una revolución que surge del marxismo. Revoluciones como las que desde otros ángulos totalmente distintos, por razones políticas, se hacían en el momento, no servían. Se trata de la revolución marxista. El documento citado lo expresa bien:

---

4 «Fidel habla del Che», texto del discurso en La Habana, octubre de 1967, incluido en Cuaderno 2 de *Cristianismo y Revolución*, Buenos Aires, 1968, p. 35.

5 *Cristianismo y Revolución*, Buenos Aires, abril de 1971, p. 29.

Condenamos todo intento de contraponer drástica y dogmáticamente lo revolucionario y lo cristiano, el Marxismo y el Evangelio, el Comunismo y la Iglesia. Creemos que en el mundo revolucionario de hoy todo lo que para el verdadero revolucionario es anti-revolucionario, es anti-evangélico para el verdadero cristiano.[6]

No se podía pedir definición más clara en este sentido. La labor teológica y en especial la comprensión de la Cristología iba a estar rodeada de la candente polémica que se desataba ante declaraciones como éstas, al iniciarse la década de 1970. Fue en un ambiente así que se desarrolló la reflexión teológica evangélica y en particular la que se dio en el ámbito de la Fraternidad Teológica Latinoamericana (FTL), que iba a tener protagonismo en el quehacer teológico protestante de América Latina.

Revelación y revolución

Ante la cultura de la revolución que caracterizó a ese momento el biblista René Padilla propuso que los cristianos no podían permanecer indiferentes ya que en el mensaje bíblico hay un fermento revolucionario y que Jesucristo presentó su propia misión con dimensiones sociales transformadoras. Al mismo tiempo advirtió que se corría el peligro de que la revolución en sí misma se convirtiese en una fuente de verdad teológica. Lo acabamos de ilustrar con la referencia a la cristologización de las figuras revolucionarias que adquirían una dimensión mítica. A comienzos de 1970 Padilla publicó en la revista estudiantil *Certeza* un artículo que delimitaba la comprensión del fenómeno revolucionario a la luz de catego-

---

6 *Ibid.*

rías bíblicas. Encara su tema haciendo referencia en primer
lugar al fermento revolucionario en la Biblia. Luego de citar
las palabras de Amós 5.7-13, condenando vigorosamente a
los explotadores de los pobres, Padilla resume:

> La misma valiente denuncia del abuso de los pudientes
> encuentra cabida en el mensaje de otros profetas de
> Israel: Isaías, Miqueas, Jeremías, Ezequiel. Una de las
> mayores glorias del pueblo judío es que en él surgieron
> los primeros campeones de la justicia social. Esta nota
> profética irrumpe también en el mundo del primer
> siglo por medio de la predicación de Juan el Bautista.[7]

Pasa luego a considerar la indudable agitación social que
hay en la obra y el mensaje de Jesucristo, citando el célebre
«manifiesto» de Nazaret en Lucas 4.18ss y destacando notas
significativas del estilo misionero de Jesús:

> Todo su ministerio está marcado por una identificación
> constante con las clases desvalidas, identificación que
> le gana el título de «Amigo de pecadores y cobradores de
> impuestos». Las muchedumbres lo conmueven porque
> son «como ovejas que no tienen pastor». Selecciona a
> sus discípulos de entre el populacho, el *am-ha-arets*
> despreciado por su desconocimiento de la ley. Enseña
> que nadie puede servir a Dios y a las riquezas... En su
> acción y su palabra hay un fermento revolucionario
> que, al menos aparentemente, corrobora la acusación
> que los líderes judíos hacen contra él ante las autori-
> dades romanas: la de subvertir el orden.[8]

---

7 René Padilla, «Mensaje bíblico y revolución», *Certeza,* Buenos Aires, Año
   10, No. 39, enero-marzo 1970, pp. 197.

8 *Ibid.*, pp. 197-198.

Sin embargo, Padilla considera importante aclarar como biblista que la tesis de que Jesús haya sido un zelote es insostenible a partir de los datos bíblicos, pero que «hay que reconocer que en ella hay un grano de verdad, a saber, que Jesús comparte con los zelotes su insatisfacción con el poder establecido y su esperanza en el advenimiento del reinado de Dios».[9]

Dedica una sección de su trabajo a examinar a fondo el tema de la revolución y la naturaleza humana, mostrando el hecho, corroborado históricamente, de que si una revolución se limita a cambiar las estructuras sociales sin cambiar a las personas en el nivel más profundo de su relación con Dios, el nuevo orden que surja mostrará pronto los mismos defectos que se proponía cambiar drásticamente. En la tercera parte de su trabajo considera críticamente lo que llama «el evangelio de la revolución». Cuestiona las tesis sustentadas por algunos teólogos contemporáneos como Harvey Cox, Richard Shaull y Paul Lehman para quienes «las revoluciones son nada menos que el medio a través del cual Dios está llevando a cabo su propósito en la historia». Aunque Padilla no menciona específicamente a ISAL, hay que recordar que los teólogos mencionados eran muy influyentes en ese movimiento. Señala eso sí específicamente a la Conferencia de Iglesia y Sociedad celebrada en Ginebra en 1966, que se constituyó en plataforma de la teología que ha descrito. En resumen, para Padilla en cuanto a la teología de la revolución:

> Todos sus errores desprenden del hecho de que toma como punto de partida la situación revolucionaria e interpreta las Escrituras en base a presupuestos derivados de ideologías izquierdistas. En vez de mostrar

---

9 *Ibid.*, p. 198

la pertinencia de la Revelación a la Revolución, hace de la Revolución su fuente de Revelación. El resultado es un Evangelio secularizado cuyas notas dominantes coinciden con notas de tono marxista.[10]

Una importante nota de su trabajo hace referencia a la temática escatológica que es pieza fundamental de la Cristología de Padilla y que se convertirá más adelante en una parte de la agenda teológica que proseguirán él y la FTL:

> Cada revolución plantea a la fe cristiana la interrogante de la relación entre el Reino de Dios y los reinos de los hombres, entre la escatología y la historia. En el último análisis, cada revolución es un intento humano de crear *hic et nunc* la sociedad perfecta que Dios ha prometido crear al final de la era presente.[11]

La búsqueda de una teología evangélica y contextual

Decíamos al final del capítulo 7 que la década de 1960 culminó con dos eventos protestantes de alcance continental: la Tercera Conferencia Evangélica Latinoamericana (CELA III) y el Primer Congreso Latinoamericano de Evangelización (CLADE I). La primera fue organizada por el sector ecuménico del Protestantismo, en continuidad con las anteriores conferencias evangélicas latinoamericanas: CELA I de Buenos Aires (1949) y CELA II de Lima (1961). El segundo representaba el surgimiento de un esfuerzo cooperativo de nuevas denominaciones evangélicas conservadoras en teología, junto a iglesias antiguas

---

10 *Ibid.*, p. 200.

11 *Ibid.*

que se habían mantenido fuera del movimiento ecuménico.[12] Por iniciativa de la Misión Latinoamericana de Costa Rica se habían estado realizando encuentros para la cooperación continental en literatura (LEAL), medios de comunicación (DIA) y evangelismo (CLASE). El CLADE I se propuso alcanzar al espectro más amplio posible del Protestantismo latinoamericano. Lo consiguió porque entre los más de 900 participantes en Bogotá, junto a los que representaban denominaciones no vinculadas al movimiento ecuménico, participaron miembros de iglesias ecuménicas interesados en la evangelización, y profesores de seminarios ecuménicos.

La respuesta entusiasta de los participantes en el CLADE I a la ponencia sobre la responsabilidad social de la iglesia, que tenía una clara estructura cristológica, demostró que el conservadorismo teológico de una generación empezaba a abrirse, frente a la necesidad de responder a las convulsiones sociales que agitaban América Latina. El lema del congreso había sido «Acción en Cristo para un continente en crisis», y la Declaración final, producida durante el Congreso, decía en su parte introductoria:

> Esta Declaración quiere también reflejar la toma de conciencia que en estos días el Señor Jesucristo ha querido darnos, haciéndonos sentir lo agudo de la crisis múltiple por la que atraviesan nuestros pueblos y el carácter imperativo de su mandato a evangelizar. Juntos hemos reconocido la necesidad de vivir plenamente el Evangelio, proclamándolo en su totalidad al

---

12 Sobre el contexto y el desarrollo de estos eventos ver Dafne Sabanes Plou, *Caminos de unidad*, CLAI, Quito, 1994, cap. 3. Ver también los caps. III, IV y V de *CLAI, Oaxtepec 1978: unidad y misión en América Latina*, CLAI (en formación), San José, 1980.

hombre latinoamericano en el contexto de sus múltiples necesidades.[13]

Una toma de conciencia que cristalizó en acción y movimiento se dio en el quehacer teológico. De ella surgió la Fraternidad Teológica Latinoamericana (FTL). Aunque su intención principal era teológica, el surgimiento de la FTL sacó a luz realidades como la dependencia misional, las polarizaciones provocadas desde fuera, la crisis de identidad de las nuevas generaciones evangélicas, y la ausencia de una reflexión contextualizada.[14]

Durante el transcurso del Congreso, un grupo diverso de pastores, evangelistas, misioneros y profesores de seminarios, se reunieron para proyectar una «fraternidad» dedicada al estudio y la reflexión. La inquietud por crear una plataforma común para el desarrollo de una labor teológica había empezado a germinar. Quienes la concebimos no nos sentíamos representados por la teología elaborada en Norteamérica e impuesta a través de seminarios e institutos bíblicos de los evangélicos conservadores, cuyos programas y literatura eran traducción servil y repetitiva, forjada en una situación totalmente ajena a la nuestra. Tampoco nos sentíamos representados por la teología de los protestantes ecuménicos, que percibíamos como elitista, generalmente calcada de moldes

---

13 El texto de la «Declaración de Bogotá» en *Acción en Cristo para un continente en crisis*, Editorial Caribe, San José-Miami, 1970, p. 134.

14 Respecto a la historia de la FTL ver el *Boletín Teológico* No. 59-60, Julio-diciembre, 1995, No. especial, celebratorio de los primeros 25 años. Hay referencias históricas en Dafne Sabanes Plou, *Caminos de unidad*, CLAI, Quito, 1994, cap. 3. Lamentablemente el historiador suizo Jean Pierre Bastian ofrece una referencia plagada de inexactitudes debido al esquema ideológico interpretativo que usa en esta parte de su *Historia del Protestantismo en América Latina*, Casa Unida de Publicaciones, México, 1990.

europeos, y un tanto desvinculada del espíritu evangelizador y las convicciones fundamentales de las iglesias evangélicas mayoritarias del continente.[15] Fueron el genio organizador y el espíritu de trabajo infatigable del misionero Pedro Savage los que consiguieron que el sueño de Bogotá llegara a ser realidad.[16]

Un año después, en diciembre de 1970, se celebró la asamblea fundacional de la FTL en Cochabamba, Bolivia. El comité que había trabajado en la organización propuso que en esa asamblea se sentaran las bases de la labor teológica evangélica que se iba a desarrollar. Las ponencias centrales que sirvieron para el diálogo en esta primera consulta se encargaron a cuatro pensadores, todos ellos con formación teológica y universitaria. Pedro Arana, presbiteriano peruano, se ocupó de «La revelación de Dios y la teología en América Latina»; Ismael E. Amaya, nazareno argentino, de «La inspiración de la Biblia en la teología latinoamericana»; René Padilla, bautista ecuatoriano, de «La autoridad de la Biblia en la teología latinoamericana», y Andrés Kirk, anglicano británico, de «La Biblia y su hermenéutica en relación con la teología protestante en América Latina». Cada participante recibió el texto impreso de las ponencias, en algunos casos semanas antes de la consulta, y se dedicó un día completo a la discusión de cada una de ellas. El texto publicado de las ponencias incor-

---

15 En el caso de René Padilla y de quien esto escribe, estas convicciones se habían acentuado con nuestra experiencia de participación como observadores en la Tercera Conferencia Evangélica Latinoamericana (CELA III) realizada en Buenos Aires en julio de 1969.

16 Pedro Savage, nacido en el Perú, de padres misioneros, reunía la condición única y favorable de ser bicultural y bilingüe, y tenía una energía inagotable. Consiguió convencer a su misión que lo dejase dedicarse por entero a esta tarea.

pora en muchos casos aclaraciones y adiciones fruto de este trabajo comunitario.[17]

Teología sujeta a la autoridad de la Biblia

En su ponencia sobre la autoridad de la Biblia Padilla argumenta con una clave cristológica en la cual se destaca la importancia de comprender el hecho de Cristo dentro del marco de toda la Biblia como testimonio de la historia de la salvación:

> La sustancia de la revelación especial es la acción redentora de Dios en el seno de la historia –la historia de la salvación. Este es el énfasis a lo largo de toda la Biblia: Dios no es un ser remoto que envía una carta desde la distancia, sino un Dios que se inserta en la historia humana, un Dios que realiza proezas, y por medio de ellas progresivamente ejecuta su propósito de redención. O sea que la redención de Dios no es gnóstica sino histórica: no se lleva a cabo mediante fórmulas doctrinales sino mediante acontecimientos históricos.[18]

Partiendo de esta afirmación Padilla critica a la teología fundamentalista que ha manifestado una tendencia a aislar

---

17 Pedro Savage, ed. *El debate contemporáneo sobre la Biblia*, Ediciones Evangélicas Europeas, Barcelona, 1972. Esta metodología de circular trabajo escrito por anticipado y pedir respuestas a quienes iban a participar en un evento, permitía una reflexión detenida, anterior al evento, de manera que éste venía a ser parte de un proceso fructífero. En 1973, Samuel Escobar propuso esta metodología a la Comisión de Programa del Congreso de Lausana (1974), y la propuesta fue adoptada sobre la base de la experiencia de la FTL.

18 C. René Padilla, «La autoridad de la Biblia en la teología latinoamericana», Pedro Savage, ed., *El debate contemporáneo...*, p. 126.

a la Biblia de la historia de la salvación, convirtiéndola en una fuente autónoma de revelación que ocupa el lugar que le corresponde a Dios. Por otra parte y respondiendo a posturas teológicas que separarían al Jesús histórico de la Escritura de la interpretación apostólica que se da en la propia revelación bíblica, Padilla trata de establecer con toda claridad:

> los actos de Dios en la historia de la salvación no son acontecimientos a secas: son acontecimientos interpretados e inseparables de su interpretación... La palabra de interpretación es tan parte de la historia de la salvación como los acontecimientos mismos. Evento e interpretación forman un todo inextricable. Normalmente, la acción precede a la palabra, pero es la palabra la que descubre el sentido de la acción y la complementa.[19]

Aplicado este principio a la tarea cristológica, ello significa que hay que reconocer que «en el Nuevo Testamento, el hecho de Cristo es inseparable de la doctrina apostólica. A los apóstoles les corresponde un lugar único dentro de la historia de la salvación como mediadores de la revelación final de Dios dada en Jesucristo».[20] Una consecuencia de este hecho es que si se reconoce la autoridad de la Biblia, para la construcción de una cristología hay que tomar en serio el testimonio apostólico acerca del hecho de Cristo y también la interpretación apostólica de ese hecho:

> El único Jesús histórico es el Jesús del Nuevo Testamento, y si se acepta la validez de la función apostólica para la trasmisión del hecho histórico, hay que aceptar

---

19 *Ibid.*, pp. 130-131.

20 *Ibid.*, p. 132

también la que concierne a la interpretación doctrinal. Las alternativas son: un cristianismo apostólico, con un Cristo interpretado por los apóstoles y autor de la redención, o un cristianismo místico, con un Cristo imaginario y como tal incapaz de redimir.[21]

Otro punto clave para el quehacer teológico que Padilla destaca es que el mensaje apostólico va dirigido a hacer posible el encuentro del ser humano con Dios por medio de Jesucristo: «el propósito de la 'información' bíblica autorizada es el 'encuentro', la experiencia personal del juicio y la gracia de Dios».[22] En consecuencia:

> El encuentro con Jesucristo se da en la doctrina de los apóstoles. No es un encuentro con un Cristo imaginario, sino con el Cristo mediado por la tradición apostólica; no es un encuentro inefable, sino un encuentro factible de expresarse en una confesión de fe. Si se niega esto, se remueve toda posibilidad de hacer teología, ya que la teología presupone el 'estar en la verdad' y el 'conocer la verdad', el encuentro *y* la doctrina, lo existencial *y* lo conceptual. [23]

Estas convicciones habían de guiar el trabajo cristológico de Padilla y de otros miembros de la FTL en las décadas siguientes.

21 *Ibid.* p. 134

22 *Ibid.* p. 137

23 *Ibid.*

El contexto de la reflexión

La referencia al contexto de la reflexión en Cochabamba estuvo a cargo de Samuel Escobar, cuyas ponencias plantearon dos direcciones en las que debiera marchar la tarea teológica evangélica. Por un lado al procesar la herencia teológica recibida de los misioneros había que distinguir entre contenido bíblico y ropaje anglosajón, lo cual requería una agenda autocrítica en el Protestantismo latinoamericano. Por otro lado había que ofrecer una respuesta al hecho de la revolución que afectaba la vida de los latinoamericanos y de las iglesias.

Respecto a lo primero era necesario entender mejor la realidad iberoamericana y la cultura de nuestros pueblos, y a la luz de ello revisar en la herencia teológica recibida lo que era propio del mundo anglosajón. Revisar, por ejemplo, la polémica anti-hispana, la polémica fundamentalismo-modernismo, la inclinación monasticista de la herencia del pietismo misionero: «La reflexión tiene que ser nuestra, nacida de nuestra situación, surgida ante la urgencia de los problemas que la iglesia confronta aquí. Como hombres de aquí es que reflexionamos y hacemos teología, redescubrimos los énfasis que hoy hacen falta, criticamos las herejías en que hemos venido incurriendo nosotros mismos».[24] En la práctica ello implicaría, entre otras cosas: revalorar lo hispánico, redescubrir y revalorar la Reforma, crear una atmósfera de madurez y libertad, luchar contra los bloques y la rotulación que condenaba a los hermanos sin conocerlos ni escucharlos, dar una dimensión pastoral a la labor teológica: «precisamente el teólogo bajo el impacto de la

---

24 Samuel Escobar, «El contenido bíblico y el ropaje anglosajón en la teología latinoamericana», *El debate...* p. 23.

Palabra de Dios puede hacer que la iglesia llegue a distinguir entre el simple tráfico eclesiástico y la Misión de la iglesia».[25]

Respecto a la Biblia y la revolución social, la ponencia de Escobar trató de precisar el uso del término *revolución* y a continuación examinó el impacto transformador del mensaje bíblico en la historia occidental y en la experiencia del Protestantismo latinoamericano. Exponía luego el fermento transformador del mensaje bíblico, el carácter social de la antropología bíblica y el ejemplo de Cristo como base de la ética cristiana. Finalmente proponía tres temas teológicos que demandaban atención urgente: la antropología marxista y la antropología bíblica, la escatología cristiana y la esperanza marxista, y la crítica de la religión y la ideología.[26]

La doble agenda de la teología evangélica

En las ponencias de Arana sobre revelación y de Kirk sobre hermenéutica la reflexión se encamina hacia un propósito doble: articular de manera constructiva una posición evangélica y contextual sobre el tema y de manera crítica valorar las alternativas teológicas que habían ido surgiendo en la década anterior. Esta manera de afrontar la labor teológica iba a caracterizar también mucho del trabajo futuro de miembros de la FTL. En el curso de la exposición sobre su tema central, al referirse al contexto del momento, tanto Kirk como Arana criticaron por un lado el subjetivismo fundamentalista en la manera de concebir la revelación y de interpretar la Biblia.

---

25 *Ibid.*, p. 35.

26 La ponencia de Escobar no se publicó en el libro que resultó de la asamblea fundante de la FTL. Un resumen apareció en la revista *Certeza* (Año 11, No. 43), y el texto completo se publicó por primera vez en *Evangelio y realidad social*, Casa Bautista de Publicaciones, El Paso, 1988, pp. 43-76.

Por otra parte evaluaron críticamente la teología de ISAL, a la cual hicimos referencia en el capítulo 7. Ambos reconocen la novedad y originalidad de ISAL como esfuerzo por crear una teología latinoamericana, y estudian cuidadosamente la evolución del movimiento descrita por su propio Secretario General. Kirk dedica veinte páginas de su ponencia a resumir el procedimiento hermenéutico que siguen teólogos de ISAL como Julio de Santa Ana y Rubem Alves y que, según ellos mismos, había ido cambiando, ya que habían abandonado la idea de una teología revelacional. Dice Kirk: «El problema para ISAL, al desprenderse del concepto de revelación como comunicación verbal es: ¿cómo evitar que se quede en una simple historia muda?»[27] Aquí Kirk coincide con lo que decía Padilla respecto al testimonio bíblico sobre Jesucristo, que «si se acepta la validez de la función apostólica para la trasmisión del hecho histórico, hay que aceptar también la que concierne a la interpretación doctrinal».

Por su parte Arana pasa también revista a la evolución del pensamiento de ISAL y ofrece su propio resumen de lo más reciente del proceso de esta manera:

> Una síntesis básica de los hallazgos que han logrado puede ser presentada así: Dios se revela en la historia en la humanización del hombre. La humanización viene a ser el proceso de liberar al hombre de las estructuras que le oprimen y explotan. El medio para conseguir esta liberación es la revolución. Esta lucha revolucionaria tiene que ver con la transformación de la actual sociedad injusta en una sociedad justa. Luego, Dios se nos revela en los movimientos y en las personas que

---

27 Andrés Kirk, «La Biblia y su hermenéutica en relación con la teología protestante en América Latina», en *El debate contemporáneo...* p. 186.

luchan por la humanización del hombre. Dios se revela
así en la revolución y en los revolucionarios.[28]

La conclusión crítica a la que llega Arana puede haber
parecido exagerada en su momento, pero estaba basada en
el examen cuidadoso de la evidencia textual: »En la ideología de ISAL, Dios se traduce como revolución. El pueblo
de Dios como huestes revolucionarias. El propósito de Dios
como humanización. Y la Palabra de Dios como los escritos
revolucionarios. A nadie escapa que todo esto es humanismo
marxista».[29]

Teología de la evangelización

Otro foco de reflexión teológica en el mundo evangélico
pasó a ser el Seminario Bíblico Latinoamericano (SBL) de
Costa Rica, cuyo personal docente había venido trabajando en
las cuestiones que la evangelización planteaba a la teología.
En el segundo trimestre del año lectivo de 1970 se realiza un
seminario sobre teología de la evangelización, auspiciado por
la Secretaría de Estudios Teológicos de EVAF y el Departamento de Ministerio Cristiano, en el cual participan maestros y
alumnos. El teólogo Orlando Costas editó el volumen de 300
páginas resultante de esta actividad, que considerado en el
marco de ese momento resulta un trabajo notable por la variedad y calidad de la reflexión teológica de la cual da cuenta.[30] La
primera parte del libro, que explora los fundamentos bíblicos,

---

28 Pedro Arana Quiroz, «La revelación de Dios y la teología en Latinoamérica»,
   en *El debate contemporáneo...* p. 77.

29 *Ibid.*, p. 78.

30 Orlando Costas, compilador, *Hacia una teología de la evangelización*, La
   Aurora, Buenos Aires, 1973.

se titula «La evangelización en la historia de la salvación», y los distintos autores consideran el llamamiento de Israel, el mensaje de los profetas, el ministerio de Jesús, los motivos paulinos y la escatología. Luego viene «La evangelización en su perspectiva teológica», que explora a Dios como punto de partida de la revelación, gracia y creación, la centralidad de Jesucristo en la evangelización y la iglesia como agente evangelizador. En tercer lugar se considera «La evangelización en el devenir histórico» y finalmente «La evangelización en el mundo contemporáneo», donde se exploran los temas de secularización y revolución, y la búsqueda de pertinencia como contexto de la tarea evangelizadora.

Costas centra su reflexión en la Cristología al ocuparse en un capítulo sobre los aspectos sobresalientes del ministerio de Jesús y sus implicaciones para la evangelización, y en otro sobre la centralidad de Jesucristo en la evangelización. Ubica la predicación de Jesús en el marco de la historia de la salvación y la escatología bíblica y muestra el carácter distintivo del llamamiento de Jesús a sus discípulos:

> El llamamiento de Jesús al discipulado no era una invitación a formar parte de una escuela rabínica tradicional con sus discusiones en torno a la Torá. Era más bien un llamamiento que emanaba de la proclamación del evangelio del Reino. Era una invitación «a aceptar el reinado soberano de Dios, a entrar en una relación nueva e íntima con Dios, a ser...recipiente de su poder salvífico» y a seguirlo con obediencia. Era sobre todo un llamamiento a la participación en la vida y muerte de Jesús.[31]

---

31 *Ibid.*, p. 39

Costas enfatiza también la importancia de la cruz y la resurrección que considera el aspecto más pertinente del ministerio de Jesús para la evangelización. Comentando el texto bíblico de Lucas 24.44-48, afirma:

> Nótese que para Jesús la cruz y la resurrección eran una necesidad. No por el mero hecho de que estaba escrito, ni porque él no tuviera otra alternativa, sino por el pecado de todas las naciones, o sea de toda la humanidad. Es decir, la reconciliación de las naciones, la restauración de la unidad de la humanidad y de la comunión quebrantada, dependía de la solución del problema del pecado. Es así como por medio de los padecimientos del Siervo del Señor se hizo posible la realidad del perdón, por cuanto Jesús llevó sobre sí mismo el antagonismo y el enojo de los hombres.[32]

Para Costas esta es la principal motivación que ha de dinamizar y fundamentar la actividad evangelizadora de la iglesia y no el amor a los perdidos o la necesidad de que la iglesia vea crecer el número de sus adeptos: «sino en la muerte y la resurrección de Cristo. Si no se fundamenta en la realidad de ese hecho, entonces no tiene base ni sentido; es todo menos misión cristiana».[33]

El profesor venezolano José M. Abreu se ocupa de la misión cristiana en el pensamiento juanino. Luego de ubicar la enseñanza de Juan como respuesta al contexto cultural y religioso en que se movía la comunidad receptora de su evangelio, Abreu afirma la importancia de la encarnación que «no es sólo un tema más del Evangelio, y tampoco es sólo el tema central, es la perspectiva total dentro de la cual se dan

---

32 *Ibid.,* p. 42.

33 *Ibid.*

todas las reflexiones teológicas de Juan».[34] Examina también
la centralidad del tema de la misión en Juan:

> En ningún otro Evangelio se afirma más categóricamen-
> te la condición misionera de Jesús. Jesús el Encarnado,
> que es el mismo Cristo glorificado, se denomina a sí
> mismo «el enviado». La razón de todo su obrar, de su
> enseñar, de todo su ministerio como el Hijo de Dios
> Encarnado, es la misión que el Padre le ha dado. El
> Padre y el Hijo son uno en la misión y esta afirmación
> teológica involucra a Dios como el primero que envía
> en sentido soteriológico. Los hombres se dividen en-
> tre los que reciben al enviado y los que no lo reciben.
> Rechazar al enviado es rechazar al Padre que lo envía,
> pues del Padre son sus palabras, sus enseñanzas (Jn
> 7.16; 12.49; 14.24).

Para Abreu la consecuencia de la centralidad de la encarnación para comprender la misión de Jesús y la naturaleza misma
de esa misión implican que la iglesia hoy, para cumplir su
misión y evangelizar, tiene que estar encarnada en la realidad
latinoamericana: «La Iglesia tiene que ser una realidad que se
realiza en el mundo y para el mundo. El Logos, el principio
comunicador de Dios con el mundo al encarnarse establece la
norma de la obra misionera. Sin encarnación no hay verdadera
comunicación y sin comunicación no hay auténtica misión.»[35]

La riqueza de las notas bibliográficas en los diferentes
autores de este volumen, lo mismo que en los trabajos de
los fundadores de la naciente FTL, muestra que en la década
anterior editoriales protestantes y católicas habían publicado
abundante bibliografía básica sobre material bíblico que re-

---

34 *Ibid.*, p. 58.
35 *Ibid.*, p. 64.

sulta indispensable para la tarea teológica. Junto con clásicos de tema cristológico publicados por la Editorial La Aurora de Buenos Aires, como *Dios estaba en Cristo* de Donald M. Baillie y la *Cristología del Nuevo Testamento* de Oscar Cullmann, las editoriales católicas españolas como Sígueme, Fax, Marova, Herder habían empezado a publicar obras de biblistas y teólogos protestantes y católicos por igual. Fue esa una contribución valiosa al surgimiento y desarrollo de la reflexión teológica en América Latina. Y sigue siéndolo.

Tanto la reflexión de René Padilla sobre el tema de la revolución en 1970, como la de la recién fundada FTL y la del Seminario Bíblico Latinoamericano, en aquel mismo año, constituían básicamente un diálogo intra-protestante en el cual había surgido una «teología de la revolución». Tenían su antecedente en la reflexión de los precursores, los fundadores, y los teólogos evangélicos que habían ido desarrollando una agenda cristológica. Hasta ese momento todavía no habían aparecido las teologías de la liberación. De manera que en América Latina la teología evangélica no surgió como respuesta a las teologías de la liberación sino que siguió su propio curso, vinculado a la vida de las iglesias evangélicas con su fuerte impulso evangelizador y sentido de misión.[36] Cuando aparecieron las teologías de la liberación la teología evangélica incluyó en su agenda ese desafío que provenía de la nueva teología católica latinoamericana.

---

36 Alan P. Neely, quien fue misionero bautista en Colombia y posteriormente profesor en el Seminario Teológico de Princeton, escribió su tesis doctoral sobre los antecedentes protestantes de la teología de la liberación: *Protestant Antecedents of the Latin American Theology of Liberation*, The American University, Washington D.C.,1977.

Cristología cantada

Se ha señalado ya que el canto congregacional es una parte muy importante de la cultura evangélica. Lo es por igual en las iglesias históricas y en las denominaciones más nuevas o en el ámbito pentecostal. En 1962 se publica en Buenos Aires el himnario *Cántico Nuevo* que alcanzó pronto numerosas ediciones.[37] En su preparación trabajó durante ocho años una Comisión Revisora del *Himnario Evangélico* de 1943, formada por representantes oficiales de las iglesias Discípulos de Cristo, Menonita, Metodista y Valdense. En sus 473 himnos se esforzaron por recuperar lo mejor de la tradicional himnología anglosajona pero también himnos desconocidos de otras tradiciones europeas y de épocas más antiguas e himnos latinoamericanos: una selección cuidadosa, con poesía de calidad en traducciones excelentes. Además de usarse extensamente en el Cono Sur, la Comunidad Internacional de Estudiantes Evangélicos (CIEE) difundió una selección de himnos que llegaron a cantar miles de universitarios en toda América Latina.

En lo cristológico, por ejemplo, se recuperó un antiguo himno de Aurelius Clemens Prudentius (348-413), traducido por Federico Pagura con música del siglo XII:

> Fruto del amor divino, Génesis de la creación:
> Él es Alfa y es Omega, es principio y conclusión;
> De lo que es, de lo que ha sido, de lo nuevo en formación:
> Y por siempre así será.

> Es el mismo que el profeta vislumbrara en su visión
> Y encendiera en el salmista la más alta inspiración;

---

37 *Cántico Nuevo. Himnario Evangélico*, Methopress, Buenos Aires, 1962.

Ahora brilla y es corona de la antigua expectación
Y por siempre así será.[38]

Por otra parte, en medio del agitado panorama social que
alimentaba la reflexión teológica sobre la misión integral, un
himno de Frank Mason North se cantaba con especial entusiasmo:

Entre el vaivén de la ciudad, más fuerte aún que su rumor,
En lid de raza y sociedad, tu voz oímos Salvador.

Doquiera impere explotación, falte trabajo, no haya pan,
En los umbrales del terror, Oh Cristo, vémoste llorar.

Un vaso de agua puede ser hoy de tu gracia la señal;
Mas ya las gentes quieren ver tu compasiva y santa faz.

Desciende Oh Cristo, con poder, a la sufriente humanidad;
Si con amor lo hiciste ayer, camina y vive en mi ciudad.[39]

Hacia una ética social evangélica

Desde sus inicios la FTL se propuso ser una plataforma
amplia de reflexión teológica y en sus consultas encontramos
contribuciones de teólogos ecuménicos de las iglesias históricas, lo mismo que de teólogos evangélicos vinculados a las
iglesias más jóvenes de corte teológico conservador. En ambos
casos se trataba de una reflexión que se ubicaba dentro del
marco de aceptación de la autoridad de la Biblia para la tarea
teológica. La agenda contemplada en la asamblea fundacional
empezó a desarrollarse con dos consultas que se realizaron
durante el año 1972, una en junio sobre ética social y otra en

---

38 *Ibid.*, Himno No. 39, estrofas 1 y 2.

39 *Ibid.*, Himno No. 370, estrofas 1 a 4.

diciembre sobre el Reino de Dios, ambas en Lima, la capital peruana.

La consulta sobre ética social se desarrolló en tres momentos. Primero, una toma de conciencia sobre la situación latinoamericana por Samuel Escobar y sobre la realidad de las iglesias evangélicas por Orlando Costas y Fred Denton. Segundo, se consideraron dos alternativas teológicas vigentes en el momento: la de Iglesia y Sociedad en América Latina (ISAL), que fue analizada por René Padilla, y la del nuevo Catolicismo, a cargo de José Míguez Bonino. Padilla elaboró una crítica frontal a la teología de ISAL por sus conceptos de acción de Dios en la historia y de humanización, que derivaban en última instancia de una adopción acrítica de la ideología revolucionaria, que no hacía justicia a la revelación, sino que la reducía radicalmente. Concluye en que «por esta vía el quehacer teológico desemboca en una ideología cuyo único parentesco con la Biblia se encuentra en el uso de ciertos términos que han sido vaciados de su contenido original y puestos al servicio de una causa ajena a su intención en el contexto bíblico».[40]

Por su parte Míguez Bonino en un rico trabajo descriptivo examinó el Catolicismo posconciliar en América Latina comparando diferentes actitudes, conceptos y conductas, expresadas especialmente en las secciones sobre «Justicia» y «Paz» del «Documento final de Medellín». Su descripción del Catolicismo ubica la teología dentro del marco de un análisis sociológico de la realidad eclesial católica, una tendencia analítica que crece notablemente durante esta década. Dedica 22 páginas al tema de la búsqueda de una teología históricamente comprometida y analiza con detenimiento a cuatro teólogos

---

40 C. René Padilla, «Iglesia y Sociedad en América Latina», en *Fe cristiana y Latinoamérica hoy*, Ediciones Certeza, Buenos Aires, 1974, p. 126.

que representan bien el origen de las diferentes formas que iba tomando la teología de la liberación: el uruguayo Juan Luis Segundo, el argentino Lucio Gera y el peruano Gustavo Gutiérrez, al cual junta con el brasileño Hugo Assmann. Este riguroso análisis de los inicios de la teología de la liberación es el primero que aparece en una fuente protestante. Dos años más tarde Míguez Bonino iba a dedicarle todo un libro.

En tercer lugar se planteó una posible ruta hacia una ética social evangélica con ponencias sobre encarnación e historia, por Justo L. González; órdenes de la creación y responsabilidad cristiana, por Pedro Arana; y una perspectiva pentecostal sobre iglesia y sociedad por el predicador argentino Juan Carlos Ortiz.

Encarnación e historia

El libro *Revolución y encarnación* de Justo L. González, escrito en 1962 y publicado en 1965, había tenido repercusión en varios círculos evangélicos. En la consulta sobre ética social él afirmó que en lo esencial su posición seguía siendo la misma, que resume en esta forma:

> Todos –o casi todos– estamos de acuerdo en rechazar el docetismo de quienes no ven más tarea que la de salvar almas para la vida futura. Casi todos estamos de acuerdo también en rechazar el ebionismo de quienes se imaginan que su acción en la historia de la sociedad va a instaurar el reino de los cielos.[41]

---

41 Justo L. González, «Encarnación e historia», en C. René Padilla, comp., *Fe cristiana y Latinoamérica hoy*, Ediciones Certeza, Buenos Aires, 1964, p. 166.

Al aplicar estas posturas cristológicas al tema de la responsabilidad social del cristiano, el docetismo negaría toda pertinencia a la relación del creyente con el mundo físico: «Implícitamente, docetistas son los cristianos que pretenden servir a Dios sólo en sus iglesias, con sus himnos, sus oraciones y meditaciones».[42] Por el contrario el ebionismo llevaría a la creencia de que el establecimiento de la justicia en el mundo de los hombres equivale a la acción de Dios: «Implícitamente ebionitas son los cristianos que siguen líneas marxistas o humanistas, como si Dios les estuviera pidiendo que por favor lo ayuden a establecer su Reino, porque él no puede (!)».[43]

Sin embargo, González se propuso corregir su presentación de la década anterior en dos direcciones. Primero, refinar su tipología de manera que incluyera alternativas intermedias entre las posturas que había designado como «docetismo» y «ebionismo»; y segundo, matizar la distinción que había hecho entre escatología y teleología. Si bien la distinción es válida, «corre el riesgo de dejar al cristiano sin criterios para su acción en la historia, por tanto puede llevar, si no se clarifica, a una nueva forma de docetismo».

Aceptando el hecho de que en Cristo están presentes tanto la divinidad como la humanidad, queda todavía la cuestión de cómo ambas se unen en él. González caracteriza dos posturas extremas: la del nestorianismo y la del monofisismo. Para los nestorianos, en Jesucristo había una constante y clara división entre lo humano y lo divino: «Si Cristo hacía milagros, era su divinidad la que los hacía; si comía o lloraba, era su humanidad la que lo hacía. Esta posición en extremo racional tiene sin embargo la enorme dificultad de que en fin de cuentas disuelve

---

42 *Ibid.*, p. 156.

43 *Ibid.* El signo de admiración entre paréntesis es del autor.

la encarnación en dos realidades que nunca llegan a unirse».[44] Esta posición con el tiempo da origen a una percepción de la realidad en la que se establece una clara distinción entre iglesia y estado y la dificultad de plantear después cómo se unen o se relacionan estas dos realidades. En el Catolicismo surgen de ella las contiendas clásicas entre el Pontificado y el Imperio. Con la Reforma este tipo de división nestoriana se usó para defender la separación entre la Iglesia y el Estado.

El monofisismo, por el contrario, siguió la línea opuesta: «Es cierto que hay en Jesucristo Dios y hombre. Pero en él estos dos se unen de tal manera que la distinción ya no existe, y dada la extrema incomensurabilidad entre Dios y el hombre, la humanidad se pierde en la inmensidad de lo divino».[45] Así el monofisismo político lleva a la teocracia. Esta puede ser «eclesiástica como en el caso de los 'santos revoluciona-rios' de Münzer, o civil, como en el caso del cesaropapismo bizantino».[46] González concluye que «entre la extrema distin-ción nestoriana y la confusión monofisita –digamos nosotros entre la política independiente de la fe y la teocracia– la Iglesia (o la mayor parte de ella) adoptó la 'Definición de Fe' de Calcedonia».[47]

González aclara que se pueden hacer muchas críticas a la definición calcedonense, como por ejemplo la adopción de vocabulario y categorías griegas como «naturaleza» o la tendencia a referirse a Jesucristo en términos estáticos como «esencia» en vez de relación. «Pero, a pesar de todo esto, y da-das las circunstancias y el vocabulario de la época, Calcedonia

---

44 Ibid., p. 157.
45 Ibid.
46 Ibid., p. 158.
47 Ibid., p. 156.

acertó en su modo de entender la encarnación».[48] La «sabiduría humana» a la cual el apóstol Pablo critica en 1 Corintios concibe a Dios en términos de universalidad absoluta, incapaz de particularizarse, o como eternidad más allá de los límites de la temporalidad, incapaz de participar en el tiempo:

> Lo que Calcedonia afirma entonces, aunque indirectamente, es que el Dios que se encarnó en Jesucristo no es ni el ídolo impasible de los filósofos, ni el ídolo caprichoso de los cultos paganos. Ni la universalidad del «primer motor inmóvil», ni la particularidad de Baal, sino la particularidad de significación universal de Jesús de Nazareth... El Dios cristiano es tal que su eternidad se nos da en un momento de la historia, y su universalidad viene a toparse con nosotros en el acontecimiento particular que narra el Nuevo Testamento.[49]

Al tratar de los modos de ver la historia González sostiene que la tipología cristológica también los determina: «el docetismo lleva a negarle todo sentido a la historia –excepto quizás como obstáculo que nos separa de la eternidad– mientras que el ebionismo lleva a darle a la historia un sentido teleológico». Para González la teleología parte de la presuposición de que la historia tiene sentido en sí y de por sí, mientras que la escatología afirma que la historia recibe su sentido de fuera. Aplicando la tipología nestoriana y monofisita, sostiene que la distinción nestoriana entre la divinidad y la humanidad en Jesucristo lleva a algunos teólogos a distinguir entre la historia secular (*Weltgeschichte*) y la historia de la salvación (*Heilsgeschichte*). Una distinción así llevó a muchos cristianos alemanes a aceptar los horrores del nazismo sin oponerse a

---

48 *Ibid.*, p. 159.

49 *Ibid.*, p. 160.

ellos, por su aceptación pasiva frente al gobierno totalitario de Hitler, hasta que surgió la Iglesia Confesante.

Por otra parte la posición monofisita se refleja en las tendencias teocráticas dentro del propio Protestantismo latinoamericano. En ellas a veces figuras carismáticas fundan iglesias sectarias que separan a sus miembros de la sociedad y forman con ellos pequeñas comunidades teocráticas, dirigidas con «mano fuerte». Del mismo modo hay sistemas y estados que pretenden actuar en perfecto sincronismo con el fin último de la historia. Sin mencionarlo, González cita una famosa frase de Fidel Castro: «Quien adopta esta postura puede decir 'la historia me absolverá' con la misma certidumbre religiosa con que el apóstol pudo decir 'es necesario obedecer a Dios antes que a los hombres', porque para él la historia es Dios».[50] Para González en este caso no es que Dios se ha encarnado sino que el hombre se ha endiosado. La posición calcedonense, que no nos libra de la tensión y la ambigüedad, lleva a la convicción de que «no podemos sacrificar nuestra responsabilidad para con el prójimo en aras del futuro, ni tampoco pensar que nuestra obediencia no exige una actitud responsable hacia el proceso todo de la historia humana».[51]

Como un complemento importante de su libro *Revolución y encarnación*, González publicó en 1971 su libro *Jesucristo es el Señor*[52], en el cual bosquejó con claridad el desarrollo y el significado de la confesión básica de la fe cristiana: el señorío de Jesucristo. Estas dos obras de González son lecturas contextuales de la Cristología como paradigma para la misión de la Iglesia. La intención pastoral de ambos libros era

---

50 *Ibid.*, p. 164.

51 *Ibid.*, p. 166

52 Justo L. González, *Jesucristo es el Señor*, Caribe, Miami, 1970.

evidente en la claridad, brevedad y estilo directo, pero tenían como fundamento la investigación sistemática expuesta por el autor en una obra de historia, ya clásica tanto en inglés como en castellano.[53]

Ética social y órdenes de la creación

En su ponencia para esta consulta Pedro Arana no fue directamente al material bíblico, sino que tomó la enseñanza calvinista sobre los órdenes de la creación. Su tema fue: «Ordenes de la creación y responsabilidad cristiana», siguiendo el camino de la teología sistemática desde el punto de vista de la tradición reformada. Formula una noción de justicia utilizando enfoques de Karl Barth y Emil Brunner. La sensibilidad pastoral de Arana expresa su preocupación por el hecho de que, aunque en América Latina hay grandes y continuos esfuerzos de evangelización, ésta ha ido perdiendo todo el contenido que la Biblia le da: «Al convertido al parecer no se lo prepara para vivir su ‹vida nueva› como un elemento transformador de su sociedad enferma, sino más bien para acomodarse a ésta». [54] El olvido de un adecuado ministerio docente prolonga las fallas de una evangelización defectuosa. Sostiene Arana que «La Iglesia evangélica está llamada a enseñar todo el consejo de Dios, teniendo en cuenta que la transformación de la sociedad no es el resultado automático de las conversiones individuales».[55]

---

53 Justo L. González, *Historia del pensamiento cristiano*, CLIE, Viladecavalls, 2010.

54 Pedro Arana Quiroz, «Órdenes de la creación y responsabilidad cristiana», en C. René Padilla, comp., *Fe cristiana...* p. 172.

55 *Ibid.*

Arana llega al tema de la justicia y la tarea política del cristiano planteándolo como un aspecto de la responsabilidad derivada del reconocimiento de que Dios ha establecido órdenes de la creación que enmarcan la acción del discípulo obediente. A partir de esta enseñanza describe lo que sería la idea de una sociedad justa hacia la cual ha de trabajar el cristiano. Dios, el creador de la naturaleza humana, ha establecido en ésta sus formas de expresión: los órdenes son el resultado de las exigencias físicas, sicológicas, sociológicas y espirituales del ser humano. Dios los ha implantado en la constitución humana y por lo tanto reflejan la naturaleza humana. En otras palabras, estas esferas de relación social son órdenes de Dios, en dos sentidos: tienen su origen en Dios y a través de ellos el Creador ha puesto ciertas responsabilidades sobre la raza humana en general con el fin de relacionarla y unirla. Arana señala los siguientes órdenes: 1) sexo, matrimonio, procreación y familia; 2) trabajo y cultura; 3) el sábado o día de reposo. No incluye ni al estado ni a la iglesia, que fueron instituidos después de la caída y no en el acto de creación.

La primera tarea para los evangélicos sería entonces redescubrir y proclamar la enseñanza bíblica sobre el tema. Luego la iglesia evangélica, reconociendo su obediencia al mandato de Dios, debe enseñar que la acción de los cristianos en las esferas de la familia, el trabajo, la cultura y el reposo es el camino para la obediencia a su Creador y Redentor. En relación con esta función docente hace falta una crítica de los valores que rigen en nuestra sociedad y condicionan la vida de los creyentes en América Latina. La tercera tarea es cumplir un ministerio integral que incluya adoración, predicación, enseñanza y servicio, un servicio sacrificial y profético con la tónica de la esperanza. La cuarta tarea para Arana es la justicia: la iglesia evangélica en América Latina debe proclamar y vivir la justicia. Si la justicia pertenece al

carácter mismo del Dios que se ha revelado en Jesucristo, la
única forma consecuente de la vida cristiana en este mundo es
la de mensajeros, signos y señales de la justicia de Dios, tanto
en lo personal como en lo social; y esta tarea está asociada
especialmente con la participación política. Hubo misioneros que enseñaron que los cristianos no deberían participar
en la vida política. Arana critica esta actitud y muestra su
inconsecuencia, y luego señala una quinta tarea que hay que
emprender en la búsqueda de una ética social y una ética
para el hombre nuevo. El cambio tendrá que comenzar en la
propia iglesia y será un cambio que traiga una manera nueva
de actuar con el dinero, el poder y las distinciones sociales.
En este punto, Arana expresa su coincidencia con el énfasis
de la teología anabautista, expresada por John Howard Yoder,
de que la propia comunidad cristiana, por su calidad de vida y
su práctica de la justicia del Reino de Dios, es el mayor factor
transformador de una sociedad.[56]

En 1978, al terminar un régimen militar de once años, el
regreso del Perú a la vida democrática fue precedido por la
elaboración de una nueva constitución política. Pedro Arana
fue candidato a la Asamblea Constituyente y resultó elegido
con una de las más altas votaciones. Su actuación en la Asamblea y sus contribuciones a la redacción del texto de la nueva
constitución reflejaron las convicciones que había expresado
en la consulta sobre ética social en 1972.[57]

---

56 John H. Yoder, «Revolución y ética evangélica», *Certeza*, Buenos Aires 44,
   No. 3, 1971, pp. 104-110.

57 Ver al respecto Pedro Arana, *Testimonio político*, Ediciones Presencia, Lima,
   1987.

Un aporte pentecostal

El aporte desde una perspectiva pentecostal estuvo a cargo de Juan Carlos Ortiz, uno de los líderes del movimiento de renovación carismática que por entonces surgía en Argentina. Su intervención fue una autocrítica vigorosa y una propuesta radical: «En la Iglesia evangélica fundamentalista, de la cual soy parte, nos hemos regido por todos los versículos que tienen que ver con el pasado glorioso de la época apostólica y el futuro maravilloso allá en el cielo. Pero hemos evadido la responsabilidad de dar solución a los problemas de aquí y ahora. Muy poco nos hemos definido en cuanto al presente».[58] Para Ortiz junto a los cuatro Evangelios del Nuevo Testamento había un evangelio según «San Evangélico». Resultado de una selección interesada de algunos aspectos del mensaje de Jesús, este falso evangelio «en forma sistemática ha agrupado los pasajes del Evangelio que tienen que ver con las ofertas de Dios y ha disimulado y a veces ignorado, en forma lisa y llana, las demandas de Jesucristo, especialmente aquellas que tienen que ver con el prójimo».[59]

Para Ortiz las iglesias evangélicas sólo pueden atreverse a alzar una voz profética en la sociedad si primero corrigen las injusticias que hay en el propio interior de la vida eclesiástica evangélica. Ortiz destaca en el testimonio bíblico una innegable dimensión social: «Si hacemos un estudio sincero en el Nuevo Testamento sobre el destino de todas las ofrendas y colectas, nos sorprenderemos que en ningún caso eran para lo que nosotros las usamos hoy en día. No eran pro-templo, pro-órgano, pro-alfombras, etc., sino casi siempre eran para

---

58 Juan Carlos Ortiz, «Iglesia y sociedad» en C. René Padilla, comp. , *Fe cristiana... p. 186.

59 *Ibid.*, p.187.

los necesitados de la comunidad».[60] El cambio de estructuras, valores y conductas al interior de la propia iglesia sólo puede venir de una profunda renovación espiritual: «Para un horizontalismo sin peligros se requiere una verticalidad clara y evidente a la vez. Eso es la perfección: la cruz. El horizontalismo del amor al prójimo y el compromiso social, acompañado de la fe en Dios, los carismas del Espíritu Santo, la adoración fervorosa, el culto continuo, el señorío de Jesucristo y una consulta continua en oración a Dios...»[61]

De esta manera, la reflexión cristológica desarrollada en la FTL contribuyó un elemento importante al Movimiento de Lausana en su esfuerzo por desarrollar una misiología que tuviera, al mismo tiempo, el sentido de urgencia evangelizadora propio de la tradición evangélica y el sentido de modelación cristológica que iba a darle integridad. Como ya se ha señalado, hoy se acepta la posibilidad de que la teología evangélica en ese nivel global llegue a nuevas lecturas del texto bíblico que respondan a las preguntas urgentes del contexto en que vive y ministra la iglesia. El breve recorrido que hemos resumido explica el aporte evangélico latinoamericano a este diálogo.

---

60 *Ibid.*, p.188.
61 *Ibid.*, p.193

10

EL REINO DE DIOS

Todas estas concepciones explícitas o implícitas del Reino, a lo largo de la historia cristiana, se han quedado con un aspecto del Reino, a costa de otros, ya sea poniendo énfasis en su realidad presente o futura, su carácter histórico o eterno, su dimensión personal o social. Cada interpretación ha tomado la parte por el todo y ha contribuído a la distorsión, al eclipse, a la reducción del mensaje bíblico del Reino. Es hora de que nos atrevamos a recuperar la totalidad del Evangelio del Reino, a apreciar su multidimensionalidad y a asumir nuestro compromiso frente al desafío que el Reino nos hace aquí y ahora. Se impone una sincera exploración bíblica a ese respecto (Mortimer Arias, 1980).

En 1971, mientras gobernaba Chile el médico socialista Salvador Allende, recién elegido por el voto popular, la organización evangélica Visión Mundial realizó un retiro de pastores protestantes en el puerto de Valparaíso. Se me había pedido dar una serie de exposiciones sobre el tema de la iglesia y el estado, y compartía responsabilidades docentes con el evangelista africano Festo Kivengere y el pastor pesbiteriano estadounidense Richard Halverson, capellán del Congreso de su país. La mayoría de los pastores asistentes eran pentecostales y en las largas conversaciones de pasillo me contaron que ellos y sus iglesias habían votado por Allende porque «somos del pueblo y él es uno de los nuestros». En algún momento en mis exposiciones toqué el tema del Reino de Dios, y durante el diálogo que siguió uno de los pastores me dijo: «Eso de reino es algo anticuado; nosotros deberíamos hablar de la república de Dios». Me hizo pensar en el tema de la contextualización. Apenas tres años más tarde, en 1974, uno de esos pastores que había conocido en Valparaíso asistió al Congreso Mundial de Evangelización en la ciudad suiza de Lausana. Era portador de una carta oficial de saludo al Congreso firmada por el General Augusto Pinochet, el que con un golpe sangriento había derrocado al Presidente Allende en setiembre de 1973, y desatado una sanguinaria represión contra quienes habían sido parte de su gobierno. En la iglesia de este pastor un grupo numeroso de evangélicos habían celebrado un «Te Deum evangélico» de apoyo al dictador Pinochet. Los organizadores del Congreso de Lausana se negaron a leer en público el saludo de Pinochet y tuvieron que enfrentar la protesta de una parte de la delegación chilena. Al advertir ese cambio súbito de lealtades incondicionales comprobé con tristeza que mi enseñanza sobre el Reino de Dios a aquellos pastores en 1971 había caído en saco roto, a pesar del esfuerzo de contextualización.

El Reino de Dios y América Latina

Cuando quien escribe estas líneas era aún un adolescente universitario en Lima cayó en sus manos un ejemplar del libro *¿Es realidad el Reino de Dios?*, por el misionero, evangelista y teólogo metodista E. Stanley Jones. En un estilo claro, pastoral y muy desafiante, Jones presentaba el tema del Reino de Dios recordando que ese había sido el tema central de la enseñanza de Jesús. Al enterarse del asunto un misionero amigo creyó oportuno advertir al entusiasta lector que del Reino de Dios se ocupaban mayormente los liberales del Evangelio Social como Walter Rauschenbusch, por un lado, y por otro, los Testigos de Jehová que denominaban a sus lugares de reunión «Salones del Reino». Resultaba paradójico que con el entusiasmo evangélico por proclamar y entender mejor a Jesús se hubiese olvidado el tema del Reino de Dios y se lo viese como tema propio de herejes. Sin embargo, conviene recordar que el precursor Mackay se había ocupado del tema del Reino de Dios al presentar las enseñanzas de Jesús en la década de 1920. Como recordábamos en el capítulo 4, Mackay decía que para Jesús el Reino de Dios era «su concepto de lo que constituye la realidad suprema en la vida del individuo y en la historia de la sociedad».[1] En las parábolas se destaca la existencia de valores absolutos que confrontan al ser humano con opciones y decisiones. El Reino de Dios «Significa la soberanía de Dios en todas las esferas de la vida humana, así individual como doméstica, como social e internacional, interpretándose concretamente esta soberanía en el sentido del acatamiento de Cristo como Señor de la vida, y de la aplicación de sus enseñanzas a todos los problemas de aquélla».[2] En la situación teológica del mundo evangélico de 1960 podría pensarse en un eclipse del Reino de Dios.

Por ello en 1966 nuevas generaciones de universitarios evangélicos recibieron con entusiasmo las exposiciones de René Padilla sobre la dimensión escatológica del ministerio y mensaje de Jesús. Recién vuelto de sus estudios doctorales de Nuevo Testamento, en los seminarios de capacitación de la Comunidad Internacional de Estudiantes Evangélicos Padilla desarrollaba el tema «¿Qué es el Evangelio?» y demostraba

---

1 Juan A. Mackay, *Mas yo os digo,* Casa Unida de Publicaciones, México, 1964, p. 55. La 1ra. edición se publicó en Montevideo en 1927.

2 *Ibid.,* p. 78

la centralidad de la enseñanza acerca del Reino de Dios.[3] Su
énfasis en la escatología del Nuevo Testamento proveía el
fundamento de una visión cristiana de la historia, necesaria
como nunca antes en esa etapa de transición de la vida latinoamericana, para entender el dinamismo de la esperanza que
sostiene la acción de los discípulos de Cristo en el mundo.

El Reino de Dios fue el tema de la segunda consulta de la
FTL en diciembre de 1972. En la primera se habían establecido los fundamentos básicos de la actividad teológica. En la
segunda fueron veintisiete los participantes que procedían
de doce países distintos y de un espectro denominacional
muy amplio. Las cinco ponencias básicas fueron presentadas
por otros tantos expositores. A Emilio Antonio Núñez, de la
Iglesia Centroamericana en Guatemala, se le pidió exponer la
perspectiva dispensacionalista sobre «La naturaleza del Reino
de Dios», mientras el bautista René Padilla se ocupó de «El
Reino de Dios y la Iglesia.» El metodista José Míguez Bonino
escribió su ponencia sobre «El Reino de Dios y la Historia»,
y el menonita estadounidense John Howard Yoder desarrolló
el tema «La expectativa mesiánica del Reino y su carácter
central para una adecuada hermenéutica contemporánea».
Cerró el ciclo el bautista Samuel Escobar con un trabajo sobre
«El Reino de Dios, la escatología y la ética social y política en
América Latina».[4]

---

3 Un resumen de estas presentaciones apareció como el primer capítulo en C.
   René Padilla, *El Evangelio hoy*, Ediciones Certeza, Buenos Aires, 1975, pp.
   17-42.

4 Las ponencias, respuestas y resúmenes de la discusión fueron editadas por
   René Padilla y publicadas como *El Reino de Dios y América Latina*, Casa
   Bautista de Publicaciones, El Paso, 1975.

La naturaleza del Reino de Dios

Los trabajos de Emilio Antonio Núñez y de René Padilla apuntan al tema desde diferentes ángulos, pero los une la convicción común de que la vida del cristiano y de la iglesia en el mundo sólo se puede entender dentro del marco más amplio del Reino de Dios para la historia humana. Núñez, trabajando directamente sobre los textos bíblicos, ofreció una larga referencia al Reino de Dios en el Antiguo Testamento, tanto al Reino universal como a la promesa del Reino mesiánico expresada en el mensaje de varios profetas: «El Mesías gobernará al mundo con vara de hierro e implantará su justicia. Los cambios en lo económico y social serán radicales. Habrá justicia para todos y reinará la paz.»[5] Describió también los cambios naturales y geológicos que las profecías anunciaban, pero destacó que «las bendiciones mayores serán las espirituales. Los poderes demoníacos serán aprisionados; los hombres tendrán un corazón nuevo; el conocimiento de Dios será universal: el Espíritu Santo será derramado sobre toda carne y habrá gozo y paz para la humanidad».[6]

Núñez describe el ambiente de expectativa mesiánica en la sociedad dentro de la cual Jesús realizó su ministerio, y el rechazo del Señor al entusiasmo popular que quería convertirlo en rey. «Ante Pilato dijo que él había nacido para ser rey pero que su reino no era de este mundo. Él sería rey pero no a la manera de los hombres... No ha venido Él como el Mesías triunfante sino como el Mesías sufriente. La expiación antecede a la exaltación. A la corona debe precederle

---

5 *Ibid.*, p. 23
6 *Ibid.*

la cruz».[7] Si bien Jesús no estableció el reino davídico como
algunos esperaban, «después de su ascensión se introduce en
el cumplimiento de los propósitos divinos una realidad que
no tiene precedente en la historia de Israel y el mundo. Nace
la iglesia cristiana en respuesta al dicho profético de Cristo:
'Edificaré mi iglesia'».[8]

Núñez destaca el hecho de que el peso de la enseñanza del
Nuevo Testamento demuestra que la iglesia no es el Reino y
que en la actualidad parece haber consenso entre teólogos
católicos y protestantes con respecto a que la iglesia no es
equivalente al Reino.[9] Según su perspectiva, después de recibir
el Espíritu Santo en Pentecostés, los discípulos se interesan
primordialmente por desarrollar el programa de evangelización que Jesús les había asignado, y en esa tarea eran animados
por la esperanza escatológica de la venida final de Jesús.

> Anhelan la venida del reino mesiánico, pero siendo
> conscientes de que éste no puede establecerse en la
> ausencia del Maestro, no procuran instaurarlo ellos
> mismos a base de sus esfuerzos puramente humanos.
> Esperan el reino como una intervención cósmica de
> Dios que derrotará definitivamente los poderes del mal
> e implantará el bien para todos los hombres.[10]

Núñez afirma de manera enfática: «No importa qué método
de estudio crítico le apliquemos al Nuevo Testamento, siempre
será imposible probar que aquellos cristianos primitivos hayan
pretendido fundar un reino de tipo político en oposición al

---

7   *Ibid.*, p.25
8   *Ibid.*, p.26
9   *Ibid.*
10 *Ibid.*

Imperio Romano».[11] Finalmente, ofrece un resumen del concepto del Reino en la historia de la teología, recordando que en el siglo IV la iglesia pasó de ser perseguida por el Imperio Romano a ser protegida por éste. Luego Agustín fue determinante para identificar a la iglesia triunfante del Imperio con el Reino. Así «la iglesia visible llega a ser la meta de la historia en la tierra» y fuera de ella no hay salvación. Agreguemos que como ésa fue la teología predominante durante la conquista ibérica de América, se justificaba tanto el uso de la fuerza para la evangelización como el uso de la inquisición para combatir las herejías religiosas o sociales. Núñez dice:

> La doctrina agustiniana del reino es la que tradicionalmente ha prevalecido en el catolicismo latinoamericano. Pero a partir del Vaticano Segundo ha habido un cambio de énfasis en cuanto a esta enseñanza. Se habla más del reino que no ha venido pero que está viniendo, y de una iglesia peregrina que no ha llegado pero que está en camino.[12]

De manera autocrítica y refiriéndose a buena parte de los misioneros independientes que vinieron a América Latina a fines del siglo XIX y comienzos del XX, Núñez dice que «eran decididamente futuristas y separatistas y no lograron integrar su enseñanza del reino con la realidad cultural de nuestro continente, cosa que tampoco nosotros, los evangélicos de generaciones más recientes, hemos hecho».[13] En parte por eso, «la vasta mayoría de los evangélicos latinoamericanos nos encontramos, a lo menos en teoría, si no en práctica, dentro

---

11 *Ibid.*, p. 28.

12 *Ibid.*, p. 30.

13 *Ibid.*, p. 32.

del apocalipticismo. Pero también es cierto que el concepto del reino presente es muy débil entre nosotros».[14]

El Reino de Dios y la Iglesia

El énfasis de la ponencia de René Padilla sobre «El reino de Dios y la iglesia» fue corregir los excesos de una escatología futurista que no presta suficiente atención al hecho de que con la venida de Cristo al mundo el reino de Dios ya ha venido, aunque no ha venido en su plenitud. La estructura del trabajo de Padilla es simple y directa: 1) La escatología del Nuevo Testamento, 2) la iglesia y el «ya» del Reino de Dios y 3) la iglesia y el «todavía no» del Reino de Dios. Empieza con una referencia a la escatología judía que presentaba el concepto de dos edades expresada en la fórmula rabínica «este siglo» y «el siglo venidero». Sin embargo, en el momento en que llega Jesucristo, la visión judía había tomado una dirección mayormente futurista, perdiendo el sentido de la acción divina en el presente histórico que caracterizaba el mensaje de los profetas, y en los cuales el presente y el futuro se mantenían en una tensión escatológica. La llegada de Jesucristo marca una diferencia:

> A lo largo del Nuevo Testamento se da por supuesta la doctrina de las dos edades, pero se la interpreta a la luz de la muerte y resurrección de Jesucristo. No es posible exagerar la importancia que el Hecho de Cristo tiene para la escatología de la iglesia primitiva. La vida y obra de Jesucristo significan que Dios ha actuado definitivamente a fin de cumplir su propósito redentor. Ya no es posible restringir su intervención a un cataclismo al final de «este siglo». ¡El Actor principal ha aparecido y

---

14 *Ibid.*

el drama escatológico de la esperanza judía se ha inicia-
do! La escatología ha invadido la historia y su impacto
en ella ha producido lo que muy apropiadamente se ha
descrito como «la nueva división del tiempo».[15]

Para Padilla el comprender la escatología del Nuevo Testamento y la tensión que la caracteriza es un presupuesto básico
para comprender la relación entre el Reino de Dios y la iglesia:
«La iglesia refleja la tensión entre el 'ya' y el 'todavía no' del
Reino de Dios, y aparte de ella su misma existencia es inconce-
bible. La iglesia es la afirmación simultánea del reino de Dios
como una realidad presente y como una realidad futura».[16]
Por eso la iglesia es al mismo tiempo una realidad escatológica y una realidad histórica. Separada de la conexión con el
Reino de Dios la iglesia no sería nada más que una institución
humana «cuyo estudio compete más a la sociología que a la
teología».[17] La advertencia resultaba especialmente importante
porque durante las décadas que estamos considerando empezaron a estudiarse tanto las iglesias en su actualidad histórica
como la iglesia primitiva desde una perspectiva sociológica, de
manera que muchas veces al no tomar en cuenta la realidad
teológica se empezó a ofrecer una visión reduccionista de las
realidades eclesiales.[18]

---

15 *Ibid.*,p. 44. Padilla reconoce aquí la significación de la obra de Oscar Cullmann respecto a la importancia de la presencia y mensaje de Jesús en la forja
   del concepto de tiempo en el Nuevo Testamento y la expresión del «ya» y el
   «todavía no» del Reino.

16 *Ibid.*, p. 46.

17 *Ibid.*

18 Así el sociólogo suizo Christian Lalive D'Epinay publicó un estudio del
   pentecostalismo chileno con el título *El refugio de las masas*, Editorial del
   Pacífico, Santiago de Chile, 1968.

Padilla presta atención al aspecto soteriológico de la realidad que la iglesia vive como tensión escatológica entre el «ya» y el «todavía no» del Reino. Cristo ha sido entronizado y desde esa posición comisiona a sus discípulos. Aquí se plantea una cuestión que ya hemos visto aparecer tanto en teólogos protestantes como católicos: «Esta relación entre la afirmación de dominio cósmico del Señor y la misión que él delega a su iglesia sirve para aclarar una cuestión que entra en el tema de la relación entre el Reino de Dios y la iglesia: ¿en qué sentido es la iglesia el correlato del Reino y en qué sentido lo es el mundo?»[19] En este punto Padilla manifiesta su desacuerdo con el universalismo de Cullmann, quien sostendría que todos los seres humanos son miembros del Reino de Cristo y aun inconscientemente están cumpliendo su vocación dentro del mismo: «La distinción fundamental, entonces, entre todos los miembros del Reino de Cristo y los miembros de la iglesia es que los primeros no saben que pertenecen a su Reino, mientras que los segundos sí.»[20] Padilla establece así su posición:

> «Entre los tiempos» de Jesucristo, entre el cumplimiento y la plenitud, Jesucristo reina como Señor. Pero el reino de Dios en los casos cuando éste es considerado como un orden, no incluye a todos los hombres automáticamente. Es un orden escatológico al cual hay que *entrar*. Es un orden soteriológico al cual los creyentes en Cristo Jesús han sido *trasladados*, habiendo sido liberados de los poderes cósmicos («la potestad de las tinieblas»).[21]

---

19 Padilla, *El Reino...*,p.53.

20 *Ibid*. Aquí Padilla ha citado la *Cristología del Nuevo Testamento* de Cullmann, traduciéndolo de la versión en inglés.

21 *Ibid*., p. 54.

En la nota al pie en este punto Padilla ofrece numerosos textos de los Evangelios al respecto y destaca que «según la enseñanza de Jesucristo este entrar es imposible aparte del cumplimiento de ciertas condiciones estipuladas en su *kerygma*».[22] Esto afecta la naturaleza de la proclamación del Reino que hace la iglesia: «La proclamación del reino de Dios, consecuentemente, no es meramente la proclamación de un hecho objetivo respecto al cual los hombres necesitan ser informados: es simultáneamente la proclamación de un hecho objetivo y una llamada a la fe».[23] Padilla considera que su examen cuidadoso de la enseñanza del Nuevo Testamento lleva a responder a su pregunta anterior con esta afirmación:

> La iglesia tiene un significado cósmico porque es la afirmación de la autoridad universal de Jesucristo. *En ella y a través de ella* los poderes de la nueva edad, desatados por el Mesías, están presentes en medio de los hombres. El correlato del reino de Dios es el mundo, pero el mundo que es redimido en la iglesia y a través de la iglesia.[24]

La visión del presente de la iglesia a la luz del Reino de Dios ayuda a los cristianos en el cumplimiento de sus deberes como ciudadanos de este mundo: permite romper el aislamiento social causado en parte por su condición de minoría religiosa en un ambiente de Cristiandad católica. La consecuencia es determinante para la forma en que la iglesia ve su propio papel en el mundo y se relaciona con él. Padilla insiste en que «la iglesia aún comparte con el mundo las marcas de ‹este siglo› que yace bajo el poder del maligno. Vive en medio de la tensión

---

22 *Ibid.*, nota 72, p. 65.
23 *Ibid.*, p. 54.
24 *Ibid.*, p. 55, cursivas de Padilla.

entre el ‹ya› y el ‹todavía no›, y esa tensión condiciona todo aspecto de su existencia histórica».[25] Una consecuencia muy importante que se aplicará más tarde en la reflexión sobre el poder político se deriva de esta premisa, y es que la iglesia no puede absolutizar sus propias estructuras ni tampoco las estructuras de la sociedad:

> Espera el advenimiento del reino y por lo tanto limita su lealtad a los poderes que rigen los reinos de los hombres. Más allá de las estructuras creadas por esos poderes, la esperanza de la iglesia está puesta en un cielo nuevo y una tierra nueva donde «mora la justicia». Se concibe a sí misma como un signo de la nueva creación de Dios, frente a la cual todo intento humano de construir una sociedad perfecta lleva en sí el germen de la destrucción. Cuando la iglesia deja de concebirse en tales términos, se ata a sí misma o al *status quo* o, al otro extremo, a alguna ideología que promete el cambio pero que, como aquél, deshumaniza al hombre y lo convierte en un tornillo de la máquina social.[26]

El Reino de Dios y la historia

El aporte específico de José Míguez Bonino a esta reflexión fue la pregunta en cuanto a las mediaciones, es decir el paso de la teología bíblica a la consideración de las opciones éticas disponibles en la realidad actual de ese momento. Aunque Míguez no pudo estar presente en la consulta por razones de salud, envió su ponencia que fue leída y ampliamente discutida. Como en el caso de todas las otras ponencias, excepto la de Núñez, el autor revisó su texto final para publicación a

25 *Ibid.*, p. 60.
26 *Ibid.*, p. 61.

la luz de las discusiones de la consulta. Tomando en cuenta el trabajo bíblico realizado en las otras ponencias, Míguez presentó su propio trabajo como «una breve tesis sistemático-ética». En él expresa la convicción de que el problema no era un problema abstracto a resolverse en una discusión académica, «sino una cuestión bastante acuciante y concreta, a saber *cómo podemos entender la presencia activa del reino de Dios en nuestro testimonio y acción, particularmente en esta hora concreta de América Latina en que nos ha sido dado profesar nuestra fe y servir al Señor*».[27]

Míguez acepta el trabajo bíblico de las otras ponencias y manifiesta su acuerdo con la interpretación de Cullmann que ellas comparten, según la cual en la cuestión escatológica hay una relación dialéctica entre el «ya» de un reino inaugurado y el «todavía no» de un cumplimiento esperado. Ofrece su propia comprensión del reino «en un sentido teológico amplio y lato de la soberanía activa de Dios sobre el mundo (natural e histórico en su unidad y totalidad) especial y representativamente ejercida y atestiguada en Israel, perfeccionada en Jesucristo y prometida en manifestación plena en la parusía del Señor».[28] El curso de su reflexión lo lleva primero a establecer la relación entre historia de la salvación e historia secular, luego a examinar la cuestión palpitante del monismo y el dualismo en la interpretación de la historia. Pasa entonces a considerar el discernimiento del reino en obediencia y termina explicando su propia opción respecto al reino en relación con el dilema socio-político-económico latinoamericano.

Míguez explora la visión de la acción de Dios en la historia que nos presenta el Antiguo Testamento, destacando que «la

---

27 *Ibid.*, p. 75. Cursivas del propio Míguez.

28 *Ibid.*, p.76.

soberanía de Dios se realiza polémicamente en la historia. Incluso parece necesario decirlo de otra manera: la soberanía de Dios es una palabra eficaz que historiza y se hace historia convocando y rechazando a los hombres y los pueblos en relación con el propósito divino.»[29] Comentando la distinción que algunos establecen entre «meros hechos históricos» y su «interpretación profética», Míguez sostiene que «Para el Antiguo Testamento tal distinción no existe: el mensaje profético es en sí mismo acto y eficacia, y no está principalmente destinado a 'explicar' sino a llamar, a invitar o a condenar».[30] También en el Antiguo Testamento, este conflicto de Dios con su pueblo es de carácter político, «entendiendo político tanto en el sentido más amplio que se refiere a la vida total de las entidades colectivas que son los pueblos, como en el más estricto, relacionado con el poder.»[31]

Al llegar al Nuevo Testamento hay un cambio que se advierte en especial en la literatura paulina y juanina. Míguez examina críticamente algunas de las explicaciones que se han dado respecto a ese cambio y propone lo siguiente:

> En el Nuevo Testamento la historia de la salvación adquiere una cierta consistencia propia, una cierta «distancia» con relación a la totalidad de la historia humana. No se trata, entendámonos bien, de una historia separada: es siempre la historia de Herodes, de Pilato, de Nerón o de los comerciantes de Éfeso. Pero al surgir una misión que queda indisolublemente anudada a un núcleo histórico particular (la historia de Israel y de Jesucristo), la fe de los paganos convertidos queda

---

29 *Ibid.*
30 *Ibid.*,p.77.
31 *Ibid.*

sujeta a una doble referencia histórica: la propia y esta
otra, que viene a ser ahora constitutiva de su fe.[32]

Míguez pasa a ocuparse de las posiciones dualista y monista
en la interpretación de la forma en que se relaciona la historia de la salvación con la historia del mundo. Observando la
escena teológica de aquel momento en América Latina, dice
que los cristianos no saben cómo integrar esas dimensiones
históricas. Resume la que llama posición dualista que podría
remontarse, con salvedades, a «La ciudad de Dios» de San
Agustín: «Consiste, en lo esencial, en vincular el reino a una
de las historias, la de la fe, que se transforma así en una línea
unívoca, sagrada y distinta, y reducir la otra historia a un
mero marco general, episódico, sin significado escatológico:
un escenario».[33] Pero una lectura honesta de la propia Biblia
haría imposible seguir afirmando que la historia general es
un mero episodio y Míguez continúa: «por eso no es de asom-
brarse que hayan surgido diversas formas de la solución que
yo llamaría monista».[34]

Esta visión se hallaría en teólogos antiguos como Ireneo
u Orígenes, pero a Míguez le llama la atención su aparición
en las emergentes teologías de la liberación. Pasa revista a la
forma monista que toma la idea de Gustavo Gutiérrez sobre
«una sola historia» en su libro *Teología de la liberación*. Pero
pese a su simpatía por esta teología, ve riesgos graves en la
formulación monista:

> para darle significado concreto a la historia una, es ne-
> cesario encontrar una transcripción del evangelio que

---

32 *Ibid.*,p. 78.

33 *Ibid.*,p. 79.

34 *Ibid.*,p. 80.

pueda verse operando significativamente a nivel de la historia 'general.' Dicho de otra manera, es necesario 'nombrar el reino' en el idioma de la historia corriente de los hombres.[35]

En esa transcripción es donde Míguez ve el riesgo de tomar palabras como «amor», «hombre nuevo» o «liberación» y desarraigarlas, separándolas de la historia particular de la fe al punto de que pierden su contenido: «¿De qué Dios hablamos entonces? ¿Y de qué reino? Si se llega al extremo concluimos deificando la historia o al hombre y más valdría, como algunos dicen, llamar en tal caso a las cosas por su nombre y confesar un total inmanentismo».[36] Este riesgo que señala Míguez es lo que Pedro Arana señalaba como un hecho en el caso de ISAL, tal como vimos en el capítulo anterior.

El Reino de Dios y las opciones históricas

Míguez tiene la firme convicción de que el discernimiento del reino sólo puede darse en actos de obediencia:

> Me parece que la pregunta principal no es «¿Dónde está presente o dónde es visible el reino en la historia presente?» sino «¿Cómo participo (no sólo individualmente sino como comunidad de fe y como inserto en una historia) en el mundo que viene, en el reino prometido?»... El reino no es un objeto a conocer sino un llamado, una convocación, una presión que impulsa.[37]

---

35 *Ibid.*,p. 82

36 *Ibid.*,pp. 82-83

37 *Ibid.*, p. 84.

Sostiene que como no podemos saltar del texto bíblico a la realidad presente necesitamos tomar en cuenta una serie de mediaciones históricas, que nos permiten por una parte comprender la Escritura mediante un instrumental teológico hermenéutico y por otra parte comprender el contexto histórico. «En este último aspecto, tanto en acciones individuales como colectivas, políticas o económicas, o relaciones 'cara a cara', en todas se sintetiza una comprensión de la realidad, del hombre, del futuro –en síntesis, una ideología...»[38]

Como ilustración de lo que quería decir, en la cuarta parte de su trabajo Míguez explicó con toda claridad por qué la búsqueda de la justicia en América Latina lo había llevado a él y a otros cristianos a una opción política muy definida. En primer lugar, confrontaron la realidad latinoamericana con la enseñanza bíblica de lo que debería ser una vida de justicia, solidaridad y libertad. En segundo lugar, analizaron esa realidad latinoamericana mediante el uso de una teoría social y política que ellos consideran científica y que provee el instrumental indispensable. La conclusión es clara:

> Es este doble proceso el que me ha convencido a mí –y a un número de cristianos en este continente y en otros– que el capitalismo liberal, enmarcado en el sistema monopolista internacional actual, no es una estructura viable para historizar la calidad de vida que tiene futuro en el reino. Por el contrario, su forma de definir las condiciones y relaciones humanas constituye (al menos en su realidad histórica, que es la única que podemos juzgar y en la cual podemos participar) una negación de esa calidad de vida. Es una antiliberación: es opresión y esclavitud en términos del reino. Por eso el término *liberación* me vincula históricamente –por

---

38 *Ibid.*, p. 86.

más ambigua que sea la relación– con quienes luchan
por la eliminación de esa esclavitud.[39]

Además de rechazar el orden capitalista, Míguez explica
que ha optado por el socialismo, como la opción concreta que
crea mejores condiciones para vivir la vida del reino de Dios.
Entiende el término «socialismo» en un sentido amplio que
«abarca posibilidades muy distintas de instrumentación y
estructuración, dentro de una concepción global común de la
apropiación de los bienes y la consiguiente forma de organización de la sociedad y la vida humana».[40] Sin entrar en mayores
aclaraciones o precisar más a qué tipo de socialismo se refiere,
dice Míguez: «...el socialismo como estructura social es para
mí hoy en América Latina el medio de correlación activa con
la presencia del reino en lo que hace a la estructura de la
sociedad humana. Es, en este terreno, mi obediencia de fe».[41]

La contracultura del Reino de Dios

El teólogo menonita John Howard Yoder había estado
enseñando durante más de un año en Montevideo y Buenos
Aires, justo en uno de los momentos de mayor efervescencia
y violencia política. Autor de un libro en inglés sobre Jesús
titulado «La revolución original»[42], Yoder había tenido oportunidad de presentar la teología anabautista, con su énfasis en
un pacifismo radical y en la vivencia de los valores del reino
de Dios asumidos por la iglesia, como una minoría que trataba

---

39 *Ibid.*, p. 88.

40 *Ibid.*, p. 89.

41 *Ibid.*.

42 John H. Yoder, *The Original Revolution*, Herald Press, Scottdale, 1971.

de seguir el ejemplo de Jesús en las relaciones dentro y fuera de la comunidad eclesiástica. Una conferencia que pronunció ante un numeroso auditorio de universitarios en la ciudad de Córdoba, en Argentina, fue publicada en la revista *Certeza* en 1970 y tuvo amplia difusión. Centró su exposición en las opciones políticas que estaban disponibles en la época de Jesús, como las de los fariseos, saduceos y zelotes, y luego sostuvo que Jesús siguió su propio camino, su propia opción que tenía también una dimensión política, y su propia radicalidad. [43] En la consulta de Lima se le había pedido que hablase del reino de Dios como una clave interpretativa de toda la Escritura.

Yoder introdujo su reflexión tratando de la dificultad de la tarea hermenéutica, especialmente cuando los términos forjados en una cultura son leídos en una cultura totalmente diferente. Sin embargo

> ...puede sostenerse la tesis de que el concepto de 'reino' es un concepto clave, más determinante que muchos otros. Todas las teologías hablan del «pecado» o del «amor» en términos relativamente paralelos pero cuando se habla del «reino» las vías se apartan... Así es posible sostener que la piedra de toque de la teología hoy podría ser lo que se haga con el concepto clave del reino.[44]

A continuación Yoder desglosa las implicaciones formales de la centralidad del Reino. *Primero*, quien habla del Reino

---

43 En ese mismo año de 1972 Yoder había publicado en inglés su libro *The Politics of Jesus: Behold the Man! Our Victorious Lamb,* que alcanzó una gran repercusión por su articulación significativa de una lectura anabautista del Nuevo Testamento. La 2da. ed. de este libro en inglés apareció en 1994 (Eedmans/Paternoster, Grand Rapids/Carlisle, Coimbra). En español: *Jesús y la realidad política,* Ediciones Certeza, Buenos Aires, 1985.

44 Padilla, *El Reino de Dios...*, p. 104.

habla de la persona del rey: «En una hermenéutica honesta no se puede hacer abstracción de la persona de Jesús. Él era una persona de su tiempo, de su pueblo. No se le puede traducir a un 'equivalente' particular».[45] *Segundo*, quien habla del Reino habla de la historia, y «hay que acentuar este punto debido a la importancia que ha tenido la herencia dualista neoplatónica y agustiniana, particularmente en las formas del misticismo y el pietismo dentro de la cristiandad.»[46] *Tercero*, quien dice Reino dice comunidad, y ello va en contra de la fuerte impronta individualista de nuestra cultura: «Un mensaje religioso que promete iluminación o nobleza, heroísmo o iniciación secreta, gozo o éxtasis, puede bien dirigirse al individuo aislado de sus vecinos. Un mensaje que proclama un reino, no puede escucharse genuinamente sin que se forme un pueblo.»[47] Yoder observa que en situaciones del llamado «tercer mundo» los evangélicos habían experimentado la vivencia de la comunidad visible, «especialmente en situaciones de persecución, de aislamiento cultural o de desventajas económicas, el 'pueblo evangélico' siempre ha sido muy consciente de su carácter social».[48] El problema es que la predicación y la hermenéutica evangélica fueron individualistas: «Así pues... los evangélicos latinoamericanos han experimentado la realidad de ser comunidad sin haber tenido la conciencia doctrinal correspondiente».[49]

Cuarto, quien dice Reino dice obediencia: «tenemos que rechazar la tendencia a separar la ética de la teología y la

---

45 *Ibid.*, p. 105.

46 *Ibid.*

47 *Ibid.*

48 *Ibid.*, p. 107

49 *Ibid.*

obediencia de la fe. El anuncio del Reino en Mateo 4.17 y 23 conduce directamente al nuevo modelo moral de Mateo 5».[50] En *quinto* lugar, quien dice Reino dice política: «No basta con decir 'historia' y 'comunidad'. Tenemos que añadir que se trata de poder, de estructuras, de intereses, de tareas». Yoder observa que una variedad de factores han conducido al apoliticismo de los evangélicos latinoamericanos:

> Entre ellos están: el individualismo proveniente del humanismo moderno, el dualismo derivado del helenismo antiguo, la modestia del misionero que se sabe huésped a merced del gobierno del país en que trabaja, el conservadurismo político del misionero que proviene de un país poderoso, la relativa ingenuidad del obrero religioso en materias económicas y políticas, que se entiende a la luz de su preparación particular y limitada.[51]

La pertinencia política de Jesús

Para Yoder el apoliticismo de los evangélicos parte de un error en la hermenéutica porque cierra los ojos a la pertinencia política de Jesús. La palabra política puede entenderse de varias formas: «en el sentido más amplio es político todo lo que tiene que ver con la convivencia de los hombres en la polis». En sentido más restringido «'la política' significa la lucha de los partidos para conseguir o mantener el control de un gobierno».[52] El carácter político de la persona y la obra de Jesús se percibe entre estas dos formas de entender lo político: «No buscaba destruir a Herodes o Pilato para gobernar en su

---

50 *Ibid.*

51 *Ibid.*, p. 108.

52 *Ibid.*, p. 109.

lugar. Sin embargo, su presencia y su mensaje amenazaban la tranquilidad de Herodes y dieron base para denunciarlo ante Pilato como enemigo de César».[53]

Las consecuencias de estas implicaciones formales que Yoder agrupa como «implicaciones sustanciales» tienen un alcance crítico para el seguidor de Jesucristo. *Primero*, al hablar del Reino, hay que distinguir éste de los demás reinos: «Si Jesús es Señor, otros no lo son: ni demonios ni reyes de las naciones. Si le obedecemos a él, no nos someteremos –por lo menos no en el mismo sentido absoluto– a otros caudillos, estructuras o lealtades». *Segundo*, el hablar del Reino que viene desde fuera de nuestra experiencia nos obliga a una epistemología «no conformada al mundo». Jesús propone una manera completamente diferente de entender lo que es el rey en su reino. Asociamos el término «rey» con trono, territorio, soldados y espada. Él propone un cambio radical. Con cierta ironía Yoder dice: «Visto desde esta perspectiva, el Jesús de ciertos evangélicos dice: 'no, todavía no soy Rey, salvo en un sentido espiritualizado. Más tarde, sin embargo, regresaré y entonces si cumpliré con la definición previa: con trono, espada, territorio, soldados y todo'.»[54]

Tercero, la inversión del conocimiento del concepto de lo que es el rey trae consigo una inversión de valores: «Cuando Jesús dice a sus oyentes: 'sí, soy Rey pero no como los demás reyes', el nuevo contenido que le está dando al concepto de reino es 'servicio'. Es un *Señor Siervo*».[55] *Cuarto*, el Rey Siervo no se impone por la fuerza. Si bien el Señor llama con insistencia, proclama con autoridad y promete un juicio exigente,

---

53 *Ibid.*

54 *Ibid.*, p. 110.

55 *Ibid.*, p. 111.

él deja a cada oyente libre para seguirle o no. Expresando la larga experiencia anabautista, que en el siglo XVI ofreció la primera crítica teológica articulada de la cristiandad establecida en Europa, Yoder dice: «En esto –que es una simple consecuencia de lo que hemos expuesto previamente– el reino de Dios se diferencia de otros reinos. Se ofrece por amor, pero favorece la libertad del hombre. De su carácter voluntario se sigue, como consecuencia, su estado de minoría».[56]

En *quinto* lugar, proclamar el Reino significa fijar la problemática del poder en su lugar central. Yoder nos recuerda que según el testimonio de los Evangelios fue la tentación del poder, más que otras tentaciones, la que Jesús tuvo que confrontar. Saca de ello dos conclusiones muy pertinentes a la situación latinoamericana. En primer lugar:

> Por lo tanto, la iglesia (normalmente minoritaria y a menudo perseguida) siempre ha de mirar con cierta sospecha las pretensiones de los que ejercen la autoridad que Jesús no aceptó. Puede la iglesia hablar del gobierno como si estuviese directamente bajo la disposición de Satanás (Mt 4.8 ss; Ap 13) o bien como si estuviese bajo el control más alto de Dios (Ro 13.1-7; 1 Ti 2.1-4; 1 P 2.13-16). En todo caso no obstaculiza las pretensiones de cualquier gobierno.[57]

Esta sospecha de la iglesia frente a las pretensiones de quienes ejercen ya el poder en la sociedad alcanza también a las construcciones ideológicas de quienes pretenden llegar al poder. Dice Yoder: «Debido a nuestra sospecha en cuanto a los reyes de este mundo, tampoco pondremos mucha fe en

---

56 *Ibid.*

57 *Ibid.*, p. 112. En esta cita hemos colocado entre paréntesis los pasajes bíblicos que Yoder tenía como notas al pie en su trabajo.

las soluciones globales –capitalismo, socialismo, justicialismo, revolución, renovación nacional– que quieren imponerse desde arriba».[58] Vale más una iglesia con una actitud vigilante y atenta a la realidad social y política: «Mucho más vale observar, criticar abusos, crear alternativas, propugnar movimientos, que imaginar y esperar soluciones más ampliamente satisfactorias pero poco realizables».[59]

Finalmente Yoder expone las implicaciones sustanciales de la centralidad del reino. *Primero*: «quien dice reino empuja hacia el cambio». El papel de la iglesia es

> actuar como portadora de esperanza...por su prédica de la justicia divina, por su promesa de la fuerza renovadora y creativa del amor, del perdón y del servicio; por su invención de modelos para servir; por su experiencia de la comunidad voluntaria de los compañeros de Jesús; por la presencia concreta del pueblo creyente con su no conformidad dentro del mundo, actuando como sal, como luz, como ciudad inocultable como el monte».[60]

Segundo, si proclamamos el Reino afirmamos que su contenido ético puede servir como criterio de discernimiento de lo que «Dios está haciendo para hacer más humana la vida del hombre». Para Yoder el Sermón del Monte ofrece un bosquejo de los elementos básicos de la originalidad ética del reino. *Tercero*, más allá de la pertinencia del mensaje del reino, debemos confesar la pertinencia de la presencia del pueblo del reino como paradigma o signo del evangelio.

58 *Ibid.*, p. 113.

59 *Ibid.*

60 *Ibid.*, p. 114.

También nos desafió a comprender la identidad de los protestantes latinoamericanos, tomando como paradigma la visión anabautista de la comunidad cristiana como una comunidad que primero practica la justicia en su interior, y que sólo a partir de ahí está en condiciones de transformar la sociedad y de anunciar una realidad diferente. Yoder propuso este camino para la propia Fraternidad. Nos recordó que la vocación de ésta partía de una actitud doblemente crítica. El rechazo de la exagerada identificación del movimiento misionero con la cultura anglosajona y con el poder norteamericano, y también el rechazo de la actitud contraria en la cual había una identificación demasiado simplista entre la obra de Dios y la revolución. Yoder se pregunta cómo es posible oponerse a tales identificaciones sin tener algún otro punto de apoyo, y con qué instrumentos se cuenta para la tarea. Responde él mismo:

> Propongo como tesis que el «punto de apoyo», la base de partida, el terreno sobre el cual es posible afirmarse, es el reino. Tiene sus leyes y costumbres, sus lemas y canciones. El reino como cultura me provee compañeros y consejo. Me llama a abandonar y a seguir. Así se concreta el reino en cada situación: como una base de resistencia y un modelo de no conformismo. En los Estados Unidos, el fenómeno «hippie» ha dado la prueba del poder cultural que tiene una «contracultura» minoritaria. Ello es una débil analogía de lo que tendrían que ser los hijos del reino. Tendrían que poseer en su mensaje y en su experiencia de comunidad un estilo de vida distinto, no por ser importado, sino por ser redimido.[61]

---

61 *Ibid.*, p. 112.

Reino de Dios y ética social y política

También esta perspectiva central de la teología anabautista fue utilizada por el autor de estas líneas en la última ponencia de la consulta, para comprender la ubicación del protestantismo latinoamericano y bosquejar algunas notas de una ética social y política. Se planteó la tesis de que al ubicarse como minoría religiosa dentro de una situación de cristiandad en América Latina, el Protestantismo inicial de las primeras décadas del siglo XX se había visto a sí mismo como agente de cambio, no a partir de alianzas políticas sino de fidelidad a su vocación básica como pueblo de Dios con un estilo de vida distinto. Aunque los protagonistas del protestantismo inicial eran de diferentes procedencias denominacionales, su talante, su imagen de sí mismos era muy semejante a la de los anabautistas, en su forma de concebir su propia proyección social y su condición minoritaria:

> En el seno de una cristiandad nutrida más de lo político que de lo espiritual, los evangélicos afirmaron la naturaleza espiritual del reino de Dios. En el seno de un cristianismo constantiniano con «iglesia oficial», los evangélicos afirmaron la absoluta separación entre el trono y el altar (o el púlpito). Su presencia en el seno de una cristiandad nominal era fruto del énfasis en la experiencia transformadora de la *conversión personal* y consciente *más que de la tradición bautismal*. La manera de explicar esta presencia, se dirigió por fuerza a señalar la caída histórica de la Iglesia Romana. Es decir, tenemos una serie de elementos teológicos que señalan a la tradición anabautista.[62]

---

62 *Ibid.*, p. 132.

Sin embargo, al examinar la escatología en el ámbito evangélico en esa década de 1970, fuertemente influenciada por el evangelicalismo anglosajón con sus notas dispensacionalista y premilenial, era evidente que se había perdido la capacidad de crítica social y que «el modo de vida norteamericano, el capitalismo, la llamada libre empresa y la democracia liberal han venido a ser para los evangélicos algo así como la manifestación social y política del reino de Dios en la tierra».[63] Una escatología de este tipo «condicionada más por la situación histórica y social que se quiere preservar que por lo que enseña la palabra de Dios ha perdido todo dinamismo. Tal como la vemos hoy en América Latina no puede resistir ni responder al reto de la escatología marxista».[64]

Era importante destacar la función clave que la escatología marxista cumplía en varios proyectos políticos que se presentaban en esos momentos como la única alternativa para América Latina, y contrastarla con la esperanza cristiana brotada de una renovada comprensión del reino de Dios:

> La dimensión escatológica del marxismo se da en la visión de un orden nuevo que adviene con la revolución. Todo intento de reformar la sociedad capitalista (dentro de la cual surge el marxismo) es utópico mientras no se tome en serio el origen del mal social. La única manera de tomar en serio ese mal es reconocer la existencia de la lucha de clases que progresivamente llega a la fase revolucionaria: la toma del poder por el proletariado. Los esfuerzos por acudir en auxilio de los necesitados y los pobres vienen a ser «paliativos.» Hay que curar el gran mal y no solamente los síntomas, se dice. Muchos evangélicos que hoy están embarcados en formas

---

63 *Ibid.*, p. 137.

64 *Ibid.*, p.140.

diversas de servicio social son criticados porque al proporcionar «paliativos» lo único que hacen es postergar el advenimiento de la revolución.[65]

Esta escatología marxista resultaba similar a la de los dispensacionalistas para quienes el «hacer el bien al prójimo» se posterga en la teoría y en la práctica porque se considera que es más urgente la predicación del evangelio. Cuanto más se extiende el evangelio más se «apresura» la segunda venida de Jesucristo y su establecimiento del reino milenial. De esta manera marxismo y futurismo apocalíptico coincidían al deteriorar teóricamente la validez del acto de bondad o compasión en favor del prójimo con su necesidad inmediata.[66]

Se terminaba examinando las dimensiones del reino en nuestra vida: una dimensión ética, una crítica, una apologética, y una de esperanza. Respecto a la ética y la crítica señalábamos que ser ciudadano del Reino de Dios era más que solamente obtener una carta de ciudadanía mediante la cual pruebo que «he dado el paso» que me introdujo en el Reino:

> No es solamente estar convencido de ciertas cosas en cuanto a Jesucristo, y cantar y orar acerca de ellas. Es una forma de vivir entre los hombres, habiendo descubierto nuevamente lo que significa ser hombre en el designio de Dios... (porque) cuandoquiera que nos preguntamos acerca del tipo de sociedad deseable para el hombre, nos estamos realmente preguntando acerca del propósito del Creador para sus criaturas.[67]

---

65 *Ibid.*, p.142.

66 *Ibid.*, p.143.

67 *Ibid.*, p. 145.

Tomando como ejemplo el tema de la paz, decíamos que la esperanza mesiánica de paz y de la llegada del «Príncipe de Paz» ha empezado a cumplirse con la venida de Cristo, y en el presente «El discípulo de Cristo debe ser vigilante guardián de la paz, no sólo en el seno de la comunidad cristiana sino en sus relaciones con todos los hombres; es, en suma, un hacedor de paz, un pacificador, un instrumento del Príncipe de Paz entre los hombres».[68] Teniendo en cuenta que en América Latina la paz social está amenazada por la injusticia de siglos en el orden establecido y por la revolución consiguiente,

> El cristiano no puede contentarse con desear 'paz social a toda costa'. Cerrando los ojos a la injusticia que alimenta la guerra social, muchos cristianos se han limitado a alabar las dictaduras que han traído «paz», la paz del cementerio sin darse cuenta que bajo una paz impuesta por el terror estaba germinando la violencia revolucionaria.[69]

En América Latina resulta necesario rescatar la historia de quienes han vivido los valores del Reino y con ello han contribuído al cambio social y político. Hay que recordar, sin embargo, que estas realizaciones no tienen valor a los ojos de los apocalipticistas del marxismo y del evangelio. Para unos «hay más valores humanos en Espartaco que en Henri Dunant (el fundador de la Cruz Roja) y en el Che Guevara que en los médicos británicos, estadounidenses y latinoamericanos que se han hundido a trabajar entre las comunidades indígenas de los países de América. Para los otros valen más los predicadores «fogosos» que reúnen multitudes y «producen resultados» estadísticos que aquellas maestras cuya visión

---

68 *Ibid.*, p. 146.
69 *Ibid.*, p. 147.

del Reino incluía dar buena educación a los niños pobres de América Latina. La esperanza del Reino hay que vivirla con realismo y lucidez: «Cuando el conformismo pasivo, disfrazado de realismo o espiritualizado, nos diga que de nada vale intentar cambiar el mundo, podemos responder que por el solo hecho de ser fieles a Cristo ya lo estamos cambiando, que vivimos nuestra acción social y política a la luz de la esperanza del reino».[70]

Conclusión

El trabajo teológico que precedió a la consulta de Lima sobre el Reino de Dios, y que le siguió en la reflexión de varios de los participantes en los años siguientes, tuvo una proyección global especialmente en el movimiento de Lausana que consideramos en el próximo capítulo. En Lausana Padilla y Yoder fueron personas claves en la articulación de una «Respuesta a Lausana» que fue resultado del trabajo de un grupo de más de 300 personas que se reunió espontáneamente para expresar su sentir de que el *Pacto de Lausana* debería haber sido más explícito sobre algunos puntos. La «Respuesta a Lausana» se abre con una afirmación que refleja claramente las verdades que se articularon dos años antes en Lima:

> El Evangelio es buenas nuevas de Dios en Cristo Jesús. Es buenas nuevas del Reino que él proclama y encarna; de la misión de amor de Dios que trae salud al mundo exclusivamente por medio de la Cruz de Cristo; de su victoria sobre los poderes de destrucción y muerte; de su señorío sobre todo el universo. Es buenas nuevas de una nueva creación, una nueva humanidad, un

---

70 *Ibid.*, p. 153.

nuevo nacimiento por medio del Espíritu que da vida. Es buenas nuevas de los dones del Reino mesiánico contenidos en Jesús y mediados por su Espíritu; de la comunidad carismática que por su poder encarna su Reino de *shalom* aquí y ahora, ante toda la creación, y hace visible y da a conocer sus buenas nuevas. Es buenas nuevas de liberación, de restauración, de salud y de salvación personal, social, global y cósmica. ¡Jesús es Señor! ¡Aleluya! ¡Que el mundo entero oiga su voz![71]

---

71 C. René Padilla, *El Evangelio hoy*, Ediciones Certeza, Buenos Aires, 1975, p. 184.

11

AMÉRICA LATINA

ENTRA EN LA ESCENA TEOLÓGICA

*F*rente a la evolución actual del imperialismo del dinero, debemos dirigir a nuestros fieles y plantearnos nosotros mismos la advertencia que dirigió a los cristianos de Roma el vidente de Patmos, frente a la caída inminente de esa gran ciudad prostituida en el lujo gracias a la opresión de los pueblos y al tráfico de los esclavos: «Salid pueblo mío, partid no sea que solidarios de sus faltas, vayáis a padecer sus plagas» (Ap 18.4).

Jesús tomó sobre sí a toda la humanidad para conducirla a la Vida Eterna, cuya preparación terrenal es la justicia social, primera forma del amor fraternal. Cuando Cristo por medio de su resurrección libera a la humanidad de la muerte, conduce todas las liberaciones humanas a su plenitud eterna.

Estos elocuentes párrafos son parte del «Mensaje de Obispos del Tercer Mundo» que firmaron dieciocho obispos católicos de Asia, África y América Latina en agosto de 1967.[1] Se trataba de una iniciativa que había nacido en el Nordeste

---

1 El texto del mensaje aparece en *Signos de renovación. Recopilación de documentos post-conciliares de la Iglesia en América Latina,* una colección de 39 documentos, discursos y conferencias de católicos latinoamericanos, publicado en Lima por la Comisión Episcopal de Acción Social en 1969, con una introducción del teólogo Gustavo Gutiérrez. En ella bosqueja su teología de la liberación.

brasileño, animada por el obispo Helder Cámara, en respuesta
«al llamado angustioso» del Papa Paulo VI en la encíclica *Po-
pulorum Progressio*. Era una toma de posición frente al poder
del dinero y una exhortación a la lucha contra la injusticia, por
un orden social más justo, a partir de una reflexión teológica.
Así en la década de 1970 América Latina entra como protagonista en la escena teológica mundial. Hasta ese momento los
estudiosos reconocían que a pesar del peso numérico de la
presencia católica y el notable crecimiento numérico protestante, en estas tierras no había habido producción teológica
propia. En esta década la situación cambió visiblemente. En
el campo católico los libros de los teólogos de la liberación
como Gustavo Gutiérrez, Leonardo y Clodovis Boff, Juan Luis
Segundo, Jon Sobrino, Hugo Assmann, a poco de aparecer en
su lengua original castellana o portuguesa fueron traducidos
al inglés y a otros idiomas europeos y recibieron una acogida
singular.

Muy pronto grupos sociales de todo el mundo, en los cuales
había conciencia de opresión, encontraron en las teologías de
la liberación un lenguaje y categorías de pensamiento con los
cuales se sintieron identificados. Las minorías étnicas como
hispanos y negros en Estados Unidos, las mujeres del movimiento feminista, los pensadores cristianos emergentes en
Asia y África, empezaron a utilizar el vocabulario y los temas
de la liberación para expresarse. El hecho de que varios de
estos nuevos teólogos católicos hicieran uso de la Biblia era
una novedad en América Latina, y abrió las puertas para un
nuevo y amplio diálogo con el protestantismo ecuménico que
tuvo repercusiones también en el protestantismo evangélico.

Por otra parte, como hemos visto en capítulos anteriores,
teólogos protestantes latinoamericanos habían empezado a
participar activamente en la reflexión teológica mundial, y
sus voces contribuían a un diálogo que en esta etapa se hizo

definitivamente global. Una prueba de ello es el libro de Mortimer Arias *Salvación es liberación*, donde el autor da cuenta de la significación de la conferencia «La salvación hoy» que se había realizado en Bangkok, en diciembre de 1972, organizada por la Comisión de Evangelización y Misión Mundial del Consejo Mundial de Iglesias. Arias era entonces obispo de la Iglesia Metodista de Bolivia en La Paz, y en su libro daba cuenta de la situación misionera mundial tal como se había podido percibir en la mencionada conferencia. En la presentación de su libro compartía su convicción: «los temas que se presentan y discuten en este libro son vitales para el futuro de la comunidad cristiana latinoamericana».[2]

En el ámbito evangélico el caso más notable que alcanzó repercusión más allá del campo estrictamente teológico fue el de René Padilla, con su ponencia sobre «El evangelio y la evangelización» presentada en el Congreso Internacional de Evangelización Mundial, realizado en Lausana en julio de 1974. Organizado por un amplio espectro de instituciones evangélicas y convocado por el evangelista Billy Graham, el Congreso representaba la flor y nata del activismo misionero evangélico que en ese momento florecía en el mundo. Siguiendo la mecánica adoptada por el Congreso para conseguir una participación amplia, la ponencia de Padilla sobre «El Evangelio y la evangelización» había sido circulada en castellano, inglés, francés, alemán e indonesio con varios meses de anticipación. En su exposición oral el autor respondió a cientos de críticas y comentarios que recibió desde todo el mundo. Fue motivo de un agudo debate porque al establecer lo que era el Evangelio con fundamento bíblico, criticaba las versiones más comunes popularizadas por el

---

2   Mortimer Arias, *Salvación es liberación*, La Aurora, Buenos Aires, 1973, p. 5.

activismo evangelizador y misionero, que en muchos casos eran versiones de un «cristianismo-cultura» que, consciente o inconscientemente, identificaba el mensaje cristiano con el modo de vida estadounidense. Padilla afirmaba su pasión evangelizadora pero criticaba a fondo esas versiones espurias del evangelio. Partes claves del texto de su ponencia aparecieron al final del Congreso en el llamado *Pacto de Lausana*, uno de los documentos que en las siguientes décadas habría de tener influencia decisiva entre los teólogos y estudiosos evangélicos de la misión cristiana, y entre los misioneros y misioneras abiertas al cambio, y que buscaban dirección ante la nueva situación mundial. Tanto en el ámbito ecuménico como en el evangélico la Cristología que se iba forjando en América Latina vino a ocupar un lugar de importancia en el debate teológico.

Las teologías de la liberación

Como hemos visto en anteriores capítulos el lenguaje de la «liberación» se había empezado a usar en la reflexión sobre la responsabilidad social y política de los cristianos. En el caso de América Latina la palabra pasó a usarse en el sentido específico de una alternativa social y política distinta y opuesta a la alternativa del «desarrollo» siguiendo los moldes de los Estados Unidos. En el caso de África y Asia los movimientos que habían adoptado el término «liberación» se referían a la lucha contra el colonialismo europeo y sus secuelas. En América Latina el término tenía sobre todo un sentido socioeconómico y cultural. Ante el efecto de fermento revolucionario que produjo el triunfo de la revolución cubana a partir de 1959, John F. Keneddy, el primer Presidente católico de los Estados Unidos, había orientado la política exterior de su país para América Latina a una serie de reformas estructurales en el marco de la llamada Alianza para el Progreso. Entre un sector de los estudiosos de las ciencias sociales, que trataban de diagnosticar la situación latinoamericana, se llegó a la convicción de que el progreso y el desarrollo no eran posibles si no se daba primero una ruptura de la dependencia con el orden social impuesto por las potencias capitalistas. El diagnóstico utilizaba el análisis social marxista, en particular su teoría del imperialismo. Surgió así la «teoría de la dependencia» a la cual sus proponentes le asignaban carácter científico. Así escribía Gustavo Gutiérrez:

> El subdesarrollo como hecho global aparece cada vez más claramente y, ante todo, como la consecuencia de una dependencia económica, política y cultural de centros de poder que están fuera de América Latina. La dinámica de la economía capitalista lleva simultáneamente a la creación de mayor riqueza para los menos y de mayor pobreza para los más. Actuando en complicidad con esos centros de poder, las oligarquías nacionales mantienen en su beneficio y a través de mecanismos diversos, una situación de dominación al interior de cada país.[3]

Gutiérrez sostiene a continuación que «Caracterizar la realidad latinoamericana como dependiente y dominada lleva normalmente a hablar de liberación y a participar en el proceso que lleva a ella. De hecho se trata de un término que expresa una nueva postura del hombre de América Latina.» Yendo más allá del análisis social propone una noción de liberación:

---

3 Gustavo Gutiérrez en la Introducción a *Signos de renovación*, CEAS, Lima, 1969. En esta edición la Introducción tiene 11 págs que no están numeradas.

Es, más hondamente, ver el devenir de la humanidad
en una cierta perspectiva de filosofía y teología de la
historia, como un proceso de emancipación del hombre
orientado hacia una sociedad en la que el hombre se
vea libre de toda servidumbre, en la que no sea objeto
sino agente de su propio destino. Proceso que lleva no
sólo a un cambio radical de estructuras, a una revolución social, sino que va incluso más lejos: a la creación
permanente de una nueva manera de ser hombre.[4]

Gutiérrez pasa del análisis social a la exaltación escatológica que aún promete una nueva antropología. Los temas
que bosquejaba en esta introducción de 1969 los desarrollaría
luego con amplitud en su libro *Teología de la liberación. Perspectivas,* publicado por primera vez en 1971[5] y que apareció
luego en inglés y alemán en 1973.[6] En esa obra Gutiérrez
propone una nueva manera de hacer teología:

La teología de la liberación nos propone tal vez, no tanto un nuevo tema para la reflexión, cuanto una *nueva
manera* de hacer teología. La teología como reflexión
crítica de la praxis histórica es así una teología liberadora, una teología de la transformación liberadora de
la historia de la humanidad y, por ende, también de

---

4 *Ibid.*

5 Gustavo Gutiérrez, *Teología de la liberación. Perspectivas,* Centro de Estudios
   y Publicaciones, Lima, 1971. En adelante al citar este libro estamos usando
   la edición de 1988, en la cual el autor hizo correcciones y aclaraciones a
   pedido de la censura vaticana. Nos referiremos a este libro con las iniciales
   TL.

6 *A Theology of Liberation,* Orbis Books, Maryknoll, 1973; *Theologie der Befrei-
   ung,* Christian Kaiser Verlag, Munich, 1973. Posteriormente ha sido traducida
   a más de diez idiomas.

la porción de ella –reunida en ecclesia– que confiesa
abiertamente a Jesucristo.[7]

Esta definición permite entender lo nuevo de la propuesta.
Para Gutiérrez a lo largo de la historia de la iglesia la teología
había cumplido funciones diferentes aunque «a través de
modalidades cambiantes, lo esencial del esfuerzo por una
inteligencia de la fe se mantiene». Así la teología como *sabiduría*, en la etapa patrística, por ejemplo, había sido una
ayuda para vivir la vida espiritual en el mundo y la teología
como *saber racional* en la escolástica había desarrollado una
sistematización intelectual que hacía uso de la filosofía griega.

La propuesta era que ahora la teología fuese la reflexión
de los cristianos que habiendo adoptado una cierta forma de
acción, una *praxis* orientada por el análisis social, en respuesta
a las demandas sociales y políticas propias de América Latina, sólo después de la acción y a partir de ella, reflexionaban
críticamente sobre su praxis. Gutiérrez atribuye este énfasis
sobre la práctica al descubrimiento de la caridad como centro
de la vida cristiana; a una nueva espiritualidad del laicado
que se ha de vivir en el mundo y no sólo en la vida contem-
plativa; a la importancia de la teología de los «signos de los
tiempos» siguiendo a Juan XXIII y el concilio Vaticano II; y a la
filosofía de la acción propuesta por Maurice Blondel, filósofo
laico católico. Reconoce luego: «A esto se añade la influencia
del pensamiento marxista centrado en la praxis, dirigido a la
transformación del mundo. Tiene sus inicios a mediados del
siglo pasado, pero su gravitación se ha acentuado en el clima
cultural de los últimos tiempos».[8] Apunta finalmente:

---

7 TL, p. 87.

8 TL, p. 77.

El redescubrimiento, en teología, de la dimensión escatológica ha llevado a hacer ver el papel central de la praxis histórica. En efecto, si la historia humana es, ante todo, una abertura al futuro, ella aparece como una tarea, como un quehacer político; construyéndola el ser humano se orienta y se abre al don que da sentido último a la historia: el encuentro definitivo y pleno con el Señor y con los demás.[9]

Como la praxis que se proponía era el servicio a los pobres y la identificación con ellos, esta teología ponía mucho énfasis en la perspectiva de los pobres. Así decía Gutiérrez escribiendo en 1979:

> En la teología de la liberación hay dos intuiciones centrales que fueron además cronológicamente las primeras y que siguen constituyendo su columna vertebral. Nos referimos al método teológico y a la perspectiva del pobre. Desde un comienzo la teología de la liberación planteó que el acto primero es el compromiso en el proceso de liberación, y que la teología viene después como acto segundo.[10]

Como hemos explicado en otra parte,[11] a partir de estos conceptos y su método teológico los teólogos latinoamericanos de la liberación emprenden una triple relectura que afecta la manera de plantear su práctica cristiana y su reflexión teológica. En primer lugar una relectura crítica de la historia de su iglesia, que relaciona los hechos eclesiásticos con el papel

---

9 TL, p. 78.

10 Gustavo Gutiérrez, *La fuerza histórica de los pobres*, CEP, Lima, 1979, p. 367.

11 Samuel Escobar, *La fe evangélica y las teologías de la liberación*, Casa Bautista de Publicaciones, El Paso, 1987, especialmente los capítulos V a IX.

social desempeñado por la iglesia en su conflictiva historia en América Latina. En segundo lugar, una relectura de la Biblia en su totalidad, destacando la perspectiva de los pobres y los temas vinculados a la liberación y la justicia social. De esta manera, por ejemplo, el Éxodo como relato de la liberación de los cautivos en Egipto pasa a constituir una clave de comprensión de la acción de Dios en la historia. En tercer lugar, se da una relectura de lo que ha de ser la praxis cristiana, orientada a la transformación de las estructuras sociales más que al ejercicio de la caridad o el auxilio a los necesitados. En las décadas siguientes se iría acumulando un acervo notable de obras sobre historia de la Iglesia, sobre la Biblia y sobre la ética cristiana,[12] desde la perspectiva liberacionista.

Jesucristo liberador

El primero en formular de manera sistemática una cristología en el ámbito católico latinoamericano fue el franciscano brasileño Leonardo Boff, quien se había doctorado en Alemania con Karl Rahner. Ordenado como sacerdote en 1964, pronto se hizo conocido en Brasil por su actividad intensa como editor, escritor y docente. En 1974 apareció en castellano su libro *Jesucristo el liberador*,[13] cuya versión original en portugués era de 1971, y con esta obra alcanzó un público continental. En el prólogo de la versión castellana del libro, el abogado y periodista uruguayo Héctor Borrat afirmaba

---

12 La mejor presentación global de esta etapa del movimiento es a nuestro juicio la de José Míguez Bonino, *La fe en busca de eficacia*, Sígueme, Salamanca, 1977. Una crónica histórica cuidadosa es la de Roberto Oliveros Maqueo S. J., *Liberación y teología: génesis y crecimiento de una reflexión 1966-1977*, Lima, Centro de Estudios y Publicaciones, 1977.

13 Leonardo Boff, *Jesucristo el liberador*, Latinoamérica Libros, Buenos Aires, 1974. La Presentación es por Héctor Borrat.

categóricamente: «He aquí, escrita por un brasilero, la primera cristología sistemática que se haya editado en América Latina».[14] Borrat reconocía también que, aun en Europa, los católicos se habían quedado rezagados en su Cristología, y que no habían producido obras cristológicas como las de los protestantes Wolfhart Pannenberg, Günther Bornkamm y Rudolf Bultmann. Y luego afirmaba entusiasmado que el trabajo de Boff se ponía a la altura de estos últimos: «La obra de este franciscano brasilero vino a asumir ese rango en una lengua y desde una tierra habitualmente ausentes de la moderna cristología».[15]

El biblista argentino Monseñor Jorge Mejía, quien escribió una crítica cuidadosa de la obra de Boff, reconocía, sin embargo, las cualidades de este trabajo:

> Es grato comprobar que el autor y su obra están inspirados por un refrescante amor y reverencia por el Jesús de la historia y de la fe que mueven a aproximarse a él no como a un objeto arqueológico ni como un mero problema crítico cuya clave es preciso descifrar, sino como al Dios-con-nosotros que es preciso recibir en actitud de creyente y en la adoración.[16]

Tanto sus críticos como los entusiastas de su obra reconocen el esfuerzo notable de Boff que resume el estado de la cuestión cristológica en Europa, especialmente la obra de autores alemanes, y emprende su propio camino. En la síntesis de la búsqueda cristológica que ofrece su primer capítulo presta especial atención a Bultmann, para seguir con la vuelta

---

14 En Boff, *op. cit.*, p. 11.

15 *Ibid.*

16 Jorge Mejía, «'Jesucristo el Libertador' de Leonardo Boff», *Criterio*, Buenos Aires, 1976, p. 458.

a la búsqueda del Jesús histórico. Examina diversas posiciones cristológicas corrientes en su momento, con breves referencias a la interpretación cósmico-evolucionista de Jesucristo propuesta por Teilhard de Chardin, a la interpretación de Jesús con las categorías de la psicología profunda de Jung, a la interpretación secular y crítico-social, y al surgimiento de un renovado interés en Jesucristo entre la juventud a nivel mundial. En el segundo capítulo, al examinar la cuestión hermenéutica, Boff hace referencia a las preguntas específicas que surgen de la realidad latinoamericana y la manera de plantearlas:

> Al tratar de situar nuestra posición ante Jesús en un contexto latinoamericano, incluimos en esa tarea todas nuestras particularidades, nuestra vida y nuestras preocupaciones. De esta forma Jesús prolonga su encarnación en el interior de nuestra historia, revelando una nueva faz que es especialmente conocida y amada por nosotros.[17]

Boff explica la hermenéutica histórico-crítica que va a adoptar, haciendo referencia a la erudición europea de la que va a depender, pero aclara que «Es con nuestras preocupaciones que son sólo nuestras y de nuestro contexto sudamericano como trataremos de releer no sólo los viejos textos del Nuevo Testamento sino también los más recientes comentarios escritos en Europa».[18] Y bosqueja así las claves de su Cristología: a) primacía del elemento antropológico sobre el eclesiológico; b) primacía del elemento utópico sobre el fáctico; c) primacía del elemento crítico sobre el dogmático; d) primacía de lo

---

17 Leonardo Boff, *Jesucristo el liberador*, Sal Terrae, Santander, 5ta.ed., 1976, p. 47.

18 *Ibid.*, p.58.

social sobre lo personal, y e) primacía de la ortopraxis sobre la ortodoxia.

En los capítulos 3 a 7 va examinando la figura de Jesús como aparece en los Evangelios, explorando los aspectos significativos, creadores, sugerentes, de la manera de ser y conducirse de Jesús y de su enseñanza, según los relatos evangélicos. Para Boff

En principio, Jesús no se predicó a sí mismo, ni a la Iglesia, sino el Reino de Dios. Reino de Dios es la utopía fundamental del corazón humano de la total transfiguración de este mundo, libre de todo lo que lo aliena, como puede ser el pecado, el dolor, la división y la muerte. Jesús viene y anuncia: «Se acabó el tiempo de espera. ¡El Reino está cerca!». No sólo promete esa nueva realidad sino que comienza ya a realizarla y a mostrarla como posible en este mundo.[19]

Sostiene Boff que «antes de ponernos a atribuir títulos divinos a Jesús, los Evangelios nos permiten hablar de él en un sentido muy humano; con él, como nos dice el Nuevo Testamento 'apareció la bondad y el amor humanitario de nuestro Dios'».[20] Y así el capítulo 5 de su libro, con especial riqueza literaria y expresiva, propone a Jesús como «un hombre de extraordinario buen sentido, fantasía creadora y originalidad». Dedica un capítulo al sentido de la muerte de Jesús. Con un uso exhaustivo de textos de los Evangelios describe el proceso de desconcierto y crisis que provoca la popularidad de Jesús entre los dirigentes judíos y la acción concertada de éstos para matar a Jesús, condenándolo como blasfemo y guerrillero. Su

19 *Ibid.*, p. 63.
20 *Ibid.*, p. 95.

uso del material de los Evangelios recurre a la historia de las formas. Así por ejemplo, comentando el juicio ante Caifás, la pregunta específica de éste en Marcos 14.61-62: «¿Eres tú el Cristo, el hijo del bendito?», y la respuesta de Jesús: «Sí, yo soy y veréis al Hijo del Hombre sentado a la diestra del Padre y venir entre las nubes del cielo», Boff dice:

> Hace ya mucho que la exégesis, tanto católica como protestante, se pregunta si nos hallamos aquí en presencia de un relato histórico o de una profesión de fe de la comunidad primitiva que a la luz de la resurrección interpretó la figura de la resurrección como la del Mesías-Cristo y la del Hijo del Hombre del capítulo 7 de Daniel. Es difícil solventar esta cuestión por métodos exegéticos.[21]

Su interpretación del sentido de la muerte de Cristo nos lleva a puntos claves de toda interpretación cristológica, en los cuales refleja el pensamiento de Bonhoeffer. Por una parte resume la vida de Cristo diciendo:

> Toda la vida de Cristo consistió en darse, en ser-para-los-demás, en intentar y realizar en su existencia la superación de todos los conflictos. Viviendo lo originario del hombre tal como Dios lo quiso al hacerlo a su imagen y semejanza, juzgando y hablando siempre a partir de él reveló una vida de extraordinaria originalidad y autenticidad.[22]

Al referirse a la muerte de Jesús, Boff destaca el sentido de abandono de parte de Dios que es prominente en los textos evangélicos, particularmente en el Evangelio de Marcos. Dice:

---

21 *Ibid.*, p. 120.

22 *Ibid.*, p. 131.

«Con su predicación del Reino de Dios pretendió dar un sentido último y absoluto a toda la realidad. En nombre de ese reino de Dios vivió hasta el final su ser-para-los-demás, incluso cuando la experiencia de la muerte (ausencia) de Dios se le hizo sensible en la cruz casi hasta el borde de la desesperación.» Luego reflexiona sobre el sentido de la muerte de Cristo:

> El sentido universal de la vida y de la muerte de Cristo radica, por consiguiente, en que sobrellevó hasta el final el conflicto fundamental de la existencia humana, que consiste en pretender realizar el sentido absoluto de este mundo delante de Dios, a pesar del odio, la incomprensión, la traición y la condenación a muerte.[23]

Boff dedica otro capítulo a la resurrección sobre la cual afirma: «Aquí reside el núcleo central de la fe cristiana. Debido al hecho de la resurrección sabemos que la vida y el sinsentido de la muerte tienen un verdadero sentido que, con este acontecimiento, adquiere una claridad meridiana».[24] Los capítulos que siguen son una elaboración teológica en diálogo con la enseñanza de la Iglesia y las cristologías clásicas. Los tres capítulos finales exploran aspectos eclesiales y pastorales a la luz de las conclusiones teológicas a las que llega.

En otros ensayos cristológicos, Boff presenta de manera específica su adopción del método de la teología de la liberación y describe la naturaleza de su reflexión cristológica:

> Hablar de Jesucristo liberador supone antes hablar de otra cosa previa. Liberación se encuentra en correlación opuesta a dominación. Venerar y anunciar a Jesucristo liberador implica pensar y vivir la fe cristológica desde

---

23 *Ibid.*
24 *Ibid.*, p. 133.

un contexto socio-histórico de dominación y opresión. Trátase, por tanto, de una fe que intenta captar la relevancia de temas que implican una mutación estructural de determinada situación socio-histórica. Esta fe elabora analíticamente esta relevancia produciendo una cristología centrada en el tema de Jesucristo liberador. Esta cristología implica un determinado compromiso político y social en vista de la ruptura con la situación opresora.[25]

El compromiso al cual hace referencia Boff tiene características específicas y no se trata ni del servicio a las necesidades de los pobres ni de los esfuerzos por cambiar la legislación o corregir las injusticias del sistema socio-económico predominante. Más bien «presupone una opción por la tendencia dialéctica en el análisis de la sociedad y por el proyecto revolucionario de los dominados. Cuando se dice liberación se expresa una opción bien definida que no es ni reformista ni progresista, sino exactamente liberadora e implica una ruptura con la situación vigente».[26] Los términos excluyentes de «reformista» y «progresista» eran propios del lenguaje político estratégico del marxismo y reflejaban el status de ciencia que el marxismo se arrogaba y algunos teólogos concedían, que llevaba a la exclusión de formas de ver la realidad que no usaran las categorías marxistas.

Boff afirma que esta teología es la gran contribución de América Latina a la tarea cristológica universal y contrasta su posición con la de algunos teólogos europeos o de «países

---

25 Leonardo Boff, «Jesucristo liberador. Una visión cristológica desde Latinoamérica oprimida», en Equipo Seladoc, *Cristología en América Latina*, Sígueme, Salamanca, 1984, p. 17.

26 *Ibid.*, p. 26.

pudientes», lo que llama «teólogos del otro polo». Advierte
además:

> No raras veces teologías progresistas, secularizadoras,
> ilustradas, críticas hasta el exceso, encubren posturas
> políticas conservadoras y refuerzan ideológicamente
> el *statu quo*. Otras pueden ser intencionalmente libe-
> radoras, pero por ausencia de un análisis más crítico
> del sistema vigente, tienen estructuralmente prácticas
> asistencialistas».[27]

Jon Sobrino: la cruz y el seguimiento de Jesús

El segundo trabajo cristológico notable de esta década es
Cristología desde América Latina por Jon Sobrino, un jesuita
español afincado en El Salvador. Por su identificación con los
pobres y la izquierda en El Salvador la orden jesuita fue perseguida de manera sangrienta por el gobierno militar. Sobrino
presenta un pensamiento vigoroso y riguroso. Va desarrollando
su argumento con claridad y lucidez, resumiéndolo primero
en breves tesis y luego desarrollando cada tesis. Su obra, al
igual que la de Boff, insistió en poner sobre el tapete de la
teología católica lo que el protestantismo había venido planteando desde los inicios de su reflexión: el conocimiento y la
proclamación del Cristo de los Evangelios y las Epístolas. Pero
estos dos autores utilizan en su acercamiento al texto bíblico
las metodologías críticas que se habían ido desarrollando en
el ámbito académico europeo. Sobrino afirma con claridad:
«La teología de la liberación ha revalorizado la figura del Jesús
histórico dentro de la teología. Con ello se pretende superar
una concepción bastante abstracta y por ello manipulable de

---

27 *Ibid*., p. 41.

Cristo, y positivamente fundamentar la existencia cristiana en el seguimiento de ese Jesús histórico».[28] El método a seguir se explica por contraste con lo que había sido la tradición católica hasta entonces:

> Las afirmaciones dogmáticas aseguran en formulaciones límite y doxológicas, la verdad sobre Cristo; pero el verdadero conocimiento de Cristo, formulado en los dogmas, no es posible ni real sin pensar en Cristo desde la propia situación y praxis...Esta cristología pretende ser una cristología histórica, no ya sólo en el sentido explicativo de que se hace desde la historia actual, sino en el mismo proceso de reflexionar sobre Cristo y analizar los contenidos de la cristología. Si el fin de la cristología es confesar a Jesús como el Cristo, el punto de partida es afirmar que ese Cristo es el Jesús de la historia.[29]

Una de las notas dominantes de la cristología de Sobrino es que presta especial atención al hecho y el significado de la cruz en la comprensión y seguimiento de Jesús, pero también en la manera de comprender a Dios y la relación entre el Padre y el Hijo. Destaca en particular las circunstancias históricas de la crucifixión, y las razones de carácter político en las acusaciones que llevaron a Jesús al calvario. Sostiene que desde temprano en el pensar cristiano, aun desde los documentos mismos del Nuevo Testamento, había habido una tendencia a dulcificar la cruz y a interpretarla de tal manera que el hecho mismo de que Jesús murió la muerte de un cri-

---

28 Jon Sobrino, *Cristología desde América Latina*, Ediciones CRT, México,1977, p. 59.

29 *Ibid.*, p. xvii.

minal subversivo quedaba desvalorizado y despojado de su
profunda significación.

> Ya en la misma descripción de la muerte de Jesús se
> observa en el nuevo testamento un movimiento a suavi-
> zar esa muerte teológicamente. En la versión de Mc, la
> más original y primitiva, la muerte de Jesús es descrita
> sobria y trágicamente: «Jesús lanzando un fuerte grito
> expiró» (Mc 15.37). En la cruz Jesús recita el salmo 22.2:
> «Dios mío, Dios mío, ¿por qué me has abandonado?»
> Es posible que fuese quizás Mc quien pusiese en boca
> de Jesús ese salmo, pero de todas formas no se hubiese
> atrevido a hacerlo sin una base histórica para ello, por
> lo escandaloso de ese salmo en boca de Jesús. Además,
> esa forma de morir es congruente con otros datos del
> evangelio, como la agonía en el huerto (Mc 14.34-42),
> y con todo el contexto teológico de la vida de Jesús.[30]

Para Sobrino, en los otros evangelistas, Lucas y Juan, se observa ya un movimiento de intentar quitar aristas al escándalo
de la muerte de Jesús con el sentimiento de abandono de Dios;
la dimensión teológica de la muerte de Jesús es dulcificada.
«En Lc el salmo 22 es sustituído por el salmo 31 que es un
salmo de confianza en Dios: 'Padre en tus manos pongo mi
espíritu'...En Jn tampoco se menciona el salmo 22; en su lugar
Jesús muere más majestuosamente, como quien hasta el final
es dueño de la situación».[31] Así, pues, Sobrino es crítico de
la idea de que «el hombre Jesús en su vida terrestre se sabía
hijo de Dios en el sentido estricto y metafísico del término» y
más aún, sostiene que pasajes bíblicos como Jn 10.30, 36, 38

---

30 Jon Sobrino, «La muerte de Jesús y la liberación en la historia» en Equipo
   SELADOC, *Cristología en América Latina*, Sígueme, Salamanca, 1984, p. 47.
   Este texto está fechado en San Salvador, 1975.

31 *Ibid.*, p. 48.

ó Mt 11.27 no son auténticos de Jesús. Critica los esfuerzos de usar los títulos de Jesús para probar que él tenía conciencia mesiánica.[32]

En ese esfuerzo por dulcificar la cruz, que sería un desarrollo más reciente de una iglesia ya bajo la influencia del pensamiento griego, Sobrino ve una conexión con la noción griega de Dios en la cual es imposible que Dios sufra y por lo tanto hay que hacer caber la muerte de Jesús junto con la actitud de un Dios inmutable que ni puede sufrir ni experimentar la angustia de la cruz. Sostiene, entonces, que

> En América Latina, sin embargo, surge espontáneamente la impresión que D. Bonhoeffer expresó intuitiva y poéticamente, 'sólo un Dios que sufre puede salvarnos'. Lo paradójico de esta frase no debe llevar a relegarla al ámbito de la piedad o de la paradójica retórica, sino que debe ser analizada, pues lo que aquí está en juego es la esencia del Dios cristiano.[33]

La reflexión de Sobrino interactúa así con la moderna teología europea de su tiempo, especialmente con el Bonhoeffer tardío y con Jürgen Moltmann y su obra *El dios crucificado.*[34]

Desde el punto de vista de las autoridades judías Jesús fue condenado por blasfemia, por cuestionar con su conducta y su enseñanza el concepto «oficial» de Dios en la élite dirigente del judaísmo de ese momento. Sobrino muestra cómo Jesús cuestionaba ese Dios de la religiosidad oficial dominante y presentaba a un Dios diferente, especialmente a un Dios que se acerca a los publicanos, prostitutas, leprosos, y que al ha-

---

32 Jon Sobrino, *Cristología desde América Latina, p. 60.*

33 Sobrino, «La muerte de Jesús...», p. 57.

34 Jürgen Moltmann, *El dios crucificado*, Sígueme, Salamanca, 1977.

cerlo señala la injusticia de un orden social que marginaba a dichas personas. Para Jesús, a Dios se lo podía encontrar precisamente en el encuentro de acogida y servicio a esas personas y sus necesidades.

Si bien la muerte de Jesús fue por una condena de blasfemia para los judíos, para el poder político encarnado por el gobierno romano Jesús es tratado como un celote, un revolucionario y ello nos debe llevar a no olvidar la dimensión política del ministerio y la enseñanza de Jesús. Tanto en el caso de sus jueces judíos como en el de su juez romano, hay un ejercicio del poder que Jesús cuestiona con su persona como había cuestionado con su enseñanza. En cierto modo Jesús hace una desmitologización del poder, sacando a la luz los mecanismos del poder y confrontando no sólo a los poderosos como personas de manera individual, sino a la institución, al colectivo que representaban. Para Sobrino hay algo de celotismo en la actitud de Jesús aunque su camino viene a ser claramente diferente del de los celotes. Resume así la opción que Jesús toma, en categorías de las teologías de la liberación: «Su amor (Jesús) hacia el oprimido se manifiesta estando con ellos, dándoles aquello que les puede devolver su dignidad, que les pueda humanizar. Su amor hacia el opresor se manifiesta estando contra ellos, intentando quitarles aquello que les deshumaniza».[35] Redondea su reflexión con un tema clave en los teólogos de la liberación: «La importancia sistemática de esta consideración para una teología histórica de la liberación es que la mediación privilegiada de Dios sigue siendo la cruz real: el oprimido... donde se sirve al oprimido, entonces se 'permanece con Dios en la pasión'».[36]

---

35 Jon Sobrino, *Cristología desde América Latina*, p. 181.

36 *Ibid.*, p. 189.

En un estudio cuidadoso de la cristología de Sobrino, René Padilla nos recuerda que éste destaca el concepto de dos etapas en el ministerio de Jesús y que la llamada «crisis galilea» «marcó un rompimiento áspero en la conciencia de Jesús.» La primera etapa fue de proclamación del Reino como realidad escatológica; la segunda se caracterizó por conflictos y sufrimientos.[37] Sobrino ve en la pasión de Jesús un proceso de descubrimiento, una toma de conciencia lenta, lo cual recalcaría la humanidad de Jesús que va «descubriendo» poco a poco el significado de su misión. Ello contrasta con la visión tradicional de que Jesús va cumpliendo paso a paso un plan que ya conoce de antemano y en el cual no hay sorpresas. Esta sería la diferencia entre una cristología que viene desde arriba y otra que viene desde abajo. Sobrino tiene en este sentido serios interrogantes en relación con Calcedonia.

Cristología para la evangelización

No es casual que en el Protestantismo evangélico latinoamericano la Cristología se haya ido forjando como parte de una teología de la evangelización. Es que los protestantes en América Latina han tenido siempre como parte de su identidad el sentido de misión en un continente que desconoce al Cristo *salvador* y *redentor*, y la seguridad de que la experiencia del encuentro con ese Cristo lleva a una *conversión* que tiene consecuencias transformadoras en lo individual y lo social. Como ya se habrá podido advertir esto se da por igual en el Protestantismo histórico más temprano cuyos primeros pensadores empezaron a militar en el ecumenismo, y en el

---

37 C. René Padilla, «Cristología y misión en los dos terceros mundos» [en el mundo de los dos tercios], *Boletín Teológico*, No. 8, México, oct-dic 1982, pp. 41ss.

Protestantismo evangélico conservador, cuando éste, partiendo de una teología importada, emprendió su propio camino al mismo tiempo evangélico y contextual. La renovación teológica del Catolicismo parte de una preocupación pastoral, en la que se supone que por el sacramento del bautismo las personas ya son cristianas, si bien como vimos en el capítulo 8, teólogos como Gutiérrez y Segundo cuestionaban la realidad y calidad de ese Cristianismo. Por contraste, el Protestantismo parte de una preocupación misionera con fuerte énfasis en la evangelización porque cuestiona, con mayor o menor radicalidad, el carácter cristiano de ese Catolicismo nominal. La teología protestante es intencionalmente misionera. Sobre la relación entre teología y evangelización Orlando Costas se iba a expresar de manera elocuente:

> La teología y la evangelización son dos aspectos correlativos de la vida y misión de la fe cristiana. La teología estudia la fe, la evangelización es el proceso por el cual la fe se comunica. La teología sondea la profundidad de la fe cristiana; la evangelización capacita a la iglesia para extenderla hacia los confines de la tierra y las profundidades de la vida humana. La teología reflexiona críticamente sobre la práctica de la fe en la iglesia; la evangelización impide que la fe se vuelva la práctica de un grupo social exclusivo. La teología capacita a la evangelización para trasmitir la fe con integridad, al clarificar y organizar su contenido, analizar su contexto y evaluar críticamente su comunicación. La evangelización capacita a la teología para ser una sierva efectiva de la fe al relacionar su mensaje con las más profundas necesidades espirituales de la humanidad.[38]

---

38 Orlando E. Costas, *Liberating News. A Theology of Contextual Evangelization*, Eerdmans, Grand Rapids, 1989, p. 1.

Esto se percibe con claridad, por ejemplo, en el trabajo de René Padilla cuya Cristología se expone en ensayos
medulares como «¿Qué es el Evangelio?» (Lima,1966-1967,
Austria,1975) y «El evangelio y la evangelización» (Lausana,
1974). El primero fue parte de los cursos de formación de
la CIEE que capacitaba a líderes estudiantiles embarcados
en la evangelización en sus universidades, y el segundo fue
una de las ponencias teológicas del Congreso Internacional
de Evangelización Mundial de Lausana. Al destacar la importancia de hacer la pregunta ¿qué es el Evangelio?, Padilla
planteaba que el activismo evangélico necesitaba profundas
correcciones. En la serie de «congresos de evangelización»
regionales que se habían ido realizando a partir del congreso
de Berlín en 1966, se iba dando una toma de conciencia de
la necesidad de evaluar la actividad evangelizadora de las
misiones e iglesias a la luz de la enseñanza bíblica. En ese
proceso teológico se fue desarrollando la convicción de que
no se trataba, como algunos creían, solamente de modernizar
metodologías y estrategias para cumplir el mandato misionero
de Jesús. Al tomar en serio el contexto en el cual se daba la
actividad evangelizadora resultaba necesario profundizar en
la comprensión del Evangelio de Jesucristo, lo cual llevaría a
una práctica misionera según el estilo de Jesús.[39]
   En ese sentido el trabajo teológico de Padilla, que en cierto
modo expresaba la reflexión evangélica que se había estado
gestando en América Latina, jugó un papel clave en la nueva
toma de conciencia misionera. Padilla aplicaba la metodología teológica que él mismo había propuesto en la FTL y a la
cual hicimos referencia en el capítulo 9. La pregunta sobre
el Evangelio era importante porque desde Estados Unidos

---

39 Me he ocupado de este proceso de toma de conciencia en *Cómo comprender
   la misión*, Certeza Unida, Buenos Aires, 2008, pp. 23-29.

se trataba de imponer resúmenes del Evangelio que fuesen fáciles de memorizar y que se decía que aseguraban una evangelización «rápida y eficaz». Para Padilla no podía darse por sentado que todos los evangélicos sabían qué es el Evangelio; había tres razones que obligaban a plantear la pregunta ¿qué es el Evangelio? Primero, porque la condición para una evangelización efectiva es la certeza en cuanto al contenido del Evangelio. Segundo, porque la única respuesta que una evangelización bíblica tiene derecho a esperar es la respuesta al Evangelio. Y tercero, porque la característica que distingue a la experiencia cristiana es una experiencia del Evangelio. Al explorar el trasfondo histórico del *euangelion*, Padilla demostraba que el Evangelio del Nuevo Testamento estaba arraigado en la esperanza profética de Israel que marcaba el contexto del anuncio inicial.[40]

Cuatro notas se pueden destacar en su caracterización del Evangelio. Es en primer lugar un mensaje *escatológico*:

> Es obvio que para la iglesia de los primeros días el Evangelio derivaba su sentido del hecho de que en la historia de Jesucristo (incluyendo su vida, muerte, resurrección y exaltación), las profecías del Antiguo Testamento se habían cumplido...veían en la historia de Jesús la culminación de su largo proceso de redención, un proceso que se había iniciado con Abraham, el padre de Israel.[41]

En la metodología teológica de Padilla se toma el Nuevo Testamento en su totalidad partiendo de la convicción de que hay unidad básica aunque se reconozca las particularidades de los diversos autores. Para Padilla «esta visión de la unidad

---

40 René Padilla, *El evangelio hoy*, pp. 17-20
41 *Ibid.*, pp. 21-22

del Evangelio como las buenas noticias de una nueva realidad escatológica manifestada en Jesucristo es confirmada por el testimonio de todo el Nuevo Testamento».[42]

En segundo lugar, el Evangelio es un mensaje *cristológico*: Cristo mismo, su persona y su obra constituyen el Evangelio, y son el tema de la predicación apostólica.

La clave para la comprensión del Evangelio de Jesús está en el significado dinámico de «reino» (*basileia*). El Reino que él proclama es el poder de Dios en acción entre los hombres por medio de su persona y ministerio. Antes del fin de la era presente Dios ha irrumpido en la historia para realizar su propósito redentor, y esto lo ha hecho en Jesucristo.[43]

Padilla enumera las varias y diferentes expresiones que se usan en el Nuevo Testamento para referirse al Evangelio: así por ejemplo, palabra de vida, palabra de Dios, palabra de verdad, evangelio de la gracia, evangelio de salvación y muchas más. Esta variedad de descripciones muestra el carácter multiforme del Evangelio, pero hay que tener en cuenta que «Por detrás de todas las descripciones y dándoles unidad, sin embargo, está la figura de Jesús como el Mesías venido de Dios en el clímax de la historia de la salvación a fin de cumplir las promesas del Antiguo Testamento.»[44] Los eventos centrales por medio de los cuales Dios cumple su propósito son la muerte y resurrección de Jesucristo. «El énfasis que el Nuevo Testamento pone en ellos sólo puede explicarse en base a la enseñanza del propio Jesús de que su mesiazgo se cumple en términos del siervo sufriente de Jehová (*ebed*

---

42 *Ibid.*, p. 26.

43 *Ibid.*, p. 28.

44 *Ibid.*, pp. 29-30.

Yahweh)».[45] Padilla concluye así esta sección: «El corazón del Evangelio es Jesucristo: aquel que aun como el Señor que ha sido exaltado, sigue siendo un Mesías crucificado (*Cristos estauromenōs*) y como tal, 'poder de Dios y sabiduría de Dios (1 Co 1.23,24, cf. 2.2)'».[46]

En tercer lugar, el Evangelio que Jesús encarna y predica es un mensaje *soteriológico*. «Su Evangelio es buenas nuevas relativas a un nuevo orden soteriológico, un orden que ha irrumpido en la historia por medio de su propia persona y ministerio».[47] Este orden comprende una nueva relación con Dios y también una nueva relación entre el hombre y su prójimo: «Por eso la tarea apostólica envuelve una preocupación por la total restauración del hombre según la imagen de Dios. Desde la perspectiva del Nuevo Testamento la salvación (*sōteria*) que el Evangelio trae es liberación de todo cuanto interfiere con el cumplimiento del propósito de Dios para el hombre».[48] En consecuencia la salvación es liberación de las consecuencias del pecado y liberación del poder del pecado, lo cual involucra pertenencia al pueblo de Dios, transformación moral y el don del Espíritu Santo.

En cuarto lugar, el Evangelio contiene un *llamado al arrepentimiento y la fe*. Esta es una nota que corre a lo largo del Nuevo Testamento y para que nuestra evangelización sea fiel al Evangelio debe incluir esa nota. Desde Juan el Bautista el Evangelio incluye una nota de arrepentimiento, y esto es «la reorientación total de la vida: el rompimiento con el pecado y la adopción de un nuevo estilo de vida; en otras palabras,

---

45 *Ibid.*, p. 30.

46 *Ibid.*, pp. 31-32.

47 *Ibid.*, p. 33.

48 *Ibid.*, p. 34.

un arrepentimiento puesto en evidencia por obras (*erga*) específicas».[49] Este hecho de que el Evangelio incluye siempre un llamado al arrepentimiento y la fe lleva a Padilla a hacer una aclaración importante:

Claramente, la salvación de Dios en Cristo Jesús tiene un alcance universal. Pero la universalidad del Evangelio no debe confundirse con el universalismo de teólogos contemporáneos que afirman que en virtud de la obra de Cristo, todos los hombres han recibido la vida eterna, sea cual fuere su posición frente a Cristo...proclamar el Evangelio no es únicamente proclamar un hecho cumplido, sino proclamar un hecho cumplido y simultáneamente hacer un llamado a la fe.[50]

Autocrítica de la evangelización evangélica

A partir de esta visión de lo que es el Evangelio, con su rica estructura cristológica, en Lausana 1974 Padilla emprendió la tarea crítica de evaluar el activismo evangelizador de fuente evangélica. Su punto de partida es la convicción de que «La obra de Dios en Cristo Jesús tiene que ver directamente con el mundo en su totalidad, no meramente con el individuo. Por lo tanto una soteriología que no toma en cuenta la relación entre el Evangelio y el mundo no hace justicia a la enseñanza bíblica».[51] Padilla ve un triple significado en el uso que hace el Nuevo Testamento de la palabra «mundo». Primero, el mundo como la suma total de la creación, el universo que Dios creó en el principio y que recreará al fin. Segundo, en sentido más limitado, el mundo como el orden presente de la

---

49 *Ibid.*, p. 40.

50 *Ibid.*, p. 100.

51 *Ibid.*, pp. 96-97.

existencia humana, el contexto espacio-temporal de la vida del ser humano. Tercero, la humanidad toda, reclamada por el Evangelio, pero hostil a Dios y esclavizada por los poderes de las tinieblas. Sin embargo, «la afirmación más categórica de la voluntad de Dios de salvar al mundo se da en la persona y obra de su Hijo Jesucristo».[52] Esta es la base de la obra de Cristo y de su continuación por medio de sus seguidores.

El concepto de evangelización que Padilla propone recalca el Señorío de Jesucristo: «Evangelizar es proclamar a Jesucristo como Señor y Salvador, por cuya obra el hombre es liberado tanto de la culpa como del poder del pecado e integrado al propósito de Dios de colocar todas las cosas bajo el mando de Cristo».[53] Esta proclamación es posible porque la obra de Cristo tiene alcances cósmicos:

> El Reino de Dios se ha hecho presente en la persona de Jesucristo. La escatología ha invadido la historia. Dios ha expresado de manera definitiva su propósito de colocar todas las cosas bajo el mando de Cristo. Los poderes de las tinieblas han sido vencidos. Aquí y ahora en unión con Jesucristo los hombres tienen a su alcance las bendiciones de la nueva era.[54]

La predicación del evangelio entra en conflicto con la mentira organizada de una humanidad que se endiosa a sí misma, «la Gran Mentira que el hombre se realiza tratando de ser Dios, en autonomía de Dios; que su vida consiste en los bienes que posee; que vive para sí y es dueño de su pro-

---

52 Ibid., p. 99.

53 Ibid., p. 107.

54 Ibid., p. 117.

pio destino».[55] Padilla ve el surgimiento de un «cristianismo secular» como una concesión a esta gran mentira al reducir la salvación a una liberación económica, social y política: «La escatología es absorbida por la utopía y la esperanza cristiana se confunde con la esperanza intramundana proclamada por el marxismo».[56]

En el extremo opuesto estaría la concepción de la salvación como únicamente la salvación espiritual o salvación futura del alma, en la cual la vida temporal sólo tiene sentido como «preparación para el mundo del más allá», es decir el ultramundo. En este caso:

> La historia es asimilada por una escatología futurista y la religión se convierte en un medio de escape de la realidad presente. El resultado es el total desentendimiento de los problemas de la sociedad en nombre de la «separación del mundo». Esta es la tergiversación del Evangelio que ha dado pie a la crítica marxista de la escatología cristiana como «el opio del pueblo».[57]

Para Padilla mucho de la evangelización mundial de origen evangélico propagaba este tipo de visión reduccionista del Evangelio. Y dada la fuerte presencia de organizaciones e ideas procedentes de los Estados Unidos, se podía decir que lo que se propagaba era el modo de vida estadounidense más bien que el Evangelio de Jesucristo. Era otra forma de imposición de un «Cristianismo-cultura» como había sido en el siglo XVI la obra misionera católica que acompañó la conquista ibérica de los pueblos americanos. En su ponencia Padilla hacía

---

55 *Ibid.*

56 *Ibid.*, p. 121.

57 *Ibid.*

referencia a voces evangélicas dentro de los mismos Estados Unidos que señalaban el peligro de identificar el «American Way of life» con el Evangelio.

Si bien estos elementos autocríticos de Padilla fueron objeto de mucho debate en los meses que precedieron al Congreso de Lausana y durante el mismo Congreso, era evidente que en 1974 muchos evangélicos en diferentes partes del mundo habían tomado conciencia de los problemas que Padilla planteaba a la luz de una teología evangélica rigurosa. La toma de conciencia colectiva se expresó en el *Pacto de Lausana* que 2.500 participantes firmaron al final del evento y que con el tiempo traería una renovación de conceptos y prácticas misioneras en dirección a una misión integral a la manera de Jesús. He aquí algunos de los párrafos del *Pacto de Lausana* que expresan la nueva visión:

Naturaleza de la evangelización

Evangelizar es difundir la buena nueva de que Jesucristo murió por nuestros pecados y resucitó de los muertos según las Escrituras, y que ahora como el Señor que reina ofrece el perdón de los pecados y el don liberador del Espíritu Santo a todos los que se arrepienten y creen. Nuestra presencia cristiana en el mundo es indispensable para la evangelización; también lo es un diálogo cuyo propósito sea escuchar con sensibilidad a fin de comprender. Pero la evangelización es la proclamación misma del Cristo histórico y bíblico como Salvador y Señor, con el fin de persuadir a las gentes a venir a Él personalmente y reconciliarse con Dios. Al hacer la invitación del Evangelio, no tenemos la libertad para ocultar o rebajar el costo del discipulado. Jesús todavía llama, a todos los que quieran seguirlo, a negarse a sí mismos, tomar su cruz e identificarse con su nueva comunidad. Los resultados de la evangelización incluyen la obediencia a Cristo, la incorporación en Su iglesia y el servicio responsable en el mundo.

Responsabilidad social cristiana

Afirmamos que Dios es tanto el Creador como el Juez de todos los seres humanos. Por lo tanto, debemos compartir Su preocupación por la justicia y la reconciliación en toda la sociedad humana, y por la liberación de todos los seres humanos de toda clase de opresión. La humanidad fue hecha a la imagen de Dios; consecuentemente, toda persona, sea cual sea su raza, religión, color, cultura, clase, sexo, o edad tiene una dignidad intrínseca, en razón de la cual debe ser respetada y servida, no explotada. Expresamos además nuestro arrepentimiento, tanto por nuestra negligencia, como por haber concebido, a veces, la evangelización y la preocupación social como cosas que se excluyen mutuamente. Aunque la reconciliación con el ser humano no es lo mismo que la reconciliación con Dios, ni el compromiso social es lo mismo que la evangelización, ni la liberación política es lo mismo que la salvación, no obstante afirmamos que la evangelización y la acción social y política son parte de nuestro deber cristiano. Ambas son expresiones necesarias de nuestra doctrina de Dios y del ser humano, de nuestro amor al prójimo y de nuestra obediencia a Jesucristo. El mensaje de la salvación implica también un mensaje de juicio a toda forma de alienación, opresión y discriminación, y no debemos temer el denunciar el mal y la injusticia dondequiera que existan. Cuando las personas reciben a Cristo, nacen de nuevo en Su Reino y deben manifestar a la vez que difundir Su justicia en medio de un mundo injusto. La salvación que decimos tener, debe transformarnos en la totalidad de nuestras responsabilidades, personales y sociales. La fe sin obras es muerta.

Evangelización y cultura

El desarrollo de la estrategia para la evangelización mundial requiere imaginación en el uso de métodos. Con la ayuda de Dios, el resultado será el surgimiento de iglesias enraizadas en Cristo y estrechamente vinculadas a su cultura. La cultura siempre debe ser probada y juzgada por las Escrituras. Puesto que el ser humano es una criatura de Dios, algunos de los elementos de su cultura son ricos en belleza y bondad. Pero debido a la caída, toda su cultura está mancillada por el pecado y algunos de sus aspectos son demoníacos. El evangelio no presupone la superioridad de una cultura sobre otras, sino que evalúa a todas las culturas según sus propios criterios de verdad y justicia, e insiste en principios morales absolutos en cada cultura. Las misiones, con mucha frecuencia, han exportado una cultura extraña junto con el Evangelio, y las iglesias han estado más esclavizadas a la cultura que sometidas a las Escrituras. Los evangelistas de Cristo deben tratar, humildemente, de vaciarse de todo, excepto de su autenticidad personal, a fin de ser siervos de los demás, y las iglesias deben tratar de transformar y enriquecer su cultura, todo para la gloria de Dios.

Con teólogos como Boff, Sobrino y Padilla el discurso teológico y el seguimiento de Cristo a nivel mundial escucharon algunas voces latinoamericanas cuyo pensamiento se había forjado en el esfuerzo por ser fieles a Jesucristo en un continente agitado y convulso, por los extremos de pobreza de las mayorías y de riqueza de unas élites insensibles y por la injusticia institucionalizada. Estas voces proponían un regreso a las fuentes bíblicas, una visión renovada del Jesús histórico.

12

Otra vez Cristo en la cultura Latinoamericana

Herodes y Jesús (Lucas 9.7-9)

Al regresar a las tierras donde había vivido su niñez, a los pueblos donde había trabajado de albañil, Jesucristo Gómez se enteró de la muerte de Juan Bautista.

Todo empezó cuando a don Horacio Mijares le llegaron con el cuento de que el Frente Común de Juan Bautista se había reorganizado y sus hombres andaban alebestrando la comarca. Juan Bautista los dirige desde la cárcel, le decían a don Horacio Mijares. Son los del Frente Común los que asaltaron el banco rural, los que secuestraron al hijo del Comandante Perales, los que dinamitaron las torres de energía eléctrica. Cualquier acto terrorista o delictivo cometido por aquellos rumbos, era endosado así nomás al desaparecido movimiento de Juan Bautista. Desde luego, Mijares dudaba de la veracidad de tales informaciones, pero como no quería tener problemas con su gente, se lavó las manos y les dijo: hagan lo que quieran.

Primero le propinaron una golpiza espantosa dentro de su misma celda y luego, con el pretexto de trasladarlo a la capital del Estado para quién sabe qué diligencia, le aplicaron sin piedad la ley fuga.

Mijares dio por terminado el problema pero todavía no se curaba de sus pesadillas –noche a noche soñaba al muerto– cuando le llegaron de vuelta con la novedad

*de que había aparecido otro alborotador más latoso que
Juan Bautista.*

*—Necesitamos parar en seco a ese cabrón antes de que
empiece a dar problemas serios— aconsejaron a don
Horacio.*

—¿Tanto así?

—Tanto así, mi jefe.

—¿Y quién es el tipo? —preguntó.

—Se llama Jesucristo Gómez —le respondieron.[1]

Esta página tomada del libro *El evangelio de Lucas Gavilán* nos da una idea del esfuerzo de un conocido periodista, dramaturgo y novelista mexicano por actualizar el relato del evangelista Lucas sobre Jesús. Vicente Leñero la publicó por primera vez en 1979, y alcanzó numerosas reimpresiones. En 1986 Leñero la adaptó como obra de teatro. La obra refleja bien el intenso debate cristológico que durante esa década no sólo fue un fermento en el mundo teológico sino que penetró en un sector amplio de la cultura latinoamericana. Leñero ubica a Jesús en el medio mexicano contemporáneo, entre los «pepenadores» o recolectores de basura, es decir entre los pobres, hablando y relacionándose como ellos y enfrentando las realidades que ellos enfrentan. Siguiendo cuidadosamente el relato del evangelista Lucas, Leñero va recontando la historia tratando de actualizarla en el lenguaje popular propio del ambiente en que ha ubicado a los personajes. Jesucristo Gómez es hijo del albañil José Gómez y de María David; Herodes es don Horacio Mijares, el cacique; Juan Bautista es el hijo del sacristán Zacarías y ha fundado el Frente Común,

---

1 Vicente Leñero, *El Evangelio de Lucas Gavilán*, Seix Barral, México, 1979 y 1983, pp. 128-129.

que organizaba en células a los pobres y que «no tenía pelos en la lengua».

En el Prólogo del libro, el autor que firma Lucas Gavilán y que lo dirige a su «Querido Teófilo», confiesa que «la sola idea de escribir una nueva obra literaria sobre el tema se antoja en estos tiempos poco menos que inaguantable», mencionando las muchas obras literarias que existen respecto a Jesús. Y prosigue: «Pese a ello y no obstante los obstáculos insalvables que me acosaban, decidí intentar mi propia versión narrativa impulsado por las actuales corrientes de la teología latinoamericana». Menciona el estímulo que recibió de los trabajos de Jon Sobrino, Leonardo Boff y Gustavo Gutiérrez,

> pero sobre todo el trabajo práctico que realizan ya numerosos cristianos a contrapelo del catolicismo institucional, me animaron a escribir esta paráfrasis del Evangelio según San Lucas, buscando con el máximo rigor una traducción de cada enseñanza, de cada milagro y de cada pasaje al ambiente contemporáneo del México de hoy desde una óptica racional y con un propósito desmitificador.[2]

Aunque el esfuerzo literario-teológico de Leñero puede parecernos por momentos arbitrario o exagerado, hemos de confesar que el relato consigue captar nuestra atención y que más aun, nos pone frente al desafío intelectual y teológico que supone tomar en serio el hecho de la encarnación y explorar todas las consecuencias de esa verdad. Al hacerse hombre –y hombre de verdad– el Verbo de Dios, por así decirlo, se puso en manos de los seres humanos: en manos de María y de José, en manos de sus discípulos, en manos de Herodes y

---

2 *Ibid.*, p. 11.

de Pilatos, en manos de los teólogos, y en manos de cuantos a lo largo de los siglos han tratado de entender el misterio de esa historia que los Evangelios cuentan, con sobriedad pero también con detalles sorprendentes y esclarecedores. En la década de 1970 una vez más Jesús vino a ser personaje de actualidad en la cultura latinoamericana y mundial. Inclusive surgieron movimientos juveniles que se describían a sí mismos como «revolución de Jesús».

Un Jesús para la contra-cultura

Si en América Latina en los años 70 el término «revolución de Jesús» hacía pensar en algún movimiento de la izquierda política y teológica, el mismo término en los Estados Unidos y Canadá hacía referencia a una corriente dentro de lo que se dio en llamar «la contracultura.» En 1971 fue un artículo del semanario *Time*[3] el que llamó la atención de sus millones de lectores en el mundo al fenómeno de una explosión de religiosidad entre ciertos sectores de la juventud norteamericana. Lo designó, precisamente, con el título de «La Revolución de Jesús». Allí donde menos se esperaba, en el corazón de la contra-cultura juvenil, había prendido el fuego de un despertar religioso de grandes dimensiones y atributos muy singulares. Caracterizaba a estos centenares de miles de jóvenes, una fe sencilla que se expresaba en frases bíblicas sin elaboración teológica, una forma de culto espontánea que les hacía cantar u orar en medio de un partido de fútbol o en plena calle, un celo evangélico que los llevaba a usar los medios más inesperados para propagar su fe, un espíritu comunitario que

---

3 «The new rebel cry: Jesus is coming», *Time,* junio 21 de 1971, pp. 28-37. Varias diarios latinoamericanos tradujeron este artículo, entre otros el argentino *La Opinión,* 22 de junio 1971.

los impulsaba a vivir en comunas y trabajar por medio de grupos pequeños de intensa vida comunitaria, una falta total de preocupación por las viejas barreras denominacionales de las iglesias establecidas, y un espíritu dinámicamente juvenil. Tanto era así, que el movimiento no había sido promovido por ninguno de los *establishments* eclesiásticos sino que surgió con el ímpetu, la espontaneidad, la impaciencia y el espíritu de protesta propios de la nueva generación.

Para entenderlo fue necesario tomar en cuenta el terreno desde el cual había brotado esa revolución. En la segunda parte de la década de 1960, las diversas variedades del movimiento *hippy*, así como la inquietud estudiantil, y en general la atmósfera juvenil más inquieta en Estados Unidos, conformaron un fenómeno que el historiador Theodore Roszak[4] denominó con mucho acierto «la contra-cultura». Es decir, la creación de un estilo de vida, gestos, hábitos, literatura, arte, música, cine, teatro y hasta una moral, que adquirieron fisonomía propia por contraposición con lo más característico del estilo de vida del norteamericano promedio. En una cultura que imponía una uniformidad masiva, había que cultivar la originalidad; en una sociedad que adoraba el trabajo y el progreso material, cultivar un espíritu que elogia el ocio y desprecia el ahorro; en una sociedad que se preciaba de su amor a la limpieza, cultivar la suciedad y lucirla; en una sociedad que había idealizado al «muchacho bueno» con corbata y pelo corto, cultivar el pelo largo y la imagen del desaliño. El sentido de profunda protesta que animaba esa contra-cultura, tenía además repercusiones de orden social, político y aun religioso, cuyo análisis realizaron el mencionado Roszak y varios otros estudiosos.

---

4 Theodore Roszak, *The Making of a Counter Culture*, Doubleday, New York, 1969.

El despertar religioso llamado «revolución de Jesús», surgió en el suelo fértil de la protesta y mantuvo algunas notas abiertamente contestatarias. La conversión a Cristo de millares de chicos y chicas no significó para ellos el abandono de los símbolos y el estilo de vida de la contra-cultura. De hecho, era popular en su medio la imagen de un Jesús sonriente, aunque con el pelo largo y la vestidura seguía a la pintura cristiana tradicional pero con atención especial a lo espontáneo e informal. Es verdad que adoptaron una moralidad nueva, rechazando al alcohol, las drogas y la promiscuidad sexual. Más aún, adoptaron cierto ascetismo de corte franciscano, recalcando la simplicidad de vida. *Time* reconocía que «la revolución de Jesús no sólo rechaza los valores convencionales de los Estados Unidos, sino también la sabiduría que prevalece en la teología estadounidense». Porque además de rechazar el éxito material como medida de todas las cosas, rechazaron también una teología secularista y decadente que había llegado hasta la pirotecnia verbal y efectista de la denominada «teología de la muerte de Dios».[5]

Quizás también se explique en este sentido el énfasis no disimulado por la mayoría de estos revolucionarios de Jesús, en formas de culto ruidosas y expresivas, como la *glosolalia* (el hablar lenguas extrañas), y en costumbres como la de orar por los enfermos esperando la acción sanadora de Dios. Ambas cosas habían sido olvidadas, cuando no rechazadas, por las denominaciones típicas de la masiva clase media norteamericana. Su práctica no dejaba de ser también una señal de inconformismo. Como lo fueron la música y el arte empleado en el culto y la evangelización: bandas y conjuntos de música

---

5 *Time*, artículo citado, p. 28.

beat y rock, imágenes *pop* de Jesús, sermones ilustrados con
pasos de ballet, y así por el estilo.

Durante aquellos años pude comprobar que algunas de las
notas de este Jesús de la contracultura estadounidense empezaban a atraer también a los jóvenes latinoamericanos. Mi
observación en aquel momento fue que este movimiento crecía
en particular en países más permeables a la influencia estadounidense, como México y Brasil. Anoté en mi diario lo que
me pasó en las aulas de la Universidad Nacional Autónoma de
México, en julio de 1973, cuando el Compañerismo Estudiantil
me había invitado a dar una conferencia pública sobre el tema
de «Jesús y el sentido de la historia». Estaba preparado para
el diálogo con los estudiantes marxistas que siempre hacían
preguntas esclarecedoras. Pero el primer estudiante que se
puso de pie me expuso su pregunta casi a gritos: «Nosotros
ya no estamos interesados en cambiar el mundo; lo que queremos es saber si Cristo tiene una respuesta para aprender las
técnicas del dominio propio, el control de nuestras fuerzas
mentales y el desarrollo de nuestra personalidad.» Después
me habló del yoga, de un gurú estadounidense que vivía en
el desierto cerca de la frontera y de su batalla personal diaria
contra las tentaciones del sexo y las drogas.[6] Atrás quedaba
la revuelta estudiantil del 68, la matanza de Tlatelolco y la
retórica socio-política que había tratado de hacer de Jesús un
paradigma para los zelotes del siglo XX. Junto con el renovado
interés por el novelista Herman Hesse y los libros de Carlos
Castañeda venía la búsqueda de un Jesús que fuese algo más
que un profesor de religión.

---

6 Di cuenta de mis reflexiones en «El hombre Jesús: ¿gurú o payaso?» en la
revista *Certeza* No.64, oct-dic. 1976, pp. 240-244.

A la búsqueda de un gurú

Para miles de jóvenes alrededor del mundo surgió el anhelo de un *Gurú*: un maestro de vida que revelase el secreto de la existencia, en la soledad del desierto, en medio de la convivencia disciplinada, más bien que en un aula o dentro de las cuatro paredes del templo. Era como si una generación que había rechazado la figura paterna, en una sociedad enferma de freudianismo mal asimilado, anduviese a la búsqueda de un sustituto autoritario, exigente, que no sólo diese lecciones para memorizar sino que enseñase técnicas e hiciese demandas. Así surgieron las personalidades mesiánicas. Algunas de ellas alcanzaron los titulares de los diarios, envueltos en el halo grotesco de la tragedia, como en el caso de Manson, el asesino que reunió alrededor suyo un clan de discípulos apasionados dispuestos a obedecer ciegamente sus órdenes, aun hasta el punto de matar a la actriz Sharon Tate.

En nombre de Jesús aparecieron gurúes por todas partes. El espíritu de empresa y las conexiones políticas les permitían a algunos conquistar miles de adherentes y hacer grandes negocios a costa suya. Destacaba entre ellos un coreano del sur: Sun Myung Moon. Este mesías contaba con escolta privada, protección de la CIA, jet propio, dos yates y una fortuna estimada en 11 millones de dólares, que se multiplicaban constantemente.[7] Afirmaba ser una nueva encarnación del Mesías. Otro fue Mo Berg, el cincuentón estadounidense que desde un refugio europeo comandaba una de las sectas juveniles más militantes aparecidas por entonces: los «Hijos o niños de Dios»

---

7 Numerosas revistas realizaron investigaciones sobre Moon. Un bien documentado trabajo en castellano apareció en la revista católica *Vida Nueva*, Madrid, 21 de febrero de 1976, pp. 23-30.

(*Children of God*).[8] Lo común a estos mesías era la rigidez de las reglas que imponían, la devoción incondicional de sus seguidores, el conflicto abierto que provocaban en el seno de las familias de manera sistemática, el recurso a algunas ideas básicas seleccionadas cuidadosamente del mensaje cristiano, pero mezcladas con nociones abiertamente anticristianas. Otro ejemplo famoso, rodeado de una aureola orientalista, fue el Gurú Mahara Gi, jovencito hindú que acumuló una fortuna fabulosa en pocos años, pero a quien nadie tomaba en serio en su India natal, excepto los encargados de cobrar los impuestos a quienes poseen fortunas millonarias.

En la Argentina y Chile, en los inicios de la década del 70, adquirió cierta fama una secta de tipo mesiánico, dirigida por un gurú local: Silo, nombre que adoptó Mario Luis Rodríguez Cobo, quien en 1969, a sus treinta y un años fundó cerca de la ciudad de Mendoza, con quinientos seguidores, el Movimiento Humanista, cuyo mensaje exaltaba el pacifismo, una forma de espiritualidad, la solidaridad y el rechazo a la discriminación. El movimiento creció y se extendió a otros países, y en la década de los 80 intervino en la política argentina. Silo fue una figura carismática que proclamaba valores espirituales y se consideraba maestro de vida. Esta versión latinoamericana de un fenómeno mundial alcanzó mayor notoriedad por las referencias a Silo que hizo la novela *Palomita blanca* publicada en 1971 por el escritor chileno Enrique Lafourcade[9] y que era lo que parecía que todos los jóvenes leían cuando visité Chile

---

8   Ver el semanario *Newsweek*, edición del 28 de octubre de 1974, p. 70. También el francés *L'Express*, cuarta semana de abril de 1970.

9   Enrique Lafourcade, *Palomita blanca*, Zig-Zag, Santiago, 1971. A la muerte de Silo en setiembre del 2010, circuló un correo electrónico difundido por sus seguidores: «Pidamos por su bienestar allá donde estemos, en su tránsito hacia la luz. Paz en el corazón, luz en el entendimiento» (Diario *Clarín*, Buenos Aires, 18 de setiembre del 2010).

en 1972. Llegó a ser la novela más vendida de la historia de la literatura chilena, con cerca de cuarenta ediciones y más de un millón de ejemplares publicados. En esta novela escrita en primera persona una muchacha chilena llamada María retrata la vida de una generación que exploró el mundo de las drogas, la sexualidad y la vivencia religiosa.[10]

Era el hambre de un maestro de vida lo que llevaba a miles de jóvenes en esta búsqueda de un Gurú. Vale la pena notar que las personalidades mesiánicas que hemos mencionado se imponen entre un público que tiene algún grado de tradición cristiana. Estas figuras hacían su agosto en Europa, Norteamérica y las grandes ciudades latinoamericanas, aunque en menor medida. Causaban su impacto en un mundo occidental donde todavía queda como referencia la imagen borrosa del Cristo de los Evangelios. Y quizás hay que decir algo más. Las raíces de esta búsqueda hay que encontrarlas en el desengaño frente al cristianismo institucionalizado y oficial al cual ya hacíamos referencia al considerar la «revolución de Jesús» en 1971.[11] Desde aquellos tiempos Bob Dylan, el músico precursor de tantas inquietudes espirituales, había escrito: «Dices que estás buscando a alguien nunca débil, siempre fuerte para que te proteja y te defienda cuando tienes razón y cuando no la tienes... Pero yo no soy esa persona...»[12]

La observación de este fenómeno social en el Brasil y el mundo llevó a Leonardo Boff a preguntarse: «¿Por qué esos jóvenes no se afilian a la iglesia? ¿Por qué su Jesús no es el Jesús de las predicaciones, de los dogmas, sino de los

---

10 http://es.wikipedia.org/w/index.php?title=Palomita_blanca_(novela) &oldid=30831976.

11 Revista *Certeza*, No. 44, pp. 98-103

12 «But it ain't me babe» canción popularizada por Joan Báez.

Evangelios?» Su diagnóstico teológico-pastoral nos lleva de la Cristología a la Eclesiología:

> Para muchos de ellos, Jesucristo fue un prisionero de la Iglesia, de su interpretación eclesiástica y de la casuística dogmática. De este modo Jesús perdió su misterio y la fascinación que ejercía sobre los hombres al ser encuadrado dentro de una estructura eclesial. Es preciso que liberemos a Jesús de la Iglesia, a fin de que pueda nuevamente hablar y crear comunidad; comunidad que entonces se llamará con razón «Iglesia de Cristo».

La exploración cristológica ecuménica

La teología latinoamericana ya estaba en condiciones de dar cuenta de esta nueva presencia de la imagen de Cristo en diversos sectores de las sociedades latinoamericanas, y de contribuir a interpretarla a la luz de la Biblia y el pensamiento cristiano. En 1972 el pastor Emilio Castro, quien era enton- ces Secretario de UNELAM, el organismo latinoamericano de cooperación ecuménica vinculado al Consejo Mundial de Iglesias en Ginebra, propuso la urgencia y actualidad de la pregunta: «¿Quién es Jesucristo hoy en América Latina?» como tema de estudio ecuménico. Se auspiciaron dos con- sultas teológicas: una nacional en Brasil organizada por la Asociación de Seminarios Teológicos Evangélicos (ASTE) en noviembre de 1973 y una continental en Lima en enero de 1974.[13] Las consultas fueron ecuménicas en el más amplio sentido del término porque incluyeron participantes católicos,

---

13 En su bosquejo histórico del ecumenismo en América Latina, Dafne Sabanes Plou sostiene que para los analistas de UNELAM este estudio cristológico fue su proyecto más ambicioso. *Caminos de Unidad*, CLAI, Quito, 1994, p. 115.

protestantes ecuménicos y protestantes evangélicos. Los libros resultantes de estas dos consultas comunican la amplitud y riqueza de la reflexión que tuvo lugar en esos encuentros. En cierta manera reflejan la variada intensidad de la presencia de Cristo en los más diversos sectores de la vida cultural de los latinoamericanos. Así la reflexión teológica acompañaba una variedad de prácticas y daba cuenta de ellas.

En 1974 apareció el libro *Quem é Jesus Cristo no Brasil*,[14] editado por el pastor episcopal J.C.Maraschin, Secretario General de ASTE, en el cual participaron teólogos y sociólogos. Los autores ofrecen estudios sobre las imágenes de Cristo en diferentes sectores de la sociedad brasileña. El franciscano Leonardo Boff explora la imagen de Cristo en lo que llama el cristianismo liberal, el dominico Hubert Lepargneur en la cultura popular, la socióloga Beatriz Muniz de Sousa en el Pentecostalismo, el pastor presbiteriano João Dias de Araújo en la cultura del pueblo, el estudioso luterano Klaus Van der Gripj en el protestantismo conservador, J.C. Maraschin en la música popular brasileña, la estudiosa Myriam Ribeiro S. Tavares en el arte colonial brasileño y el bautista Walter Willik en los cultos afro-brasileños. El resultado es un mosaico multicolor y valioso que permite captar la penetración de la figura de Jesús en todos los niveles sociales, y al mismo tiempo la gran variedad, por momentos contrastante, de imágenes y actitudes de las personas hacia él.

El trabajo más rico en información y más ilustrativo de este libro nos parece el de Lepargneur que trata de dar cuenta de la diversidad de formas en las cuales el catolicismo popular del Brasil entiende a Cristo y le rinde culto. El párrafo global con el que empieza es elocuente:

---

14 J.C.Maraschin, Ed. *Quem é Jesus Cristo no Brasil*, ASTE, Saõ Paulo, 1974.

En el mayor país católico del mundo, la figura de Cristo es sorprendentemente borrosa. La conclusión de nuestras investigaciones es que entre un Dios bastante distante y algo vago, y los santos, vivos y omnipresentes en la devoción popular, la figura de Cristo no encuentra su lugar apropiado y sale altamente perjudicada, indicio de que este cristianismo no fue nutrido de manera inmediata y constante por la lectura continua del Nuevo Testamento.[15]

Sin embargo, las más de cuarenta páginas de este capítulo dan cuenta de la riqueza de expresiones de la devoción popular del «Bom Jesus» (buen Jesús) y de la importancia de la Semana Santa, y del sufrimiento de Cristo al cual hace referencia esa celebración para buena parte del pueblo brasileño. «Aunque el pueblo tal vez no sepa explicarlo bien, el sufrimiento mortal de 'Bom Jesus' tiene para la piedad popular una significación y una importancia que no posee la muerte o martirio de ningún otro santo». Y agrega Lepargneur: «el realismo con el cual se imaginan sus sufrimientos humanos impiden sospechar de que haya docetismo o falta de encarnación histórica en la venida de Dios en Cristo, a los ojos del pueblo».[16] En sus conclusiones el autor sostiene que

Para entender al CRISTO DEL PUEBLO y hacerle justicia debemos tomar suficiente distancia para ver cómo más allá de las palabras, los gestos y las representaciones convergen el CRISTO-DIOS, el CRISTO-SANTO, y el CRISTO-GENTE (sufridora). Tomada aisladamente, cualquiera de estas perspectivas es fácilmente criticable y de hecho apresuradamente criticada. Sin embargo, en

---

15 *Ibid.*, p. 57.
16 *Ibid.*, pp. 76-77.

su conjunto se mezclan en el auténtico Misterio de una persona divina que se encarnó, sufrió entre nosotros y está ahora viva e intercediendo por nosotros.[17]

Jesús: ni vencido ni monarca celestial

Como resultado del encuentro continental realizado en Lima, en 1977 apareció *Jesús: ni vencido ni monarca celestial*, otro volumen colectivo, editado por José Míguez Bonino.[18] El libro contiene doce trabajos agrupados en cuatro secciones. Una sección descriptiva titulada «Los Cristos de América Latina», que contiene los trabajos traducidos de Maraschin, Boff y Dias de Araújo del volumen precedente y un trabajo de Juan Stam y Saúl Trinidad sobre «El Cristo de la predicación evangélica en América Latina». La segunda sección es interpretativa: «¿Qué significan estos Cristos latinoamericanos?», con las contribuciones de Saúl Trinidad, Pedro Negre Rigol y Georges Casalis. La tercera sección sobre «Cristo y la política» contiene trabajos de Ignacio Ellacuría, Segundo Galilea y Severino Croatto. La cuarta sección de «Reflexión teológica y pastoral» ofrece trabajos de Hugo Assmann, Raúl Vidales y Lamberto Schuurman.

La breve introducción por Míguez Bonino describe con precisión la agenda cristológica que los diferentes autores han seguido. Sugiere que la pregunta sobre quién es Jesucristo hoy en América Latina se puede responder con diferentes acercamientos. Uno sería el dogmático normativo: ¿Cómo se debe entender correctamente a Jesucristo? Otro sería descriptivo y analítico: ¿Cómo se entiende, de hecho, a Jesucristo hoy en

---

17 *Ibid.*, p. 82. Mayúsculas del propio autor.

18 José Míguez Bonino y otros, *Jesús: ni vencido ni monarca celestial*, Tierra Nueva, Buenos Aires, 1977.

América Latina? Y en tercer lugar, uno teológico-confesante: ¿Cómo se hace efectivamente presente y actuante hoy en América Latina el poder de Jesucristo? Como esta colección de trabajos lo demuestra, es imposible hacer estas preguntas desvinculándolas del contexto latinoamericano actual o no tomando en cuenta el contexto dentro del cual Jesús vivió y la forma en que él se situó frente al mismo:

> una nueva conciencia de la situación histórica opera como llave hermenéutica que permite recuperar temas y resonancias del mensaje bíblico que habían quedado ocultos o relegados. Es como si la conciencia y el compromiso históricos actuales generaran una receptividad nueva, ampliaran la capacidad de la «audición a la Palabra».[19]

Míguez Bonino advierte que «no se trata de hallar un nuevo camino hacia una vieja especulación irrelevante», es decir de reformular textos, doctrinas y conceptos para llegar a saber quién es Jesucristo hoy en América Latina: «En términos de fe, seguramente hay que decir que sólo Él mismo puede revelar su presencia. 'Yo soy el que soy'...vale también en cristología. Y esa automanifestación ocurre en el contexto de una obediencia activa, como lo destacan los escritos juaninos en el Nuevo Testamento».[20]

El título *Jesús: ni vencido ni monarca celestial* hace referencia al trabajo del teólogo francés George Casalis, quien en su capítulo de este libro nos recuerda que durante la conquista española estas dos imágenes de Cristo funcionaron como símbolos de la realidad de la conquista. Para los indígenas

---

19 *Ibid.*, p.12.
20 *Ibid.*, p.16.

vencidos la imagen del Cristo sufriente vino a ser la representación de su propia derrota y tragedia, mientras que los españoles usaron la figura del Cristo monarca celestial como legitimador de su conquista:

> Con el culto al Cristo celestial el poder político, pedagógico, religioso...cualesquiera que sean los nombres y características, se consolida y se pone a salvo de cualquier atentado, se sacraliza para siempre y se afianza sobre su trono, sus sillones, sus capiteles...Así como el Cristo de la pasión se convirtió en símbolo de la derrota secular de los pueblos, el Cristo glorificado es rebajado al rango de ministro de propaganda de los gobiernos autoritarios y torturadores.

Por otra parte, en su capítulo «Cristología –conquista– colonización», el estudioso peruano Saúl Trinidad resumió los trabajos de varios historiadores y científicos sociales procurando destacar el condicionamiento social de las imágenes de Cristo traídas por los misioneros españoles, y el papel instrumental que cumplieron en el proceso colonizador. Para Trinidad la proyección cristológica de los indígenas americanos siguió tres caminos. En primer lugar la Cristología de la *resignación,* que cumpliría el papel de «sacralizador del sistema de conquistaopresión y la virtualización de los sufrimientos».[21] En segundo lugar la Cristología de *dominación,* en la cual Trinidad ve una concepción paralela respecto a la soberanía de Cristo entre españoles e indígenas vencidos: la dicotomía del Cristo «vencido» por un lado y «monarca celestial» por otro. En tercer lugar la Cristología de *marginación,* que Trinidad relaciona con la referencia a Jesús como un «niño olvidado», bien sea porque en la imaginería popular su madre es más importante que él

---

21 *Ibid.,* p.106.

mismo, o porque en manifestaciones religiosas que tienen connotaciones sociales el «niño» es sólo una disculpa para un asistencialismo interesado, cuyos propulsores buscan más el interés personal que el servicio al necesitado.

La capacidad de síntesis y la sensibilidad pastoral del teólogo chileno Segundo Galilea se advierten en su capítulo «La actitud de Jesús ante la política». Su lectura del material bíblico se acerca en muchos puntos a las lecturas que empezaban a desarrollarse en el campo evangélico. Se puede resumir en las seis tesis que expone como «hipótesis de trabajo». Las ofrece como una síntesis frente a lo que llama «interpretaciones incompletas», que serían por un lado la del «*Cristo ingenuo*», que ve la venida de Cristo como un hecho con significación exclusivamente religiosa. Ésta, para Galilea, estaría «como fuera del marco histórico político de su época y este marco es como una teatro de marionetas previsto por el Padre para que en él se cumpliera la redención». Por otro lado la del «*Cristo revolucionario*» para la cual «Cristo fue fundamentalmente un revolucionario político, que se alzó contra el sistema establecido y chocó con él. Se enfrentó al imperialismo romano y a las clases judías dominantes, y su muerte, propia de un mártir revolucionario, fue el resultado de ese enfrentamiento».[22] A continuación transcribimos las tesis que Galilea presenta como ensayo de síntesis.[23]

1. Por la Encarnación y por la naturaleza histórica de su misión, Jesús fue parte de la sociedad israelita, de sus tensiones políticas y de sus conflictos de poder. Su mismo juicio y su muerte son hechos políticos.

---

22 *Ibid.*, p.148.

23 *Ibid.*, estos textos están repartidos a lo largo de las pp. 149-156.

2. Por otra parte Jesús no se presentó ni actuó como revolucionario o líder político. Su mensaje no contiene ni un programa ni una estrategia de liberación política. Jesús esencialmente anunció el Reino de Dios como mensaje religioso-pastoral.

3. Sin embargo, en su mensaje religioso-pastoral Jesús generó un dinamismo de cambios socio-políticos para su época y para toda la historia por venir.

4. Las consecuencias políticas del mensaje de Jesús en la sociedad de su época se deben a que relativizó el totalitarismo romano o que convocó a los pobres al Reino, a la conciencia universal que creó en los discípulos y al anuncio de los valores propios de las Bienaventuranzas.

5. En sus conflictos con los poderes establecidos de su época Jesús asumió una actitud profético-pastoral. Ello le llevó a renunciar a todo uso del poder temporal y a toda forma de violencia.

Una conclusión pastoral de Galilea es que en Jesús hay ciertas actitudes que él describe como «típicamente carismáticas», «es decir que no son normativas para todos los cristianos» en determinados campos, como la renuncia a la violencia o la renuncia al liderato socio-político, pero cuyo valor se reconoce por el carisma que lleva a determinadas personas a asumir la misma actitud de Jesús. Dichas personas son dones necesarios para la Iglesia.[24]

---

24 *Ibid.*, pp 156-157.

Autocrítica de la predicación evangélica

Dos evangélicos de Costa Rica, Saúl Trinidad y Juan Stam, ofrecen un capítulo sobre «El Cristo de la predicación evangélica en América Latina», que está basado en una investigación realizada en el Seminario Bíblico Latinoamericano de San José. Un equipo de profesores y alumnos estudiaron numerosos sermones de evangelización grabados en la emisora radial evangélica Faro del Caribe, algunas encuestas de INDEF en Costa Rica y Chile y dos tesis sobre el movimiento de renovación y los efectos de la Cruzada Costa Rica '72. La investigación los llevó a un ejercicio de autocrítica de gran valor desde la perspectiva teológica y pastoral. Trinidad y Stam no niegan que «a pesar de las deficiencias cristológicas que habrán de señalarse en la predicación evangélica, ésta ha sido en América Latina 'la fuerza de Dios que viene a salvar a todo el que cree' (Rom 1.16). Lo ha sido aun en su flaqueza y locura.»[25] Reconocen que «se ha proclamado y en gran parte se ha vivido la realidad de un Cristo poderoso para transformar la vida, especialmente en cuanto a los 'vicios'», y también que «a muchas personas en América Latina nuestra proclamación de Cristo les ha rescatado el sentido de la existencia».[26]

Sin embargo, las imágenes de Cristo que comunican los numerosos casos de predicación estudiados son imágenes defectuosas. La primera es *el Cristo de las ofertas*, es decir un Señor que no demanda nada de sus seguidores. Luego viene el Cristo *mendigo* que las personas aceptan si les conviene: «Se ofrece a Cristo en términos de técnica de venta, así como cuando los vendedores llevan su producto y quieren que

---

25 *Ibid.*, p.77.
26 *Ibid.*, p.78.

la persona de alguna manera se la compre, aunque sea por favor».[27] También se ofrece a Cristo como una *pastilla mágica* que resuelve todos los problemas o como un *pasaporte* para ir al cielo. Por otra parte está el *Cristo a-social* que lleva a sus seguidores a la ruptura de los vínculos familiares, sociales, culturales y políticos. «Este 'Cristo dualista' viene a trazar una frontera cerrada, una especie de línea Maginot entre dos mundos: el profano y el religioso. Esta dicotomía, básicamente neo-platónica, ha producido creyentes de vida privada y pública».[28] Estas y otras imágenes semejantes llevan a los autores a una conclusión severa:

> La predicación evangélica se ha caracterizado en gran parte por un docetismo funcional en su cristología (como también básicamente por un deísmo en su doctrina de Dios, un dualismo en su concepto del hombre y un legalismo en su ética). Aunque el Cristo 'celeste' y 'espiritual' ha sido real y personal para los creyentes, no lo ha sido Jesús de Nazaret, en toda su humanidad e historicidad.[29]

Los extremos hermenéuticos

El esfuerzo por fundamentar la existencia cristiana en el seguimiento del Jesús histórico llevó en algunos casos a procedimientos hermenéuticos extremos que someten al texto bíblico a lo que Míguez Bonino llama «un círculo hermenéutico de hierro». En su introducción a las teologías de la liberación este teólogo trata con detenimiento la cuestión de la herme-

---

27 *Ibid.*, p. 80.

28 *Ibid.*, p. 82.

29 *Ibid.*, pp .84-85.

néutica. Aunque plantea la necesidad de las mediaciones ideológicas para la tarea hermenéutica, nos pone también en guardia contra aquella posición en la cual

> El texto de la Escritura y la tradición es forzado sobre el lecho de Procusto de la ideología, y el teólogo que ha caído presa de este procedimiento está condenado sin remedio a no escuchar otra cosa que el eco de su propia ideología. No hay redención para esta teología porque ha amordazado la Palabra de Dios en su trascendencia y libertad.[30]

En la euforia revolucionaria de los años 1968 en adelante fue popular pintar a Jesús como un zelote, cuyo ejemplo en ese tiempo lo encarnarían ciertos revolucionarios. Como vimos en el capítulo 9, la revista peronista *Cristianismo y revolución* afirmaba en 1971: «Camilo Torres y Ernesto Che Guevara son en nuestra opinión los ejemplos máximos, hoy en América Latina, de una actitud legítimamente cristiana y una realización verdadera del nuevo hombre en nuestra América».[31] El teólogo cubano Sergio Arce Martínez llega a una conclusión similar:

> Apartémonos de la erudición bíblica, vayamos a la realidad concreta. Jesús no fue fariseo, no fue saduceo, no fue publicano, no fue esenio, no fue herodiano. ¿Qué era? ¿Con quién simpatizaba? ¿A quién ofrecía su apoyo? ¿A quiénes? ¿Con cuál ideología simpatizaba? ¿A quiénes se unió? No queda más que una posibilidad; la única posibilidad que nos abre la propia historia evangélica. Es antibíblico y antievangélico afirmar que fuese saduceo, fariseo, publicano, esenio, herodiano,

---

30 José Míguez Bonino, *La fe en busca de eficacia*, Sígueme, Salamanca, 1977, p. 112.

31 *Cristianismo y revolución*, Buenos Aires, abril de 1971, p. 29.

etc... la única posibilidad que se abre –con fundamento
bíblico– era la de ser zelote... Dicho en otra forma, o era
zelote, o por lo menos prozelote en tanto era el Cristo.
O era fariseo o por lo menos profariseo, y entonces no
era el Cristo del evangelio, el Hijo del Dios viviente. Y
en cuanto a nosotros, o creemos en un Cristo Zelote o
prozelote o somos unos redomados ateos desde el punto
de vista del Evangelio.[32]

Detrás de este dilema de hierro «O era esto o era lo otro»,
sin ninguna otra posibilidad, vemos la misma intransigencia
que en la vida política mostraban quienes decían: «o estás
con la revolución (entendida en términos marxistas), o eres
un fascista.» La lectura del texto buscaba entonces una confirmación de la posición política adoptada.

Otro teólogo en quien advertimos claramente el acercamiento hermenéutico a partir de un análisis materialista dia-
léctico de la realidad, es Jorge Pixley de Nicaragua, en su libro
Reino de Dios. De su lectura del material de los Evangelios no
surge el Mesías o el Señor sino un líder social fracasado. Así
nos resume la carrera de Jesús:

> Jesús ofreció a las masas de Palestina (los pobres) la
> buena nueva del advenimiento del Reino de Dios como
> un reino de justicia e igualdad... En su análisis de la
> coyuntura palestina vio en el templo (correctamente)
> el centro de la explotación y la desigualdad... Su estra-
> tegia fracasó por la inseguridad del pueblo acerca de
> cómo Jesús echaría el yugo romano; el pueblo prefirió
> la estrategia de confrontación con los romanos que le
> ofrecían los zelotes... Es difícil a estas alturas saber si

---

32 Varios, *Cristo vivo en Cuba. Reflexiones teológicas cubanas*, DEI, San
José,1978, pp. 78-79.

le hubiera ido mejor al pueblo si hubieran preferido la estrategia de Jesús. No sabemos qué pensaba hacer frente al problema del Imperio. Los textos no preservan nada respecto a sus planes y es difícil imaginarse cómo pretendía echar al yugo imperial.[33]

Al leer estas páginas no se puede evitar la sensación de que para Pixley fue una lástima que Jesús no hubiera conocido el análisis científico marxista de la realidad, que le habría permitido un correcto análisis de coyuntura y una correcta estrategia frente a Roma. Pero también es evidente la incongruencia en el uso del material de los Evangelios. Las intenciones de Jesús en cuanto a su muerte, y su «estrategia», están formuladas claramente tanto en los Sinópticos como en Juan, pero evidentemente Pixley no las acepta ni las cree importantes.[34] Su análisis refleja una flaqueza que los críticos han encontrado también en otros teólogos, la falta de atención a la teología de la cruz, al significado más profundo de la muerte de Cristo como obra de redención del ser humano, tan explícito en los textos neotestamentarios.[35]

Cabe aquí mencionar dos comentarios del biblista argentino Severino Croatto aplicables al ejemplo que hemos usado de Arce. En primer lugar, Croatto critica la tendencia a ubicar a Cristo como zelote y lo hace de manera contundente:

> Quienes buscan identificar a ese Cristo-zelote no se dan cuenta que hacen un mal servicio a la causa de la liberación. Los zelotes, en efecto, eran grupos reaccionarios

---

33 Jorge Pixley, *Reino de Dios*, La Aurora, Buenos Aires, 1977, p. 82. Paréntesis del propio Pixley.

34 En el libro de Pixley la muerte de Jesús aparece como algo totalmente incidental.

35 Jorge Mejía, *La Cristología de Puebla*, CELAM, Bogotá, 1979, p. 11.

y de «extrema derecha». Si perseguían la expulsión de
los romanos del suelo palestino, no era en primer lugar
para salvar al hombre, para un desarrollo integral, en
todos los aspectos, sino para restablecer la ley y las
instituciones político-religiosas perdidas. Los zelotes
no podían salir del «círculo infernal del legalismo».
Cristo no podía luchar o morir a favor de la ley; más
bien sufrió su poder como estructura de muerte. Añorar
un Cristo zelote sería, por tanto, ir detrás de un Cristo
reaccionario, nacionalista-religioso, «fascista».[36]

Tampoco Croatto acepta una espiritualización de Cristo
que no tenga en cuenta la realidad de la encarnación, sino
que busca más bien cómo pasar de la universalidad de la
persona de Cristo a la particularidad de cómo seguirle hoy.
Por otra parte, mientras Pixley critica la estrategia del pueblo,
Croatto tiene fe en que el pueblo sabe encontrar la verdad y
tiene la razón:

> En el proceso a Jesús son las autoridades religiosas, muy
> bien identificadas, las que gestionan la gran mentira de
> la historia. Son los acusadores (cf Lucas 23.10). Hemos
> sido ingenuos los cristianos al culpar a veces al *pueblo*
> judío diciendo que «se había dado vuelta» traicionando
> a Jesús después de la recepción triunfal en Jerusalén.
> La intriga vino de las autoridades religiosas. Si estuvo
> presente el pueblo debemos acotar dos cosas: una, que
> no sabemos qué cantidad (el pueblo como tal no es
> engañado fácilmente, por su maravillosa captación de
> la verdad). La segunda, que el grupo colaboracionista
> había sido «comprado» (y no pudo por tanto ser todo

---

36 Severino Croatto, «La dimensión política del Cristo libertador», en José Míguez
Bonino y otros, *Jesús: Ni vencido ni monarca celestial*, Tierra Nueva, Buenos
Aires, 1977, pp. 178-179.

el pueblo) por los príncipes de los sacerdotes y los
ancianos...(Mateo 27.20).[37]

Dos eventos eclesiales del año 1979 van a constituir el
marco dentro del cual se dieron momentos importantes de
reflexión cristológica en América Latina al cerrarse esta
década. En el ámbito católico se realiza la Conferencia del
CELAM en Puebla (México, enero de 1979), con la presencia
de Juan Pablo II, un nuevo Papa de origen polaco y teología
tradicionalista. En el ámbito protestante se realiza el CLADE
II (Lima, octubre-noviembre de 1979), con el que culmina la
primera e intensa década de reflexión y diálogo de la Fraternidad Teológica Latinoamericana. En ambos eventos la Cristología ocupa un lugar destacado y dada su proyección a la
década siguiente nos ocupamos de ellos más detenidamente
en el próximo capítulo.

Dos ensayos cristológicos orgánicos

Hay dos obras que es importante mencionar por ser libros
completos de reflexión cristológica y de intención teológica
y pastoral. En 1974 aparece en Buenos Aires *Jesucristo revolucionario*[38] por el profesor anglicano Andrés Kirk y en 1979
aparece en Lima *La práctica de Jesús*[39] por el sacerdote y
profesor peruano Hugo Echegaray. Caracteriza a ambas obras
una base exegética trabajada con mucho cuidado, que presta
especial atención al contexto histórico del momento en que

---

37 Severino Croatto, *Liberación y libertad*, Mundo Nuevo, Buenos Aires, 1973,
   Introducción.

38 Andrés Kirk, *Jesucristo revolucionario*, La Aurora, Buenos Aires, 1974.

39 Hugo Echegaray, *La práctica de Jesús*, CEP, Lima, 1979.

Jesús vivió y ministró, y que en su exposición toma en cuenta el propio contexto de los autores.

Kirk explica que su libro concentrará la atención sobre un aspecto particular, aunque no el único de la vida y de la prédica de Jesús de Nazaret: «El tema es la revolución. El análisis se centrará en las proyecciones revolucionarias del ministerio público de quien se proclamó a sí mismo Mesías: Jesús de Nazaret».[40] Kirk define la revolución como «la irrupción de un factor cualitativamente nuevo que cambia de modo radical el futuro del proceso histórico de un pueblo que ya posee larga tradición».[41] En el primer capítulo afirma: «El primer supuesto básico es que los documentos que narran la vida, enseñanzas y misión de Jesús de Nazaret son históricamente exactos…el total de este estudio descansa en el valor histórico que se atribuye a los cuatro Evangelios».[42] Luego ofrece una discusión sobre esas fuentes históricas y hace una exposición crítica de la «Historia de las Formas», de su influencia y sus severas limitaciones. Para Kirk es esencial que haya un trabajo exegético riguroso: «Es esencial que no forcemos el texto para encontrar ideas preconcebidas, ni esperemos que nos conteste todas las preguntas que queramos formularle. Por esta razón debemos dejar que el texto hable por sí mismo y, tal vez, criticar el modo en que planteamos las preguntas».[43]

Los doce capítulos del libro están escritos en un estilo denso y ofrecen la exégesis cuidadosa de numerosos pasajes de los Evangelios, prestando atención a la relación que guardan con el Antiguo Testamento. El Reino de Dios ocupa tres capítulos,

40 Kirk, *op. cit.*, p. 12.

41 *Ibid.*, p. 15.

42 *Ibid.*, p. 16.

43 *Ibid.*, p. 30.

primero exponiendo su propia ley y luego contrastándolo con las estructuras de poder y ciertas formas de humanismo. Para Kirk, cuando se examina la actitud de Jesús frente a las instituciones y las ideas de su tiempo, «con cierta audacia se podría decir que todas las enseñanzas de Jesús son revolucionarias».[44] Se pregunta por ejemplo si es posible hablar de un Cristo sin religión, y se examina diversos pasajes que muestran la actitud de Jesús hacia las instituciones religiosas de su tiempo, llegando a la conclusión de que «En cada caso se dice algo radicalmente nuevo en materia de religión; algo que devuelve la religiosidad a su cauce principal, apuntando a la verdad acerca de Dios y del hombre. En ese sentido, pero sólo en ese sentido, se podría hablar significativamente de un Cristo antirreligioso».[45]

Examina cuidadosamente el tema de Jesús y la violencia respecto al cual hay dichos y hechos de Jesús aparentemente contradictorios. Concluye que «Jesús nunca llega siquiera a insinuar que la violencia tenga justificación: ni la violencia de Roma ni la de sus títeres, ni la de sus más acérrimos oponentes».[46] Kirk expone y evalúa actitudes y dichos violentos de Jesús pero entendiéndolos a la luz de una más amplia teología bíblica. Concluye en que para Él «Sólo Dios tiene el derecho del juicio final, y Él es el único que plegará a sus propios designios la inevitable violencia perpetrada por los seres humanos que se han apartado de su camino original».[47]

El capítulo final se refiere al «estatuto revolucionario de la comunidad de Jesús», entendiendo su carácter desde el punto

---

44 *Ibid.*, p. 33.

45 *Ibid.*, p. 62.

46 *Ibid.*, p. 84.

47 *Ibid.*

de vista del Reino. Para la radicalidad del Reino de Dios «la mayoría de las doctrinas revolucionarias y su práctica son en realidad hechos contrarrevolucionarios».[48] En la conclusión final respecto a cómo la comunidad cristiana ha de enfrentar la realidad contemporánea, Kirk dice: «El camino mejor, el camino del revolucionario de todos los tiempos, Jesús de Nazaret, tendrá que ser adecuado, desafiante, subversivo, rigurosamente honesto, indestructible y limpio, en el mundo amado por Dios pero poseído por el mal».[49]

Lucidez, claridad y elegancia marcan el estilo de Hugo Echegaray en *La práctica de Jesús*. Se percibe en esta obra una intensa preocupación pastoral para poner el trabajo de erudición bíblica y teológica al alcance de todo lector. Traducido al inglés y publicado en 1984, alcanzó gran difusión.[50] Discípulo y luego colega de Gustavo Gutiérrez, Echegaray empezó su reflexión investigando la actitud de Jesús ante la pobreza y como bien lo dice el título de su libro decidió examinar los textos de los Evangelios para entender *cómo había vivido Jesús la pobreza.*

> ¿Cómo según los textos evangélicos había vivido Jesús la pobreza? ¿Qué acentos propios le había dado su personal manera de asumir un mundo pobre que ciertamente debía contener profundas contradicciones y estar atravesado por demandas de todo tipo? ¿Qué rasgos materiales, sociales, espirituales de esta pobreza

---

48 *Ibid.*, p. 227.

49 *Ibid.*, p. 240.

50 *The Practice of Jesus*, Orbis Books, Maryknoll, N. Y., 1984. El teólogo sudafricano David Bosch, por ejemplo, lo cita ampliamente en su libro *Misión en transformación: Cambios de paradigma en la teología de la misión*, Libros Desafío, Grand Rapids, 2000.

se hacían normativos para nosotros por el hecho de haber sido los rasgos mismos de la pobreza de Cristo?[51]

Echegaray ve su trabajo como «una contribución a la cristología sobre un punto muy determinado y circunscrito: el de la humanidad histórica de Jesús».[52] Reconoce que hay otros temas muy importantes como «el carácter redentor de la muerte de Jesús, o el de su resurrección como acontecimiento histórico y de fe».[53] Nos aclara que en las páginas de este libro, como en el de otros de sus escritos, «el hilo conductor es la profesión de fe en la encarnación del Verbo y por lo tanto en la divinidad de Jesús, manifestado en plenitud a sus primeros discípulos en el lapso que duró su experiencia atónita de la Pascua de Cristo».[54] Con una definición propia de las teologías de la liberación Echegaray nos recuerda que «la participación en la fe de creyentes que se incorporan a la historia actual de los pobres, da aperturas nuevas a la captación hoy de la persona de Cristo, Verbo hecho pobre».[55]

Dedica varias páginas a examinar lo que eran los zelotes en el tiempo de Jesús, resumiendo las diversas investigaciones existentes sobre el tema. Nos recuerda que «cometeríamos un error asimilando simplemente los zelotas a un partido político en el sentido moderno que ha adquirido el término».[56] Para él

---

51 Echegaray, *op.cit.*, p. 29

52 *Ibid.*, p. 32.

53 *Ibid.*

54 *Ibid.*, pp. 32-33.

55 *Ibid.*, p. 36.

56 *Ibid.*, p. 146. Si bien hemos venido usando el término «zelote», Echegaray usa el término «zelota» y cuando lo citamos respetamos su texto. Ambas formas son aceptables según el *Diccionario panhispánico de dudas* de la Real Academia Española, Madrid , 2005.

«los zelotas representaron en su tiempo la sed infinita de libertad que anida en casi cada página del Antiguo Testamento».[57] Si bien Jesús habría compartido algunas de las actitudes y visiones de los zelotes y habría atraído a algunos de ellos, él mismo no fue zelote:

> La persona de Jesús despierta admiración y esperanza en los términos que el pueblo podía formularla. Pese a lo cual Jesús no se hizo zelota en el sentido en que lo había sido Judas el Galileo y en que lo serán más tarde los jefes de esta corriente. Ello no pudo haber sucedido sólo por accidente. Y es que el proyecto de Jesús se diferencia y supera el proyecto zelota en varios puntos capitales.[58]

Para Echegaray, en la expulsión de los mercaderes del templo, que algunos verían como gesto zelote, lo que a Jesús le preocupa es más bien la cuestión del culto verdadero, razón por la cual choca también con los sacerdotes y muestra su reserva frente a las leyes de pureza. Además la actitud de Jesús no se nutre del estrecho nacionalismo que caracterizaba a los zelotes:

> Jesús supera así el particularismo nacionalista que hacía de los zelotas un grupo restringido únicamente al horizonte de Israel. El horizonte de Jesús es más vasto. No está aprisionado por el particularismo de la ley, el nacionalismo del templo, o la cuestión del legítimo sacerdocio. La adhesión de Jesús es al Padre y no únicamente al Dios de los judíos. En su mensaje el

---

57 *Ibid.*
58 *Ibid.*, p.151.

Reino sale al encuentro del hombre, sin restricciones que le marquen fronteras nacionales infranqueables.[59]

Destaca Echegaray lo que llama «arraigado teocentrismo» en la conciencia de Jesús, como origen de ese horizonte universal de su enseñanza y su práctica que tiene que guiar, inspirar y modelar la práctica del cristiano de hoy:

> Para los creyentes el sentido inherente a la práctica del Señor no funciona, por cierto, fuera del dinamismo instaurado por su resurrección: allí esa práctica tiene –para la fe– su alfa y omega. El principio y el fin de la humanidad en marcha es Aquel que ha desencadenado y liberado nuestra existencia personal y colectiva, y en quien podemos cifrar la confianza de que el esfuerzo ordenador y transformador del mundo no nos defraudará ni terminará tragado por la nada... La referencia creyente a Jesucristo, verdadero Dios y verdadero hombre, impregna nuestra praxis poniendo en ella el sentido del Reino como valor final y a Cristo como al Hijo aceptado por Dios como el óptimo insuperable de la respuesta humana a su don salvífico.[60]

59 *Ibid.*, p. 153.
60 *Ibid.*, p. 221.

13

El tiempo de la sistematización

*P*ero, *¿cuál Cristo? Definitivamente no se trata aquí del Cristo de los dogmas, de hechura puramente humana, ni del Cristo de la imaginería antigua y moderna, ni del Cristo del folklore latinoamericano, ni del Cristo superstar de las sociedades opulentas del noratlántico, ni del Cristo de los poderosos económico-sociales en nuestro continente, ni del Cristo de los ideólogos de última hora; sino de aquél que es revelado en las Escrituras; el Cristo redescubierto por muchas almas piadosas en los días más oscuros del Medioevo y en los mejores tiempos de la reforma protestante; el Cristo que nos ha encontrado y hemos encontrado por la gracia de Dios miles y millones de latinoamericanos.*

¡Cristo Dios! Él es el logos eterno, miembro del concilio trinitario, asociado eternamente con el Padre y con el Espíritu; creador y sustentador de los cielos y la tierra; Señor de la vida y de la historia; Rey, ahora y siempre; Admirable, Consejero, Dios fuerte, Padre eterno, Príncipe de paz, cuyas salidas son desde los días de la eternidad; Alfa y Omega, principio y fin, el que es y que era y que ha de venir, el Todopoderoso Señor.

¡Cristo histórico! ¡Manifestado en el tiempo y en el espacio, en la fecha precisa del calendario de Dios, en el devenir de la historia humana, en el contexto de una geografía, de un pueblo, de una cultura, de una sociedad!

¡Cristo humano! Engendrado por el Espíritu, concebido por la virgen María, participante de carne y sangre,

«hecho carne», identificado plenamente con la humanidad. Cristo hombre total y hombre para todos los demás, que vive entre los hombres «lleno de gracia y de verdad» (Jn. 1.14).

¡Cristo pobre! Nacido en un establo, avecindado en una aldea, conocido como «el carpintero», hijo de un carpintero. *¡Cristo proletario, el de las manos encallecidas en el rudo trabajo, el de la frente sudorosa en la diaria labor!* Nació, vivió y murió en profunda pobreza, como los pobres de su pueblo. Sin embargo no utilizó el resentimiento social de sus contemporáneos para ahondar el abismo entre hombre y hombre, entre clase y clase o entre pueblo y pueblo. No pidió a los suyos que levantasen la bandera del odio y la venganza. Antes bien, habló del perdón y la fraternidad. Pero se entregó a sí mismo en sacrificio cruento para deshacer en su cruz las enemistades, y derribar el muro que separaba a un ser humano de otro ser humano. Además, su presencia es inevitablemente un signo de contradicción para los que oprimen al pueblo y viven de espaldas a la miseria humana.

¡Cristo profeta! Heraldo de Dios el Padre, intérprete de la Deidad, revelador de la voluntad divina para su pueblo y para toda la humanidad. Su verbo encendido en fuego del cielo es consolación y esperanza para los de corazón humilde, y advertencia de juicio ineludible para los hacedores de iniquidad.

¡Cristo Cordero de Dios! El que quita el pecado del mundo; el de la entrega total en el Calvario para nuestra redención; el de la sangre preciosa que nos limpia de toda maldad.

¡Cristo viviente! Destruye por medio de la muerte al que tenía el imperio de la muerte y triunfa sobre el sepulcro en el día glorioso de su resurrección.

¡Cristo sacerdote! El que está sentado a la diestra de la Majestad en las alturas y «puede también salvar perpetuamente a los que por él se acercan a Dios, viviendo siempre para interceder por ellos» (He 7.25).

¡Cristo Rey venidero! Glorificador de su Iglesia, Juez de vivos y muertos «en su manifestación y en su reino» (2 Tim 4.1). *Mesías anhelado para bendición de todos los pueblos, Rey de reyes y Señor de señores. Cristo el de la renovación total.*[1]

Con este brillante ejercicio lírico abría Emilio Antonio Núñez el Segundo Congreso Latinoamericano de Evangelización (CLADE II) en el día de la Reforma, 31 de octubre de 1979, en Lima. Era parte de su mensaje «Herederos de la Reforma» que se centró en los cuatro grandes postulados de la fe protestante: *Sola Gracia, Sólo Cristo, Sola Fe, Sola Escritura*. Estas líneas de Núñez, en apretada síntesis resumen la exploración cristológica que se había venido dando en el ámbito protestante, y en particular en el de la FTL. La proclamación del Evangelio presentando la persona de Jesucristo en el texto de los Evangelios a pueblos y personas que los desconocían, a veces por completo, había sido la tarea inicial de las primeras generaciones de evangélicos que recorrieron el continente en las primeras décadas del siglo veinte. En las generaciones siguientes, con aquellos a quienes hemos descrito como precursores y fundadores vino la creación poética, periodística, homilética e himnológica, centrada en el Cristo de los Evangelios, por igual en niveles populares y académicos. Mackay había sido el precursor de una comprensión de la realidad social y religiosa latinoamericana en clave teológica,

---

1 El compendio del Congreso está en *CLADE II, América Latina y la evangelización en los años 80*, FTL, México, 1979.

seguido luego por las nuevas generaciones de pensadores evangélicos latinoamericanos que empezaron a florecer en la segunda mitad del siglo veinte. Así había ido surgiendo una nueva comprensión contextual de la persona de Jesucristo, en respuesta a los interrogantes de décadas marcadas por los cambios sociales y la lucha por la justicia y contra la pobreza. Todo ello tuvo también repercusiones en el propio Catolicismo que posteriormente, con el fermento del Concilio Vaticano II y su eco en la Conferencia de Medellín, había de volver a las fuentes bíblicas de la fe en Jesucristo.

La Conferencia del CELAM en Puebla

Durante la década de 1970 muchos de los sacerdotes, monjas y obispos que tomaron en serio la «opción preferencial por los pobres» que la conferencia del CELAM en Medellín había propuesto, sufrieron a manos de los regímenes militares y totalitarios que durante esa década se impusieron en países como Brasil, Chile, Argentina, Uruguay, Bolivia, El Salvador y Guatemala. Mortimer Arias cita una revista francesa que compiló cifras sobre esta persecución, una lista de casi 1,500 nombres: «Habían sido arrestados, interrogados, difamados, torturados, secuestrados, asesinados o exiliados en la década de 1968-1978. Entre ellos 71 fueron torturados, 69 fueron asesinados, y 279 fueron exiliados (la mayoría sacerdotes misioneros extranjeros y miembros de órdenes religiosas)».[2] Al mismo tiempo, un sector de obispos conservadores, poco entusiastas de la opción preferencial por los pobres en los términos de Medellín, fue tomando la dirección del CELAM.

---

2 Mortimer Arias, *El clamor de mi pueblo*, Friendship Press-CUPSA, Mexico-New York, 1981, p. 119. Arias cita la revista *Diffusion de L'information sur L'Amerique Latine*.

El historiador jesuita Jeffrey Klaiber dice: «Con la elección de Juan Pablo II muy pronto se sintió un cambio conservador con respecto a las políticas de sus antecesores. Sobre todo los nombramientos episcopales recaían en hombres menos progresistas y en algunos casos de tendencia integrista».[3] Esto resulta evidente cuando se considera la III Conferencia del CELAM en Puebla, México, realizada entre enero y febrero de 1979.

El fermento de reflexión teológica que se desencadenó en la Iglesia Católica se puede percibir en el desarrollo de la Cristología de Puebla. En 1974 el papa Paulo VI había difundido su encíclica *Evangelii Nuntiandi* con un fuerte énfasis en la evangelización. Haciéndose eco de ella, Puebla adoptó como lema «La evangelización en el presente y en el futuro de América Latina». En su documento final, que es el *Mensaje a los pueblos de América Latina*,[4] luego de una visión pastoral de la realidad latinoamericana, hay una sección sobre Jesucristo como centro del contenido de la evangelización, aunque todo el documento tiene una vena cristológica: «Nos proponemos anunciar las verdades centrales de la evangelización: Cristo, nuestra esperanza, está en medio de nosotros, como Enviado del Padre, animando con su Espíritu a la Iglesia y ofreciendo al hombre de hoy su palabra y su vida para llevarlo a su liberación integral» (166). El contenido de la evangelización incluye también a la Iglesia (167), a María, y una visión cristiana del

---

3   Jeffrey Klaiber S.J., *Iglesia, dictaduras y democracia en América Latina*, Pontificia Universidad Católica del Perú Fondo Editorial, Lima, 1997, p. 31.

4   Hay diversas ediciones de este Documento final autorizado por el CELAM y que está dividido en párrafos que iremos citando en esta presentación. Usamos la edición publicada por el Secretariado Nacional del Episcopado Peruano: CELAM, *Puebla*, Ediciones Paulinas, Lima, 1979.

ser humano (169): «María es... la estrella de la evangelización y la Madre de los pueblos de América Latina» (168).

En la Conferencia del CELAM en Puebla se impidió la participación de teólogos de la liberación y resultó evidente que la conducción del evento había sido tomada por los obispos más conservadores. En realidad, en su discurso inicial en Puebla Juan Pablo II expresó la necesidad de definiciones cristológicas que luego el documento final presenta. Preocupaba al Papa el desarrollo de una cristología «sólida». Decía, dirigiéndose a los obispos: «De vosotros, Pastores, los fieles de vuestros países esperan y reclaman ante todo una cuidadosa y celosa trasmisión de la verdad sobre Jesucristo. Ésta se encuentra al centro de la evangelización y constituye su contenido esencial.»[5] Afirmaba luego el Papa: «Corren hoy por muchas partes –el fenómeno no es nuevo– 'relecturas' del Evangelio, resultado de especulaciones teóricas más bien que de auténtica meditación de la palabra de Dios y de un verdadero compromiso evangélico».[6] A continuación identificaba algunas:

> En algunos casos o se silencia la divinidad de Cristo o se incurre, de hecho, en formas de interpretación reñidas con la fe de la Iglesia... En otros casos se pretende mostrar a Jesús como comprometido políticamente, como un luchador contra la dominación romana y contra los poderes, e incluso implicado en la lucha de clases. Esta concepción de Cristo como político, revolucionario, como el subversivo de Nazareth, no se compagina con la catequesis de la Iglesia.[7]

---

5 *Puebla*, p. 9.

6 *Ibid.*, p. 10.

7 *Ibid.*

Era evidente que el Papa estaba refiriéndose a las cristologías asociadas a las teologías de la liberación, y frente a ellas la agenda que proponía era clara:

> Contra tales «relecturas» pues, y contra sus hipótesis, brillantes quizás pero frágiles e inconsistentes, que de ellas derivan, «la evangelización en el presente y el futuro de América Latina» no puede cesar de afirmar la fe de la Iglesia: Jesucristo, Verbo e Hijo de Dios, se hace hombre para acercarse al hombre y brindarle por la fuerza de su misterio, la salvación, gran don de Dios.[8]

En una exposición sobre la Cristología de Puebla, que hace el biblista y obispo argentino Jorge Mejía, uno de los expertos consultores del CELAM en la Conferencia, narra el largo proceso de redacción del documento final. Éste fue circulado primero como «Documento de Consulta» en 1977 y estudiado luego en los obispados de toda América Latina, los cuales presentaron propuestas de modificaciones, agregados o supresiones. La opinión de Mejía es importante y representativa de una voz oficial porque él había sido Secretario del Departamento de Ecumenismo del CELAM y luego fue hecho cardenal y pasó a trabajar en Roma. Dice Mejía: «La idea de incluir una sección cristológica en el Documento final de la Conferencia de Puebla no surge en la conferencia misma. Tiene una larga historia que conviene conocer, al menos en sus líneas generales».[9]

---

8 *Ibid.*, p.11.

9 Monseñor Jorge Mejía, *La Cristología de Puebla*, CELAM, Bogotá, 1979, p. 9.

Correcciones a las teologías de la liberación

Mejía recuerda que en el Documento final de la Conferencia de Medellín (1968) no hay definiciones cristológicas y que en los años siguientes

> comienzan a aparecer aquí y allá, a modo de alusiones surgidas en el planteo del compromiso religioso-político, referencia a reinterpretaciones de la figura y la obra de Cristo con fuerte acentuación política. El Señor habría sido el primer 'revolucionario'; entonces su vida y su muerte (y su misión) deben ser leídas a esta luz».[10]

Señala que el debate se estaba dando también en Europa y pasa luego a examinar la obra de Leonardo Boff señalando tres puntos críticos. Primero, «Boff comienza por no ser claro en su lectura del dogma de Calcedonia y, por consiguiente, en su formulación de la doble naturaleza divina y humana de Cristo, unidas en la unidad de una persona».[11] Segundo, la explicación de la relación entre Cristo y la iglesia sería también insuficiente, y en tercer lugar, «Boff es bastante negativo por lo que toca al carácter sacrificial de la muerte del Señor, en su intención misma. Sería 'una interpretación … entre tantas'».[12]

Mejía advierte en particular que en relación con Jesús, «la tendencia de Boff a 'desteologizar' la muerte es inquietante, y (a mi juicio) incompatible con una sana exégesis del Nuevo Testamento. Coherente con esto es su interpretación de la Cena, reducida a un símbolo del banquete escatológico, y

---

10 Ibid.

11 Ibid., p.11.

12 *Ibid.*

desprovista ella también de toda dimensión sacrificial».[13] En conclusión, según Mejía «Se advierte fácilmente que todo esto conduce a una relectura de la persona y la misión de Cristo más como un profeta, quizás un 'gran profeta' (passim en el libro) que como un redentor en el sentido bíblico y tradicional de esta expresión».[14]

La crítica que hace luego Mejía a la obra de Jon Sobrino toca puntos semejantes a los de Boff, como la interpretación insatisfactoria del dogma de Calcedonia, y critica las fórmulas con las cuales Sobrino intenta explicar el misterio de la divinidad de Jesús y su relación con el Padre. Menciona algunas de ellas: «la divinidad de Jesús consiste en su relación concreta con el Padre», o «lo que revela Jesús es el camino del hijo, el camino de hacerse hijo de Dios», o «Cristo se va haciendo hombre y el hombre Jesús se va haciendo hijo de Dios». Además, «De hecho Sobrino critica la concepción soteriológica de la muerte de Jesús que ve 'desvirtuada' cuando se la 'reduce a un misterio noético' y se intenta explicar desde el 'designio' de Dios y de su 'valor salvífico'».[15]

Es así como, respondiendo al debate cristológico que había florecido en América Latina, Puebla empieza afirmando «La verdad sobre Jesucristo el Salvador que anunciamos». Mejía ofrece una apretada síntesis del Mensaje de Puebla:

> Están aquí asumidos y enunciados, si bien siempre como elementos, no de una discusión teológica sino del contenido del anuncio evangelizador: la afirmación de la divinidad de Jesús con la fórmula de Calcedonia, adecuadamente resituada en el contexto del Nuevo

---

13 *Ibid.,* p. 12. Paréntesis de Mejía.

14 *Ibid.*

15 *Ibid.,* p. 14.

Testamento; el carácter sacrificial de la muerte de Jesús, en un párrafo que resume sintéticamente las diferentes presentaciones de esa muerte en el mismo Nuevo Testamento; la relación histórica de Jesús con la Iglesia; la trascendencia del mensaje y la misión de Jesús, en oposición sobre todo a la «ilustración racionalista», pero sin dejar de mencionar la «reacción inversa».[16]

El examen del Mensaje de Puebla nos muestra expresiones bien definidas de una cristología con la cual el criterio de un observador evangélico no puede menos que estar de acuerdo. Así, por ejemplo, »Es nuestro deber anunciar claramente, sin dejar lugar a dudas o equívocos, el misterio de la Encarnación: tanto la divinidad de Jesucristo tal como la profesa la fe de la Iglesia, como la realidad y la fuerza de su dimensión humana e histórica» (175). Hay que evitar reduccionismos: «No podemos desfigurar, parcializar o ideologizar la persona de Jesucristo, ya sea convirtiéndolo en un político, un líder, un revolucionario o un simple profeta, ya sea reduciendo al campo de lo meramente privado a quien es Señor de la Historia» (178). Hay en varias partes un marco trinitario: «La Iglesia de América Latina quiere anunciar, por tanto, el verdadero rostro de Cristo, porque en él resplandece la gloria y la bondad del Padre providente y la fuerza del Espíritu Santo que anuncia la verdadera e integral liberación de todos y cada uno de los hombres de nuestro pueblo»(189).

Respecto al seguimiento de Jesús hay también una nota definida: «Así Jesús, de modo original, propio, incomparable, exige un seguimiento radical que abarca todo el hombre, a todos los hombres y envuelve a todo el mundo y todo el cosmos. Esta radicalidad hace que la conversión sea un proceso nunca acabado

---

16 *Ibid.*, p.16.

tanto a nivel personal como social. Porque si el Reino de Dios pasa por realizaciones históricas, no se agota ni se identifica con ellas» (193). Ese seguimiento de Jesús tiene un efecto social en el mundo: «Para que América Latina sea capaz de convertir sus dolores en crecimiento hacia una sociedad verdaderamente participada y fraternal, necesita educar hombres capaces de forjar la historia según la 'praxis' de Jesús, entendida como la hemos precisado a partir de la teología bíblica de la historia. El continente necesita hombres conscientes de que Dios los llama a actuar en alianza con Él» (279).

Por otra parte, el Mensaje tiene también notas específicamente «romanas», con las cuales el pensamiento evangélico nunca podrá estar de acuerdo, por su falta de fundamento bíblico. Por un lado el contenido de la evangelización incluye una larga sección acerca de María. Las afirmaciones que en ese sentido se hacen son rotundas y elocuentes: «Se nos ha revelado la admirable fecundidad de María. Ella se hace Madre de Dios, del Cristo histórico en el fiat de la anunciación, cuando el Espíritu Santo la cubre con su sombra. Es Madre de la Iglesia porque es Madre de Cristo, Cabeza del cuerpo místico» (287). La exaltación de María va mucho más allá, citando la encíclica *Evangelii Nuntiandi* y el decreto *Lumen Gentium*:

> La Iglesia con la Evangelización engendra nuevos hijos. Ese proceso que consiste en «transformar desde dentro», en «renovar a la misma humanidad» (EN 18) es un verdadero volver a nacer. En ese parto que siempre se reitera, María es nuestra Madre. Ella gloriosa en el cielo, actúa en la tierra. Participando del señorío del Cristo resucitado, «con su amor materno cuida de los hermanos de su Hijo que todavía peregrinan» (LG 62); su gran cuidado es que los cristianos tengan vida abundante y lleguen a la madurez de la plenitud de Cristo (288).

Por otro lado se afirma la exclusividad que la Iglesia de Roma reclama para sí: «Sólo en la Iglesia católica se da la plenitud de los medios de salvación (UR 36) legados por Jesús a los hombres mediante los apóstoles. Por ello tenemos el deber de proclamar la excelencia de nuestra vocación a la Iglesia católica (LG 14). Vocación que es a la vez inmensa gracia y responsabilidad» (225). En la sección del Mensaje dedicada al diálogo para la comunión y participación se ofrece un cuadro de la situación religiosa en el cual se afirma: «La Iglesia católica constituye la inmensa mayoría, lo cual es un hecho no sólo de carácter sociológico sino también teológico muy relevante. Junto a ella se encuentran Iglesias orientales e Iglesia y comunidades eclesiales de Occidente. Se dan también los que suelen llamar ahora 'movimientos religiosos libres' (popularmente 'sectas') de los cuales algunos se mantienen dentro de los límites de la profesión de fe básicamente cristiana; otros, en cambio, no pueden ser considerados tales (1100-1102)». El uso católico tradicional ha sido llamar «sectas» a todas las iglesias que evangelizan y crecen, y reservar el calificativo de iglesia para las pocas iglesias vinculadas al movimiento ecuménico y dispuestas al diálogo con Roma. Con la nueva nomenclatura adoptada viene también el juicio peyorativo: «no podemos ignorar en lo tocante a esos grupos, proselitismos muy marcados, fundamentalismo bíblico y literalismo estricto respecto de sus propias doctrinas» (1109).[17]

Entender la evangelización

Un hecho que se presta a la reflexión es que en el quehacer teológico de protestantes y católicos, al final de la década de

---

17 Me he ocupado más extensamente de este tema en mi libro *Tiempo de misión,* CLARA-Semilla, Guatemala-Bogotá, 1999, cap. 7.

1970, se da por igual una búsqueda de Jesucristo en clave kerigmática y evangelizadora. Sin embargo, es importante comprender cómo entienden la evangelización los teólogos evangélicos por un lado y los obispos católicos por otro. En ambos lados se percibe un esfuerzo por darle a la evangelización un contenido cristológico básico acerca del cual hay notables convergencias y coincidencias. Pero es en el concepto de evangelización donde radican las diferencias. Al respecto, según la visión evangélica hay, en América Latina una ausencia de Cristo a la cual se debe responder con la proclamación de su nombre y su Evangelio, llamando a los seres humanos a poner su fe en Cristo. En la visión católica, América Latina ya es cristiana y la evangelización viene a ser más la reactivación de una fe ya existente.

Se aduce para ello primero razones históricas: «La evangelización está en los orígenes de este Nuevo Mundo que es América Latina. La Iglesia se hace presente en las raíces y en la actualidad del Continente».[18] Asimismo «la evangelización constituyente es uno de los capítulos relevantes de la historia de la Iglesia... Nuestro radical substrato católico con sus vitales formas vigentes de religiosidad, fue establecido y dinamizado por una vasta legión misionera de obispos, religiosos y laicos».[19] Una nota de autocrítica, sin embargo, no debilita la seguridad de que hay una fe cristiana arraigada:

> Si es cierto que la Iglesia en su labor evangelizadora tuvo que soportar el peso de desfallecimientos, alianzas con los poderes terrenos, incompleta visión pastoral y la fuerza destructora del pecado, también se debe reconocer que la Evangelización, que constituye a

---

18 *Puebla*, pár. 4.
19 *Ibid.*, pár. 6-7.

América Latina en «el continente de la esperanza», ha
sido mucho más poderosa que las sombras que dentro del contexto histórico vivido lamentablemente le
acompañaron.[20]

En el capítulo 8 señalábamos el trabajo de autocrítica de
varios sectores del catolicismo latinoamericano, motivado por
una profunda preocupación pastoral por el desconocimiento
del Cristo de la Biblia y de la fe, que había precedido a la
Conferencia del CELAM en Medellín. En contraste con el tono
autocrítico que caracteriza el documento de Medellín, el Mensaje de Puebla afirma rotundamente en el párrafo 171, que «El
pueblo latinoamericano, profundamente religioso aun antes
de ser evangelizado, cree en su gran mayoría en Jesucristo
verdadero Dios y verdadero hombre». En el párrafo siguiente
se ofrece como prueba de ello una larga referencia a diversos
aspectos de la vida religiosa del pueblo, especialmente de la
religiosidad popular:

> De ello son expresión, entre otros, los múltiples atribu-
> tos de poder, salud o consuelo que le reconoce; títulos
> de juez y de rey que le da; las advocaciones que lo
> vinculan a los lugares y regiones; la devoción al Cristo
> paciente, a su nacimiento en el pesebre y a su muerte
> en la cruz; la devoción a Cristo resucitado; más aún las
> devociones al Sagrado Corazón de Jesús y a su presen-
> cia real en la eucaristía, manifestadas en las primeras
> comuniones, la adoración nocturna, la procesión del
> Corpus Christi y los Congresos Eucarísticos.[21]

---

20 *Ibid.*, pár. 10.

21 *Puebla*, pár. 172.

Por ello, en materia de metodología evangelizadora se parte de una revaloración de la religiosidad popular que para los obispos vendría a ser una expresión y una medida de fe en Cristo que sirve como punto de partida:

> La revalorización de la religiosidad popular, a pesar de sus desviaciones y ambigüedades, expresa la identidad religiosa de un pueblo y, al purificarla de eventuales deformaciones, ofrece un lugar privilegiado a la Evangelización. Las grandes devociones y celebraciones populares han sido un distintivo del catolicismo latinoamericano, mantienen valores evangélicos y son un signo de pertenencia a la Iglesia.[22]

La pregunta que cabe hacerse es hasta dónde la religiosidad popular se ha nutrido de imágenes y conceptos contrarios al testimonio bíblico, como se evidencia en muchas de sus prácticas evaluadas y criticadas por los propios misioneros católicos en la década de 1960. ¿Está la Iglesia Católica representada en Puebla dispuesta a una tarea de verdadera y profunda corrección mediante su programa de evangelización? En nuestra introducción al compendio del CLADE II señalábamos que la Conferencia del CELAM en Medellín «había mostrado signos de autocrítica dentro del catolicismo, en una dirección que a los evangélicos les parecía promisora: la renovación bíblica, las correcciones al sincretismo de la religiosidad popular, la aplicación creadora de las reformas propuestas por el Vaticano II». El curso de los acontecimientos cambió las cosas:

> Pero meses antes del CLADE II, la Asamblea Episcopal de Puebla (enero-febrero de 1979) y las tendencias definidas del Papa Juan Pablo II, mostraron que al final

---

22 *Ibid.*, pár. 109.

de esa década la brecha entre evangélicos y católicos se había abierto mucho más. Un claro viraje de regreso a la Mariología, una re-valoración de la religiosidad popular, y las claras declaraciones anti-evangélicas del Documento Final constituían elementos suficientes para que un evangélico atento percibiera el franco retroceso en materia religiosa.[23]

CLADE II: Que América Latina escuche la voz de Dios

Dentro del marco de una profunda vocación evangelizadora, característica del creciente Protestantismo latinoamericano, la reflexión teológica en el seno de la Fraternidad Teológica Latinoamericana (FTL) durante su primera década continuó marcada por esa dirección misionera inherente a su identidad. Al preparar el programa del Segundo Congreso Latinoamericano de Evangelización (CLADE II), la FTL incorporó la dimensión evangelizadora del movimiento de Lausana expresada en su *Pacto*. El lema del Congreso fue «Que América Latina escuche la voz de Dios» y el programa incluía el estudio de las necesidades misioneras del continente, los informes de los esfuerzos de evangelización más conocidos, el trazado de líneas directrices para una comunicación profunda y eficaz del Evangelio en el contexto latinoamericano.

Las ponencias teológicas fueron un esfuerzo por explorar el fundamento bíblico de la evangelización tocando binomios doctrinales claves para la comprensión del mensaje cristiano básico: *Espíritu y Palabra en la tarea evangelizadora*, por el bautista Rolando Gutiérrez de México y el pentecostal Norber-

---

23 Samuel Escobar, «Espíritu y mensaje del CLADE II», en *América Latina y la evangelización en los años 80*, FTL, México, 1980, p. xii.

to Saracco de la Argentina; *Cristo y Anticristo en la proclamación*, por el bautista René Padilla del Ecuador y la Argentina y el luterano Valdir Steuernagel del Brasil; *Pecado y salvación en América Latina*, por los bautistas Russell Shedd del Brasil y Orlando Costas de Costa Rica; y *Esperanza y desesperanza en la crisis continental* por el metodista boliviano-uruguayo Mortimer Arias y el bautista peruano Samuel Escobar. Así sobre cada binomio hubo dos ponencias presentadas por personas de diferente denominación, país y generación, lo cual iba a enriquecer notablemente el esfuerzo contextual. En todas estas ponencias había una nota cristológica fundamental, si bien dos de ellas en particular iban a centrarse en la persona y obra de Jesucristo.

Cristo y Anticristo en la proclamación

En el trabajo cristológico de René Padilla que hemos señalado en capítulos anteriores se destacaba la nota escatológica del mensaje de Jesús sobre el Reino de Dios. Esta nota se profundiza en su ponencia sobre «Cristo y Anticristo en la proclamación del Evangelio», tema que compartió con Valdir Steuernagel. El marco de estos trabajos era la consideración de las verdades centrales del Evangelio, pero con un énfasis contextual que las relacionara con el momento histórico que se vivía en el continente. Los trabajos de Padilla y Steuernagel insistieron en que la proclamación de Cristo como Salvador y Señor siempre encuentra oposición en un mundo caído. Ambos autores realizaron un trabajo exegético cuidadoso. Padilla resume sus conclusiones recordándonos que la pretensión central del Anticristo es la de ocupar el lugar que le pertenece a Dios y recibir el culto que sólo Dios merece; que el Anticristo está activo en el mundo y construyendo su reino en base al error, el engaño y la mentira, y que el Anticristo

intenta destruir a la Iglesia. Por lo tanto, quien evangeliza
debe recordar que

> El período entre la resurrección y la segunda venida
> está caracterizado por la oposición a la Buena Nueva,
> oposición en la cual se anticipa la manifestación final
> del Anticristo. Pero no siempre la oposición se da en
> términos de persecución; también puede tomar la forma
> de seducción. De ahí la importancia de esta advertencia
> que consta en el *Pacto de Lausana*: «*Necesitamos vigi-
> lancia y discernimiento para salvaguardar el Evangelio
> bíblico. Reconocemos que nosotros mismos no estamos
> inmunes a la mundanalidad en el pensamiento y la
> acción, es deir con una contemporización con el secu-
> larismo*» (par 12). El espíritu del Anticristo se hace pre-
> sente hoy día en cualquier esfuerzo que hace la iglesia
> por cumplir su cometido usando para ello las reglas de
> juego y los valores de la sociedad que la rodea.[24]

La conciencia de vivir en medio de la tensión escatológica
entre el «ya» y el «todavía no», y la realidad de la oposición al
señorío de Jesucristo llevan a la iglesia y al creyente a una clara
relativización de los poderes –político, económico, social– bajo
los cuales tienen que vivir. Utilizando las categorías de Padilla
podemos decir que esta relativización es fundamental tanto
ante la persecución del poder contra la iglesia, como ante los
intentos del poder por seducir a la iglesia. Por la misma razón
se perciben con claridad dos aspectos importantes de la misión
cristiana: el anuncio del Señor y la denuncia del mal. Como
decía el *Pacto de Lausana*: «El mensaje de la salvación encierra también el mensaje de juicio de toda forma de alienación,

---

24 CLADE II, *op. cit.*, p. 228.

opresión y discriminación, y no debemos temer el denunciar el mal y la injusticia dondequiera que estos existan» (párrafo 5).

En el propio ministerio de Jesús los actos de servicio a las necesidades humanas iban acompañados del anuncio del Evangelio de salvación y de la denuncia contra el pecado, incluyendo la advertencia profética sobre el juicio de Dios. Por eso la proclamación del Evangelio provocaba tanto aceptación como rechazo. Steuernagel nos recuerda que sería ingenuo que predicásemos el Evangelio con la presuposición de que todo el mundo va a aceptarlo:

> El conflicto patente en el ministerio de Jesús entre su acción soberana y poderosa y la ofensiva de los demonios a su persona, caracterizan también nuestra acción. El reinado del príncipe de las tinieblas, aunque provisorio es real –y quiere a todos los hombres bajo su dominio. Siempre que el Evangelio sea predicado, el círculo del mal se rompe, y la autoridad de Satanás es derrotada. Todo anuncio del Evangelio rompe el círculo de las tinieblas y provoca conflicto abierto; sobre lo cual ya con anticipación nosotros tenemos, en nombre de Jesús, la victoria.[25]

En el contexto latinoamericano de ese momento, luego del trabajo exegético serio venía la obligación de aplicar la enseñanza bíblica a la tarea de comprender la postura y misión de la iglesia. Aquí el trabajo teológico tomó la forma de lo que podemos llamar crítica social de los poderes. Padilla, por ejemplo, condena «el materialismo contemporáneo, (que) con su visión unidimensional de la realidad, impone sus valores y ofrece una salvación que es una negación de la salvación

---

25 *Ibid.*, p. 237.

en Cristo, una anti-salvación».[26] La crítica teológica no se limita a protestar únicamente contra los abusos flagrantes y las violaciones de derechos humanos por parte de los poderosos, sino también contra los conceptos subyacentes que dan forma a ciertos programas de gobierno y organización de la sociedad. Es crítica de la modernidad impuesta por los imperios económicos a costa de grandes sacrificios para las masas que son más bien víctimas que beneficiarias, lo cual es fruto del espíritu del Anticristo. Esto le impone a la iglesia en América Latina una tarea profética:

> Si en América Latina el reino del Anticristo toma la forma de una sociedad que absolutiza los bienes materiales, con gobiernos que están dispuestos a pagar un elevado costo social para obtener sus propósitos de desarrollo económico, la proclamación del Evangelio tiene que incluir el anuncio de las Buenas Nuevas de salvación en Jesucristo a la vez que la denuncia de todo aquello que en esta sociedad atenta contra la plenitud de la vida humana. La demanda de la hora no es criticar a los gobiernos en lenguaje religioso, sino confrontar los valores y actitudes que hacen posible que nuestros pueblos sean domesticados por la propaganda; no es oponer los mitos oficiales con otros mitos seculares, sino señalar el juicio de Dios respecto a todo intento de construir el Reino de Dios.[27]

Por otra parte, en esas décadas América Latina fue sacudida por la aparición de regímenes políticos militares en los cuales se endiosó al Estado y éste avasalló los más elementales derechos humanos, haciendo uso de torturas, asesinato político,

---

26 *Ibid.*, p. 228.
27 *Ibid.*, p. 230.

desaparición de ciudadanos y campos de concentración. Padilla comentaba:

> Por momentos parecería que *1984*, la novela de George Orwell, ha cesado de ser ficción para convertirse en realidad especialmente en su descripción del carácter totalitario de la sociedad. También aquí se hace visible el Anticristo y más aún cuando se observa el papel que el Estado desempeña con su abrumadora concentración de poder político y económico, en casi todos los países latinoamericanos.[28]

Valoración evangélica de las teologías de la liberación

Durante la década de 1980 aparecen trabajos evangélicos de evaluación y análisis de las teologías de liberación. En todos ellos una sección importante es la dedicada a la Cristología, y en todos ellos se presta especial atención a una comprensión y evaluación de la hermenéutica. Si bien los evangélicos habían tomado la iniciativa de proclamar a Cristo y difundir su mensaje en sociedades donde se lo desconocía o ignoraba, los cambios en la Iglesia Católica después del Vaticano II y Medellín trajeron de vuelta a su seno la referencia a la persona de Cristo en la pastoral y la reflexión teológica, especialmente entre los teólogos de la liberación. Desde el campo evangélico aparecieron tres trabajos orgánicos: de Emilio Antonio Núñez *Teología de la liberación. Una perspectiva evangélica* (Editorial Caribe, Miami,1986) y de Samuel Escobar, *La fe evangélica y las teologías de la liberación* (Casa Bautista de Publicaciones, El Paso, 1987). Éstos habían sido precedidos por una obra de

---

28 *Ibid.*

Andrés Kirk que no llegó a traducirse del inglés, *Liberation Theology. An Evangelical View from the Third World* (Marshall, Morgan & Scott, Londres, 1979), escrita durante la permanencia de su autor en la Argentina. Estas tres obras reconocen el desafío de las teologías de la liberación, se basan en estudios exhaustivos de los escritos liberacionistas y, como sería de esperarse de evangélicos, enfocan especialmente el campo de la hermenéutica. Las tres ubican el surgimiento de estas teologías en el contexto histórico-social latinoamericano. En sus capítulos sobre Cristología evalúan en particular los trabajos de Boff y Sobrino con su énfasis en el Jesús histórico, pero no se limitan a ellos.

Para Kirk, la Cristología de los teólogos de la liberación presenta una cierta tipología en el uso del status simbólico del Jesús histórico. «Esta tipología tiene por lo menos tres dimensiones: el concepto de la gracia en la enseñanza y las actitudes de Jesús; la actitud de Jesús hacia la realidad política de su tiempo, y la cristología inherente en la parábola del juicio final (Mt 25.31-46)».[29] La cuestión de la gracia es examinada en particular en la obra de Juan Luis Segundo, como una forma de vida en la cual el seguidor de Jesús ha de tener una conducta distintiva que no busca la retribución del mal ni la venganza, sino todo lo contrario, el perdón y la misericordia.[30] Luego Kirk examina la cuestión de la actitud de Jesús hacia el movimiento zelote y hacia los otros grupos políticos de su tiempo, herodianos, saduceos y fariseos, que eventualmente lo conduce a la muerte.[31] Kirk, un exégeta cuidadoso, examina la parábola del juicio final y la completa

---

29 J. Andrew Kirk, *Liberation Theology. An Evangelical View from the Third World*, Marshall, Morgan & Scott, London, 1979, pp. 123-124.

30 *Ibid.*, pp. 124-126.

31 *Ibid.*, pp. 126-130.

identificación de Jesús con los pobres y necesitados, los más pequeños de sus hermanos,[32] un pasaje favorito de teólogos como Gutiérrez quien había escrito: «En el encuentro con los hombres se da nuestro encuentro con el Señor, sobre todo en el encuentro con aquellos a quienes la opresión, el despojo y la alienación han desfigurado el rostro humano y no tienen 'ni apariencia ni presencia', y son 'desecho de hombres' (Is 53.2-3).»[33]

El enfoque de Núñez parte sobre todo de la teología sistemática evangélica y en el capítulo sobre la Cristología examina cuidadosamente los trabajos de Boff y Sobrino y su metodología teológica. Núñez examina el origen de la Cristología de esos dos autores en la reflexión cristológica que se inició antes del Vaticano II con teólogos católicos europeos como Karl Rahner, Karl Adam y Walter Kasper. Sin embargo, nos recuerda que «los teólogos latinoamericanos de la liberación evalúan críticamente las corrientes cristológicas del pasado y de la actualidad, asimilan lo que consideran positivo y rechazan, sin ambages, todo intento de reducir la cristología a lo puramente metafísico o dogmático».[34] Con referencia a la metodología de estos teólogos dice: «¿Qué en cuanto a una cristología bíblica? Los teólogos de la liberación están sumamente interesados en buscar el Jesús histórico en las páginas de los Evangelios, pero parecen aceptar sin reservas los dictámenes de la moderna crítica textual, incluyendo por supuesto la historia de las formas, de las tradiciones y de la redacción».[35]

---

32 *Ibid.,* pp. 132-135.

33 Gustavo Gutiérrez, *Teología de la liberación. Perspectivas,* p. 310.

34 Emilio A. Núñez, *Teología de la liberación. Una perspectiva evangélica,* Caribe, Miami, 1986, p. 196.

35 *Ibid.,* p. 198.

Luego de estudiar detenidamente a Boff y Sobrino, Núñez llega a esta conclusión desde su perspectiva de evangélico conservador:

> La teología de la liberación aquí estudiada cuestiona no solamente la manera en que la Iglesia posapostólica formuló su credo cristológico. Pone en duda la autenticidad de varias porciones del Nuevo Testamento, y prefiere interpretar la cristología bíblica en términos de una evolución teológica. Esto significa que la cristología neotestamentaria es en gran parte el producto de la reflexión de los primeros cristianos después de la resurrección de su Maestro. Es una cristología de creación humana, más que de revelación divina. No se le da la debida importancia a la inspiración y autoridad divinas de las Escrituras.[36]

Pero Núñez no se limita a criticar a las teologías de la liberación sino que emprende también su propia autocrítica como evangélico latinoamericano: «En cierto modo este nuevo énfasis en la humanidad de Cristo es una reacción a la falta de equilibrio en una cristología que magnifica la deidad del Verbo encarnado, a expensas de su humanidad». Núñez describe la forma en que los evangélicos latinoamericanos recibieron una cristología anglosajona que era el resultado de los debates entre Fundamentalismo y Modernismo en Norteamérica:

> Necesariamente lo que se acentuó en la cristología evangélica conservadora fue la deidad del Verbo, sin negar su humanidad. Se nos presentó un Cristo divino-humano en las fórmulas teológicas; pero en la práctica Él se hallaba lejos de la escena de este mundo, sin interferir en nuestros problemas sociales... El Cristo

---

36 *Ibid.*, p. 220.

que se nos anunció a muchos de nosotros cristianos evangélicos, daba la impresión de estar confinado en las alturas celestiales, desde donde trataba con cada uno de nosotros como individuos, preparándonos para nuestro traslado a la gloria y prometiéndonos que Él regresaría al mundo a solucionar todos los problemas de la humanidad.[37]

Núñez insiste en que no podemos eludir el desafío de las teologías de la liberación y que no podemos «darnos el lujo de menospreciarlo». Hay una nueva agenda teológica a la cual Núñez da la bienvenida:

Ya tenemos signos de este despertar cristológico en la comunidad evangélica latinoamericana. Todo parece indicar que después de la teología de la liberación nuestra cristología no podrá ser idéntica, en su énfasis, a la que era hasta cierto punto un producto de la reacción evangélica al liberalismo protestante del siglo decimonono. Sin aislarnos de nuestro contexto vital, nos toca seguir estudiando diligentemente las Sagradas Escrituras porque son ellas las que dan el testimonio fundamental y auténtico de la persona y obra del Hijo de Dios.[38]

En nuestro propio estudio de las teologías de la liberación ofrecemos también una evaluación de su Cristología, especialmente en relación con la tarea hermenéutica. Por un lado se reconoce que los teólogos latinoamericanos han regresado al tema de Cristo: «no podemos sino alegrarnos del intenso fermento teológico y cultural que en años recientes ha puesto

---

37 *Ibid.*, p. 223.

38 *Ibid.*

de nuevo la figura de Jesucristo en el centro aun de los debates públicos.»[39] Por otro lado, examinando varios ejemplos se concluye que

> Evidentemente no se puede decir que haya *una* línea cristológica en la teología de la liberación sino más bien una búsqueda intensa que muchas veces sigue los caminos de las preferencias políticas y las situaciones nacionales desde las cuales cada teólogo habla. Sería de desear que al recurrir a la Palabra se superasen las divergencias radicales y se empezase a ver ciertas convergencias. Pero si las ideologías son más fuertes que la Palabra, la hermenéutica en vez de aclarar oscurece.[40]

En el capítulo dedicado a la renovación de la teología bíblica se sostiene que ésta pasa por la revitalización de la hermenéutica bíblica:

> La hermenéutica de la iglesia comienza con una confesión de la iniciativa divina tanto en los grandes eventos de la salvación como en su revelación, que además de registrar los eventos, los explica y les da sentido. Además, la hermenéutica culmina en la obediencia y por ella se aclara y se articula mejor. En la confesión del pueblo de Dios se reconoce el carácter revelatorio del texto bíblico, su autoridad, la unidad de su mensaje y la intención salvífica de su Autor.[41]

En los cuatro elementos que se han enumerado, el contenido de la reflexión es cristológico y se basa fundamentalmente

---

39 Samuel Escobar, *La fe evangélica y las teologías de la liberación*, Casa Bautista de Publicaciones, El Paso, 1987, p. 150.

40 *Ibid.*, pp. 151-152.

41 *Ibid.*, p. 159.

en una reflexión sobre la Primera Epístola de Pedro: Dios ha hablado, Dios ha hablado en Cristo, Dios ha hablado en Cristo para salvarnos: «Confesar así la iniciativa divina en la revelación sólo es posible dentro del marco de la comunidad cristiana».

> Al afirmar la iniciativa divina estamos confesando nuestra condición de criaturas, nuestra «creaturidad». Por Jesucristo y de Jesucristo hemos aprendido que Dios es nuestro Padre. El Padre que Jesucristo revela no es un nombre que los teólogos le ponen a las fuerzas de la historia, de una manera hegeliana. Tampoco es el nombre que le ponemos al impulso humano en su gesto prometeico...[42]

En el pasaje de 1 Pedro 1.10-12 llegamos con Pedro a la referencia hermenéutica específica: «El centro es cristológico y alrededor de él se integran el anuncio profético y la predicación apostólica». Por ello sostenemos que una hermenéutica evangélica

> *Rehúsa empezar estableciendo polaridades* entre Antiguo y Nuevo Testamentos, entre Evangelios y Epístolas, entre Jesús y Pablo, entre profetas de izquierda y reyes de derecha. La clave de la unidad del texto es cristológica. Las polaridades provienen muchas veces de ideologías o filosofías ajenas al texto, al mundo de la Biblia: opuestas en contenido e intención al propósito salvífico de Dios. Esto no significa dejar de reconocer una pluralidad de énfasis y perspectivas propios de la dimensión humana e histórica de la revelación. Pero así como hay formas de leer el texto que terminan por eliminar a un Dios que ha tomado la iniciativa, hay po-

---

42 *Ibid.*, p. 161.

laridades impuestas al texto que terminan por destruir aun su núcleo cristológico.[43]

De esta convicción proviene la evaluación de las teologías de la liberación que, si bien han conseguido que prestemos atención al abundante material bíblico respecto al Dios liberador y su demanda de justicia y a la práctica de Jesús con su servicio, su anuncio y su denuncia, no han prestado atención a la totalidad de la revelación bíblica. Concluimos así: «Creemos que al rechazar de alguna manera el eje cristológico que a lo largo de la Biblia habla también de limpieza del pecado, sacrificio expiatorio o llamado a la adoración al Dios verdadero, no está haciendo justicia a esa unidad de la Biblia a la cual apunta cuando se trata de otros ejes semánticos».[44]

Mención aparte merece el esfuerzo gigantesco del jesuita uruguayo Juan Luis Segundo por escribir una obra sobre Jesucristo que respondiese en especial a las personas que están fuera de la Iglesia y de la fe cristiana como tal. Tituló su libro *El hombre de hoy ante Jesús de Nazaret*, una obra en tres tomos con un total de 1.400 páginas. El primer tomo es *Fe e ideología*, y el segundo se divide en dos partes: I *Historia y actualidad. Sinópticos y Pablo*, y II *Historia y actualidad. Las cristologías en la espiritualidad*.[45] Quienes leímos sus trabajos previos *De la sociedad a la teología*[46] y *Liberación de la teología*[47] llegamos a apreciar la sensibilidad pastoral de Segundo, su familiari-

---

43 *Ibid.,* pp. 162-163.

44 *Ibid.,* pp. 164-165.

45 Editorial Cristiandad, Madrid, 1982.

46 Juan Luis Segundo, *De la sociedad a la teología*, Carlos Lohlé, Buenos Aires, 1970.

47 Juan Luis Segundo, *Liberación de la teología*, Carlos Lohlé, Buenos Aires, 1975.

dad con las grandes figuras del pensamiento europeo, y su esfuerzo por hacer comprensibles para los laicos las sutilezas de la reflexión teológica. Estas cualidades aparecen también en los tres tomos de la obra que estamos comentando, pero la intención de ser exhaustivo en temas como fe, religión e ideología, el método teológico y la comprensión antropológica de la mentalidad del ser humano contemporáneo nos desafía con un texto de lectura nada fácil. Como señala un comentarista luterano: «Seguramente existe el peligro de que un libro tan extenso y denso como éste sea admirado o condenado sin haber sido leído. Sería una lástima porque JN merece ser leído, estudiado y discutido por los que nos preocupamos por el sentido de Jesús para hoy».[48]

Cristología y praxis cristiana

Otros trabajos evangélicos de evaluación de las teologías de la liberación y desarrollo de una cristología evangélica fueron apareciendo durante la década de 1980. En 1981 la FTL refundó la revista *Boletín Teológico* que se había publicado antes esporádicamente. El editor era el pastor nicaragüense Rolando Gutiérrez y se publicaba en México donde él estaba radicado. Por otra parte, René Padilla fundó en 1982 la revista *Misión* que se publicaba en Buenos Aires, Argentina. En estos dos órganos de expresión colaboraron varios teólogos evangélicos de América Latina, y en ellos se puede seguir el curso que iba tomando la reflexión teológica evangélica.

En los primeros números de *Misión* aparecieron dos trabajos de Padilla, en los cuales se reconoce la importancia de las

---

48 Juan R. Stumme, «Juan Luis Segundo sobre el ser humano y Jesús. Comentario (Parte I)», *Cuadernos de Teología* Buenos Aires, ISEDET, Vol. VII, No.3, 1986, p. 199.

teologías de la liberación y se analiza el desafío que representan para los evangélicos. Dadas las reacciones negativas en
diversos sectores evangélicos, que muchas veces no hacían
justicia a los teólogos de la liberación, tratando de comprender sus propuestas, Padilla nos recordaba la intención de su
propio trabajo de análisis y evaluación: «Mi pregunta no es:
¿Cómo respondo a la teología de la liberación a fin de mostrar
sus fallas e incongruencias? Es más bien: ¿Cómo articulo yo
mi fe en el mismo contexto de pobreza, represión e injusticia
del cual ha surgido la teología de la liberación?»[49] Con este
punto de partida, Padilla valoraba el énfasis de estas nuevas
teologías en la praxis cristiana. Así empieza afirmando: «Nos
detendremos en lo que podría considerarse la marca distintiva
de todas las teologías de la liberación, a saber, su entendimiento de la teología como una reflexión sobre lo que *se hace* más
que sobre lo que *se cree*.»[50]

Como biblista Padilla ve con buenos ojos la presuposición de que «el conocimiento verdadero de Dios equivale
a la práctica de su voluntad.» Cita a Míguez Bonino, quien
sostiene que dos bloques de material bíblico confirman este
acercamiento, a saber, la literatura profética en el Antiguo
Testamento y los escritos de Juan en el Nuevo Testamento. Para
ambos el conocimiento de Dios no es conocimiento abstracto
o teórico sino obediencia activa a las demandas concretas de
Dios: «No conocemos a Dios en abstracto y luego deducimos
de su esencia algunas consecuencias. Conocemos a Dios en
el acto sintético de responder a sus demandas».[51] Desde una

---

49 C. René Padilla, «La teología de la liberación: una evaluación crítica», *Misión*,
   No. 2, julio-setiembre de 1982, p. 17.

50 C. René Padilla, «Una nueva manera de hacer teología», *Misión*, Año 1,
   Num. 1, marzo-junio de 1982, p. 21,

51 *Ibid.*, citando *La fe en busca de eficacia*, pp. 114ss.

perspectiva como ésta la praxis histórica siempre precede a la reflexión teológica. Padilla agrega una nota cristológica: «Desde el punto de vista bíblico, el *logos* de Dios (la Palabra) se ha hecho 'carne' (una persona histórica) y por lo tanto el conocimiento de este *logos* no es un mero conocimiento de ideas sino compromiso, comunión, participación en un nuevo estilo de vida».[52]

Al mismo tiempo, sin embargo, Padilla considera y prueba que para definir lo que ha de ser la praxis, los teólogos de la liberación recurren a las ciencias sociales, en particular al análisis marxista de la sociedad, al cual consideran científico y en consecuencia verdadero. Para ellos la opción por ese análisis es lo que provee la forma de solidarizarse con los pobres y oprimidos en la situación presente. Padilla resume la argumentación de Juan Luis Segundo en ese sentido, al plantear un círculo hermenéutico y una nueva manera de hacer teología en la cual el recurso a las ciencias sociales que determinan la praxis que se adopta es el punto de partida. Y luego presenta su crítica frontal:

> Cuando la teología de la liberación encuentra en el marxismo la estrategia para que los hombres construyan el Reino de Dios «desde ya en la historia», claramente se ha convertido en presa de una ilusión humanista que no está de acuerdo ni con la experiencia humana en la historia ni con la revelación bíblica. Estamos frente a un cautiverio sociológico de la teología, un sociologismo.[53]

Este es el punto en el cual Padilla plantea sus preguntas críticas, porque el énfasis en la praxis lleva a un tipo de prag-

---

52 Padilla, «La teología de la liberación...», p. 17.
53 *Ibid.*, p. 20. La frase entre comillas es una cita de Juan Luis Segundo.

matismo en que la verdad se reduce a «lo que funciona». Y advierte: «Si no hay posibilidad de evaluar la praxis en base a alguna norma que está por encima de la misma, queda abierto el camino para justificar cualquier praxis con tal que funcione; el fin justifica los medios.»[54] Su argumento una vez más es cristológico: «El *logos* de Dios es un *logos* encarnado, pero también es un *logos* que ha hablado, y sus palabras (sus *rhemata*) son espíritu y vida. Uno no puede entender la enseñanza de Jesús a menos que esté dispuesto a hacer la voluntad de Dios... Hacer la verdad no equivale a *elaborar* la verdad por medio de la praxis; es más bien, *practicar* la verdad que nos ha sido revelada».[55]

> La alternativa no es una teología aislada de la realidad social, incapaz de percibir las penas y sufrimientos de los pobres y los oprimidos. Es más bien una teología en diálogo con las Escrituras y la situación histórica concreta, preocupada por la *manifestación* del Reino de Dios a través de señales específicas que apunten al Reino que ya ha venido en Jesucristo, y al Reino que está por venir.[56]

---

54 *Ibid.*, p. 17.

55 *Ibid.*, p. 18.

56 *Ibid.*, p. 20. El texto en inglés de los dos artículos de Padilla que hemos citado fue publicado en una colección de trabajos de diecisiete autores sobre perspectivas anabautistas acerca de las teologías de la liberación: Daniel S. Schipani, ed., *Freedom and Discipleship*, Orbis Books, Maryknoll. N. Y., 198, pp. 34-50.

14

JESÚS Y EL ESTILO DE VIDA
Y MISIÓN DEL REINO

Las imágenes de Jesucristo importadas del Occidente han resultado defectuosas –demasiado condicionadas por el Cristianismo Constantiniano con sus distorsiones ideológicas y sus agregados culturales, y terriblemente inadecuadas como base para la vida y misión de la iglesia en situaciones de grave pobreza e injusticia. Esto ha llevado a la búsqueda de una Cristología que tenga como foco el Cristo histórico y que provea una base para la acción cristiana en la sociedad (René Padilla, *Sharing Jesus in the Two Thirds World, 1982*).[1]

Como hemos visto hasta aquí, debido a la situación de cristiandad en Iberoamérica, tanto católicos como protestantes al tratar de pensar su fe y examinar su identidad se veían obligados a entrar en una exploración cristológica. Míguez Bonino describe los pasos que la reflexión había seguido: primero «identificar las cristologías históricamente presentes en América Latina», y luego «ofrecer una interpretación psicosocial y teológica de las mismas».[2] En cierto modo se estaba

---

1 Vinay Samuel y Chris Sugden, Eds. *Sharing Jesus in the Two Thirds World*, Eerdmans, Grand Rapids, 1983.

2 José Míguez Bonino y otros, *Jesús: ni vencido ni monarca celestial*, Tierra Nueva, Buenos Aires, 1977, pp. 9 y 10.

siguiendo la agenda trazada por Mackay, a la cual ya hicimos referencia en el capítulo 2.

La marca distintiva de esta búsqueda, en el caso de la teología evangélica, era la de la intención evangelizadora, el sentido de misión. Este énfasis determina que el quehacer teológico evangélico sea diferente al que surge de iglesias que han abandonado una preocupación vital por la evangelización, las cuales tienden a concentrarse más en la corrección de abusos dentro de las iglesias o en la búsqueda de pertinencia en las luchas socio-políticas del momento. También en este punto la teología evangélica difiere del enfoque católico en el cual la dimensión sacramental de la presencia de la Iglesia Católica Romana en Latinoamérica se toma como la base para dar por sentado que la población ya es cristiana. Con esta presuposición, la evangelización se entiende más como un llamado al compromiso y al discipulado que como un llamado a la conversión. Lo que encontramos en autores como Padilla, Costas, Núñez o Steuernagel es que su teología se encamina siempre en una dirección misionera, en la cual la capacidad e intención evangelizadora de las iglesias es una presuposición definida e influyente y un prerrequisito del discurso teológico.

Hitos de una búsqueda cristológica

En la década de 1980 aparecen algunos libros que son expresiones de la búsqueda cristológica que se iba desarrollando en Iberoamérica, y que ilustran énfasis diferentes por la especial circunstancia o vocación de cada autor, pero con un marco común que es la noción de Reino de Dios que se había venido trabajando desde la Consulta de la FTL en Lima (1972). Se abre la década con el libro *Venga tu reino* por Mortimer Arias, por entonces obispo metodista de Bolivia que, como vimos en el capítulo anterior, había participado en el diálogo teológico global, especial pero no exclusivamente en el ámbito ecuménico. Arias inicia su libro anunciando: «Vivimos uno de esos momentos de recuperación repentina de la 'memoria subversiva de Jesús' en nuestro propio cristianismo latinoamericano y el tema del Reino va cobrando un vigor inesperado.»[3]

Desde las reflexiones cristológicas iniciales de los teólogos a quienes hicimos referencia en el capítulo 6, se había señalado que la cuestión de la humanidad de Jesús había sido tradicionalmente una noción difícil de aceptar para los cristianos en general. Aun quienes manifestaban su adhesión a esta enseñanza central del cristianismo primitivo se veían en dificultad al interpretar los sobrios y claros textos bíblicos de los evangelios, con sus desafíos al discipulado radical. Arias explora lo que llama «el eclipse» de la enseñanza sobre el Reino y algunas de las aproximaciones reduccionistas al tema en diferentes tradiciones evangélicas. Luego expone su propia lectura del material bíblico destacando la dimensión realizada y la dimensión futura del Reino, la naturaleza del discipulado cristiano a la luz del Reino, y la esperanza iluminadora del Reino frente a la desesperanza de la situación latinoamericana. Es así como la memoria de Jesús, redescubierta, se torna en una memoria subversiva.

En 1983 el educador argentino Daniel Schipani, por entonces docente en el Seminario Evangélico de Puerto Rico, publica *El Reino de Dios y el ministerio educativo de la iglesia*.[4] Se trata de un esfuerzo por reformular los fundamentos y principios de la educación cristiana. Luego de explorar los fundamentos educativos, en especial las nociones de desarrollo y creati-

---

3 Mortimer Arias, *Venga tu Reino. La memoria subversiva de Jesús*, CUPSA, México, 1980; p.7.

4 Daniel S. Schipani, *El Reino de Dios y el ministerio educativo de la iglesia*, Editorial Caribe, Miami, 1983.

vidad en las ciencias humanas, al plantear los fundamentos bíblico-teológicos toma como clave «El Evangelio del Reino de Dios». Como pensador menonita utiliza en particular las categorías bosquejadas por John H. Yoder en su contribución a la consulta de la FTL en 1972, pero también utiliza intuiciones y planteamientos de teólogos de la liberación como Boff y Sobrino. Al esbozar una teoría de la educación cristiana Schipani plantea que para ello la «apropiación del Reino» es clave:

> El propósito de la educación cristiana es facilitar que las personas se apropien del Evangelio del Reino de Dios respondiendo al llamado a la conversión y al discipulado en medio de la comunidad de Jesucristo, la cual ha de promover la transformación social para el aumento de la libertad humana, hacer accesible el conocimiento y el amor a Dios y estimular la plena realización humana y el desarrollo personal.[5]

Al definir las notas distintivas de esa comunidad de discípulos Schipani expone el ejemplo y la práctica de Jesús y la naturaleza de la comunidad mesiánica a la luz del Reino. Uno de los autores con los que trabaja es el educador brasileño Paulo Freire, que tuvo influencia sobre algunos teólogos de la liberación, y en cuyo pensamiento Schipani ha llegado a ser un especialista.

En 1986 se publica de Orlando Costas *Evangelización contextual: fundamentos teológicos y pastorales*,[6] el texto de la cátedra Strachan que Costas expuso en el Seminario Bíblico Latinoamericano de Costa Rica en 1985. Por entonces Costas era profesor del Seminario Bautista del Este en Estados Uni-

---

5   *Ibid.*, p. 18

6   Orlando E. Costas, *Evangelización contextual: fundamentos teológicos y pastorales*, Ediciones SEBILA, San José, 1986.

dos y trabajaba de cerca con las comunidades hispanas en ese país. Fue este volumen el primero de una trilogía sobre la teología de la evangelización que Costas había concebido pero que no llegó a completar debido a su temprana muerte a la edad de 45 años. Es, en cierto modo, una obra de madurez en la cual Costas establece un fundamento bíblico y teológico para la evangelización concebida en los términos integrales que se habían venido desarrollando en América Latina. El capítulo III está dedicado al tema de Jesús como evangelista «de la periferia», y en él Costas considera en particular el Evangelio de Marcos con su énfasis en la identidad galilea de Jesús y algunos de sus seguidores más destacados. Vincula su reflexión a la condición de la minoría hispana en Estados Unidos que vive, por así decirlo, en la periferia de la sociedad estadounidense, y explora la significación de Galilea en la obra de Jesús.

También en 1986 aparece *Misión integral. Ensayos sobre el Reino y la iglesia*, una obra fundamental de René Padilla que en nueve capítulos da cuenta de su peregrinaje misiológico.[7] Los primeros tres capítulos habían formado parte de su libro anterior *El Evangelio hoy*. En cierto modo esta obra de Padilla da cuenta del desarrollo teológico que se había venido dando a nivel global en el movimiento de Lausana. Cada capítulo había sido originalmente una ponencia que el autor presentó en las consultas misiológicas que siguieron al Congreso de Lausana (1974). Así por ejemplo, «Conflicto espiritual» fue el capítulo que escribió Padilla para el simposio por quince autores de diferentes partes del mundo sobre «El nuevo rostro del evangelicalismo», que él mismo había compilado y

---

7 C. René Padilla, *Misión integral. Ensayos sobre el Reino y la iglesia*, Nueva Creación-Eerdmas, Buenos Aires-Grand Rapids, 1986.

editado y que era una exposición del *Pacto de Lausana*.[8] «La unidad de la iglesia y el principio de unidades homogéneas» fue su ponencia en la consulta sobre el tema de las unidades homogéneas (Pasadena, California, Junio de 1977). «La contextualización del Evangelio» había sido su ponencia en la consulta sobre «Evangelio y Cultura» (Willowbank, Barbados, 1978). «La misión de la iglesia a la luz del Reino de Dios» fue su ponencia en la consulta sobre la relación entre evangelización y responsabilidad social (Grand Rapids, junio de 1982).

La nota distintiva de todas estas ponencias es que una parte importante de cada una está dedicada a la exégesis e interpretación de pasajes bíblicos claves, y que desde ella se arroja luz sobre cuestiones misiológicas candentes del momento, con un estilo vigoroso y muchas veces polémico. Padilla nos recuerda que

> El Dios que siempre ha hablado a los hombres desde dentro de la situación histórica ha designado a la iglesia como el instrumento para la manifestación de Jesucristo en medio de los hombres... Sin embargo, para que la iglesia revele a Jesucristo en el plano de la historia, debe primero experimentar la muerte de Cristo con referencia a la cultura humana...En términos prácticos esto significa que la totalidad de la vida (incluso los modelos de pensamiento y conducta, los valores, hábitos y roles) debe ser sometida al juicio de la Palabra de Dios, de manera que sólo lo que es digno de Cristo permanezca y alcance su plenitud.[9]

---

8 C. René Padilla, *The New Face of Evangelicalism. An International Symposium on the Lausanne Covenant*, Inter Varsity Press, Downers Grove, 1976.

9 *Ibid.*, pp. 103-104.

En la etapa de transiciones de todo tipo que se abre en 1980, la búsqueda de una Cristología misiológica surgió en parte de la crisis de los modelos tradicionales de misión que no pudieron sobrevivir al fin del colonialismo, el surgimiento de nuevas naciones, la valorización de las culturas autóctonas y la conciencia de la opresión. Un grupo de teólogos de la FTL participó en una consulta de «Teólogos Evangélicos de la Misión en el Mundo de los Dos Tercios». Esta expresión pasó a ser la manera de referirse a lo que en décadas anteriores se conocía como Tercer Mundo: Asia, África, América Latina, y las minorías étnicas en Europa y Norteamérica. En su primer encuentro internacional en Bangkok, Tailandia (marzo de 1982), el tema fue la Cristología, por el consenso de los organizadores. Fue en este evento que René Padilla incluyó en su ponencia el párrafo que hemos transcrito en el epígrafe:

> Las imágenes de Jesucristo importadas del Occidente han resultado defectuosas –demasiado condicionadas por el Cristianismo Constantiniano con sus distorsiones ideológicas y sus agregados culturales, y terriblemente inadecuadas como base para la vida y misión de la iglesia en situaciones de grave pobreza e injusticia. Esto ha llevado a la búsqueda de una Cristología que tenga como foco el Cristo histórico y que provea una base para la acción cristiana en la sociedad.[10]

El término «Jesús histórico» para Padilla en este caso no se refiere a la expresión que generalmente se asocia con la teología liberal del siglo veinte en la cual «histórico» viene a

---

10 Vinay Samuel y Chris Sugden, eds., *Sharing Jesus in the Two Thirds World*. Eerdmans, Grand Rapids, 1983.

significar «producto del método histórico-crítico».[11] Los evangélicos en Latinoamérica comparten, por lo general, una premisa que Padilla considera fundamental para su Cristología:
«que los Evangelios son esencialmente un registro histórico,
y que el retrato de Jesús que emerge de ellos provee una base
adecuada para la vida y la misión de la Iglesia hoy.»[12]

El contexto latinoamericano obligaba a plantear el redescubrimiento de las acciones concretas de Jesús tal como fueron
registradas por los evangelistas, de manera que se pudieran
captar, contemplar y comprender como el modelo que puede
dar forma al discipulado contemporáneo. Esta tarea teológica
se proyecta más allá de las sistematizaciones que ofrecen los
credos, en los cuales «el mensaje cristiano fue plasmado en
categorías filosóficas, y el dogma puso las dimensiones históricas de la revelación bajo una completa penumbra.»[13] En
la medida en que el movimiento misionero y la enseñanza en
las iglesias se limitan a trasmitir la Cristología como verdad
proposicional definida en las fórmulas de Nicea o Calcedonia,
trasmiten imágenes de Cristo que pueden ser «útiles para la
piedad personal o la religión civil, pero... que no son fieles
al testimonio de las Escrituras ni pertinentes al momento
histórico.»[14]

Las formulaciones de los credos que definen la humanidad
y la deidad de Jesús se volvieron obstáculos que no permitían
captar las dimensiones de la humanidad de Jesús que eran

---

11 Walter A. Elwell, Ed.*Evangelical Dictionary of Theology*, Baker, 1984, Grand
   Rapids, p. 584.

12 C.René Padilla y Mark Lau Branson, eds. *Conflict and Context: Hermeneutics
   in the Americas*, Eerdmans, Grand Rapids, 1986, p.83.

13 *Ibid.*

14 *Ibid.*

muy importantes para modelar la vida y la misión hoy en día. Recordemos que en su estudio de las teologías de la liberación, Emilio Antonio Núñez reconocía que «En cierto modo este nuevo énfasis en la humanidad de Cristo es una reacción a la falta de equilibrio en una cristología que magnifica la deidad del Verbo encarnado, a expensas de su humanidad».[15] En ese sentido algunos evangélicos latinoamericanos habían recibido una cristología anglosajona que era el resultado de los debates entre Fundamentalismo y Modernismo en Norteamérica. La clarificación bíblica en la que se viene trabajando no descarta la validez y utilidad de las declaraciones de los credos tradicionales, pero los toma como lo que en realidad son, una forma de tradición cristiana que debiera estar siempre abierta a la confrontación con la Escritura.[16] La confrontación de los credos con la Escritura, ambos comprendidos dentro de su propio contexto histórico, nos ayuda a apreciar la validez de los credos, y al mismo tiempo a recobrar profundidades de significado en la Escritura que pueden haber permanecido en la penumbra, debido a la relatividad histórica de las definiciones.[17]

Tres preguntas fundamentales

Cuando la Escritura se examina con una mirada nueva, una de las primeras preguntas que surgen es: »¿Quién fue,

---

15 Emilio A. Núñez, *Teología de la liberación*, Caribe, Miami, 2a.ed. 1987, p. 221.

16 Sobre este punto hay un debate fascinante de la propuesta de Padilla en la consulta sobre «Hermenéutica en las Américas: Conflicto y Contexto» (1984). Ver Padilla y Branson, *op.cit.*, pp. 92-113.

17 Una exploración más reciente sobre este asunto se puede ver en Justo L. González, *Teología liberadora. Enfoque desde la opresión en tierra extraña*, Ediciones Kairós, Buenos Aires, 2006.

entonces, Jesús de Nazaret?» Padilla reunió material de los
Evangelios del cual surge un cuadro de Jesús y su obra que no
puede menos que «intrigar al pueblo en general, provocar sospecha en muchos, y enfurecer a aquellos que tenían posiciones
de privilegio en el orden político y religioso establecido.»[18] El
cuadro que se obtiene es elocuente y desafiante: Jesús habló
con autoridad a pesar de su falta de estudios teológicos, afirmó
que tenía una relación de carácter único y singular con Dios,
fue amigo de publicanos y pecadores, afirmó que el Reino de
Dios se había hecho presente en la historia y se manifestaba
en la curación de enfermos, concentró su ministerio en el
pueblo ignorante y falto de educación y en la gente de mala
fama, atacó la opresión religiosa y rechazó las ceremonias
religiosas vacías, condenó la riqueza y llamó idolatría a la
ambición, definió el poder en términos de servicio sacrificado
y afirmó la resistencia no violenta, convocó a sus seguidores
a un inconformismo social como el de él mismo. Para Padilla,
la consecuencia es clara:

> Si el Cristo de la fe es el Jesús de la historia, es posible
> hablar, entonces, de una ética social para los discípu-
> los cristianos que intentan modelar su vida según el
> propósito de amor y justicia de Dios revelado en forma
> concreta. Si el Señor resucitado y exaltado es Jesús de
> Nazaret, entonces es posible hablar de una comunidad
> que busca manifestar el Reino de Dios en la historia.[19]

Un segundo conjunto importante de preguntas tiene que
ver con la manera en que Jesús cumplió su misión. Otra vez,
la exposición bíblica, dentro del marco de la reflexión misiológica, fue la agenda que Padilla siguió para explorar las marcas

---

18 Padilla y Branson, *op.cit.*, p.87.

19 *Ibid.*, p.89.

del ministerio de Jesús. Su presuposición básica es que «Ser discípulo de Jesucristo es ser llamado por él a conocerlo y a participar en su misión. Él mismo es el misionero de Dios por excelencia, y embarca a sus seguidores en su misión.»[20] «Yo os haré pescadores de hombres» les dice Jesús a sus discípulos. La misión de Jesús comprende «pescar por el Reino», en otras palabras al anunciar el Reino siempre llamamos al arrepentimiento y la conversión a Jesucristo como camino, verdad y vida. Es esta conversión a Él lo que permanece como la base para formar la comunidad cristiana.

La misión comprende también la «compasión», como resultado de una inmersión entre las multitudes. No se trata de una explosión sentimental de emociones ni de una opción académica por los pobres sino de acciones de servicio definidas e intencionales a fin de «alimentar a las multitudes» con *pan para la vida* y también con *el Pan de vida*. La misión incluye la «confrontación» de los poderes de la muerte con el poder del Siervo sufriente, y así «sufrir» viene a ser una marca de la misión mesiánica de Jesús y un resultado de la lucha de poderes y de la injusticia. Por medio de una obediencia contextual creativa, la misión de Jesús viene a ser no sólo una fuente fértil de inspiración, sino que tiene también las semillas de nuevos modelos misioneros que hoy en día se exploran por medio de la práctica y la reflexión. Son modelos caracterizados por un estilo de vida sencillo, la misión integral, la búsqueda de unidad para la misión, el Reino de Dios como paradigma misiológico y el conflicto espiritual que la misión presupone.

Una tercera área de investigación se centra alrededor de la pregunta: «¿Qué es el Evangelio?» Los llamados más

---

20 René Padilla, «Bible Studies», *Missiology*, Año 10, No.3, 1982, pp. 319-338. Se trata de una serie de exposiciones bíblicas que Padilla fue invitado a presentar en la reunión cuatrienal de la *Intenational Association for Mission Studies*.

entusiastas al activismo misionero surgen de sectores del mundo evangélico para los cuales esta pregunta parece ser irrelevante. Refiriéndose a uno de estos sectores, el de la escuela misiológica llamada «Iglecrecimiento», decía Yoder que en esa misiología «Se da por sentado que tenemos una teología adecuada que hemos recibido del pasado... realmente no necesitamos ninguna otra clarificación teológica. Lo que necesitamos es eficiencia.»[21] Padilla cree que como resultado de esta presuposición de parte de muchos evangélicos «se mide la efectividad de la evangelización en términos de los resultados, sin referencia alguna (o con muy poca referencia) a la fidelidad al Evangelio.»[22] Esta preocupación no se limita a América Latina. Los misiólogos que están explorando lo que significa evangelizar y ser misionero en Norteamérica también consideran que esta cuestión es fundamental. Así dice George Hunsberger:

> La cuestión central de la Teología –¿qué es el Evangelio?– se debe plantear de maneras que sean culturalmente pertinentes. Mientras más particular sea la pregunta la respuesta emergerá en las formas más inesperadas. Vendrá mayormente de comunidades cristianas que van aprendiendo el hábito de encarnar la historia del Evangelio de manera tan profunda que ella marca su discipulado común.[23]

---

21 John H. Yoder «Church Growth Issues in Theological Perspective», en Wilbert Shenk, ed., *The Challenge of Church Growth,* Institute of Mennonite Studies, Elkhart, IN, 1973.

22 René Padilla, *Misión integral*, p. 60.

23 George R. Hunsberger, «The Newbigin Gauntlet: Developing a Domestic Missiology for North America», *Missiology,* Año 19, No. 4, 1991, pp. 391-408.

Lo que el Evangelio *es*, el *qué* del Evangelio, es determinante de *cómo* se vive la nueva vida que resulta como efecto del Evangelio. Por eso las preguntas acerca del contenido del Evangelio tienen tanta importancia. Al captar la riqueza del significado del Evangelio en la revelación bíblica y las demandas de la obediencia a la fe evitamos que nuestro mensaje sea un «Cristianismo cultura», como ese que en tantas formas se exporta desde Estados Unidos, especialmente mediante los medios masivos de comunicación. Padilla recalca las dimensiones escatológias y soteriológicas del mensaje cristiano centrado en la persona de Jesucristo. Él es el centro del mensaje del Antiguo y del Nuevo Testamento que se complementan en el proceso de promesa y cumplimiento.[24] Padilla ha trabajado en una exposición clara del Evangelio basada en su núcleo cristológico, de lo cual saca su conclusión de que «La misión apostólica se deriva de Jesucristo. Él es el contenido a la vez que el modelo y la meta de la proclamación del Evangelio.»[25] Por eso que la predicación cristiana tiene que estar moldeada por la Palabra de Dios y no simplemente por buscar pertinencia: «Aquellos predicadores para quienes la pertinencia es la preocupación básica con frecuencia se equivocan. No se dan cuenta del vínculo que hay entre fidelidad al Evangelio y pertinencia en la predicación...no hay nada más irrelevante que un mensaje que simplemente refleja los mitos y las ideologías humanas.»[26]

---

24 El biblista mexicano Edesio Sánchez Cetina ha reunido varios trabajos sobre el tema de la manera de relacionar Antiguo y Nuevo Testamento en la tarea exegética en *Fe bíblica: Antiguo Testamento y América Latina*, Publicaciones El Faro, México, 1986.

25 Padilla, *Misión Integral*, p.72.

26 C.René Padilla, «God's Word and Man's Myths», *Themelios,* Año 3, No.1, 1977, pp. 3-9.

Una misiología crítica desde la Cristología

La consecuencia de profundizar en el contenido del Evangelio es crítica en dos direcciones. Por un lado rechaza el énfasis unilateral en la humanidad de Jesús que reduce la acción cristiana a un mero esfuerzo humano. De ese modo es necesario criticar la cristología de algunos teólogos de la liberación como Jon Sobrino que no parecen tomar en serio la integralidad del Evangelio: «no es por pura coincidencia que Sobrino vea el Reino de Dios como una utopía que va a ser construida por los seres humanos, más que como un don que ha de ser recibido por la fe.»[27] Igualmente inaceptable resultan las cristologías liberacionistas que cargan la nota sobre la dimensión política de la muerte de Jesús, a expensas de su significado soteriológico. Padilla, por ejemplo, acepta, por su base en el texto de los Evangelios, la verdad de que la muerte de Jesús fue la consecuencia histórica de la clase de vida que vivió. El sufrió por causa de la justicia y nos convoca a seguir su ejemplo. Sin embargo, este teólogo piensa que es necesaria una advertencia:

> A menos que la muerte de Cristo también se vea como la provisión de la gracia divina para expiación por nuestros pecados, se descarta la base del perdón y los pecadores se quedan sin esperanza de justificación... la salvación es por gracia, mediante la fe...nada debe disminuir la generosidad de la misericordia y el amor divinos como la base de una obediencia gozosa al Señor Jesucristo.[28]

---

27 Padilla en Samuel y Sugden, *op.cit.*, p.28.

28 *Ibid.*

Por otra parte, Padilla critica las formas gerenciales de misiología dentro del mundo evangélico porque éstas, con su preocupación metodológica, menosprecian las preguntas acerca del contenido del Evangelio.[29] Otros críticos evangélicos han señalado la deficiencia bíblica y teológica de teorías como la de «Iglecrecimiento» que se basan en «una versión muy reducida de la teología y la hermenéutica evangélicas.»[30] Desde una perspectiva cristológica, Padilla cuestiona la rigidez del marco estructural-funcional de antropología cultural usado por «Iglecrecimiento». El principio de unidades homogéneas de esta forma de misiología gerencial recorta el mensaje de unidad en Cristo que es central al Evangelio y a la visión bíblica de la Iglesia, de manera que de «Iglecrecimiento» se puede decir que «se ha convertido en una misiología hecha a medida para iglesias e instituciones cuya función principal en la sociedad es apoyar el status quo.»[31]

Parte de la falencia de esta teología es haberse quedado con una versión extremadamente individualista de la salvación que se limita a la reconciliación con Dios sin profundizar en la recuperación de la verdadera humanidad a la cual esa reconciliación conduce, según la plenitud del propósito divino. Aquí estamos en el meollo de la Cristología paulina en Efesios y Colosenses. La dimensión integral del Evangelio nos permite comprender la riqueza de la enseñanza del Nuevo Testamento sobre la naturaleza del ser humano, que viene precisamente

---

29 He descrito la forma gerencial de misiología, y otras alternativas, en mi libro *Tiempo de misión*, Semilla, Guatemala, 1999, pp. 28-31. Ver también mi artículo «Managerial Missiology» en John Corrie, Ed., *Dictionary of Mission Theology. Evangelical Foundations*, Inter Varsity Press, Nottingham-Downers Grove:,2007.

30 Charles Taber en Wilbert Shenk, Ed., *Exploring Church Growth,* Eerdmans, Grand Rapids,1983, p. 119. Esta obra de varios misiólogos es una descripción y crítica fundamentada a la teoría de «Iglecrecimiento».

31 René Padilla, *Misión integral*, p. 162.

dentro de un marco misiológico. La Cristología es clave para la Antropología, porque para empezar, como señala Sidney Rooy, «La relación humana con Dios, en la antropología cristiana se define por la relación de cada individuo con Jesucristo.»[32] Esta es la base para tener importantes salvaguardas contra las trampas hermenéuticas en que cae «Iglecrecimiento», cuyo método parece ser un esfuerzo por encontrar en el texto bíblico los valores de las ciencias sociales estadounidenses. Rooy elabora este punto:

> El significado histórico de la encarnación se extiende hacia adelante y hacia atrás. La vida, la muerte y la resurrección de Cristo marcan el punto crucial de la historia humana. Podemos llamarlo el «paso en la montaña» por el que debe atravesar el curso de la creación. El mismo camino se extiende significativamente hacia atrás desde la cima, hasta llegar a los comienzos de la creación y continúa serpenteando mientras avanza hacia adelante hasta llegar al destino de la humanidad... Permanecen vigentes las afirmaciones básicas de la identidad de lo humano como lo único creado a imagen de Dios y responsable del cuidado y desarrollo de la realidad natural. Estas afirmaciones son reconstruidas en la obra reconciliadora de Cristo, la nueva persona.[33]

Iglecrecimiento proponía iglesias que fuesen «unidades homogéneas» según raza y clase social, porque como decía su creador Donald McGavran: «a la gente le gusta hacerse cristiana sin cruzar barreras raciales, lingüísticas o de clase.»[34] Al

---

32 Sidney H. Rooy,»Una teología de lo humano», *Boletín Teológico*, No.54, junio de 1994, p.141.

33 *Ibid.*, p.142.

34 Citado en Padilla, *Misión integral*, p. 136.

cuestionar esta propuesta, Rooy y Padilla han insistido en la dimensión comunitaria de la enseñanza del Nuevo Testamento acerca del nuevo hombre, del nuevo ser humano. Partiendo del texto de la Epístola a los Efesios, desarrollan una eclesiología que se deriva de la obra de Jesucristo, porque la nueva humanidad es humanidad *en* Jesucristo: «El único pueblo nuevo aquí es evidentemente la nueva humanidad, la iglesia compuesta de lo que antes eran dos, es decir los judíos y los gentiles.»[35] Por medio de una exégesis cuidadosa Padilla prueba que la práctica misionera del apóstol buscaba la formación de iglesias que fuesen expresiones vivientes de esa nueva humanidad en Cristo.[36] La «novedad» que Pablo proclama está íntimamente conectada con su propia obra misionera como judío que hace misión entre gentiles. Y precisamente lo que está haciendo es fundando iglesias, comunidades de gente nueva que tienen que expresar esa novedad que el evangelio trae, aunque esa novedad dé lugar a muchos problemas pastorales, por la convivencia entre judíos y gentiles, que encontramos en las epístolas. Padilla concluye: «No se puede exagerar el impacto que la iglesia primitiva produjo en los no-cristianos a causa de la fraternidad cristiana por encima de las barreras naturales.»[37]

La ética de José Míguez Bonino

Posiblemente el teólogo latinoamericano que de manera más consistente ha explorado y expuesto la ética del Reino de Dios es José Míguez Bonino. En 1972 publicó su libro *Ama*

---

35 Rooy, *op.cit.*, p. 142. Aquí la referencia es al texto de Efesios 2.15.

36 El capítulo «La unidad de la iglesia» en *Misión integral* fue presentado en una consulta sobre unidades homogéneas en el Seminario Fuller, Pasadena, California, en 1977.

37 Padilla, *Misión integral*, p. 158.

y haz lo que quieras, subtitulado «una ética para el hombre nuevo», libro concebido como una introducción a la Ética, materia que el autor había enseñado por años en ISEDET. [38] La dimensión utópica de la cultura latinoamericana en ese momento había puesto sobre el tapete la discusión sobre «el hombre nuevo», frase que el Che Guevara había usado en uno de sus escritos más difundidos. En un programa conjunto con las Sociedades Bíblicas Unidas, los grupos bíblicos universitarios evangélicos distribuyeron medio millón de ejemplares del librito *Jesús: modelo del hombre nuevo*, una selección de textos de los Evangelios que fue muy bien recibida en las universidades. Presentaba los textos sin comentarios, ordenados cronológicamente siguiendo una secuencia biográfica ilustrada con fotografías contemporáneas de América Latina. Cientos de estudiantes por todo el continente emprendieron también cursos de estudio basados en ese libro. Al final de la década el pastor y psicólogo cubano Jorge A. León, residente en Argentina, publicó una introducción a la fe cristiana en diálogo con la psicología y la sociología contemporáneas con el título *¿Es posible el hombre nuevo?*[39]

La Ética de Míguez es abiertamente cristocéntrica y está nutrida de las figuras y los temas de la historia de la salvación. Míguez está convencido de que «el aporte ético del Evangelio a la crisis moral –la del primer siglo y la nuestra– no consiste tanto, ni fundamentalmente en principios, instituciones o leyes nuevas, como en *un hombre nuevo*. Lo que Jesucristo pone en este mundo es una nueva humanidad, una nueva forma de

---

38 José Míguez Bonino, *Ama y haz lo que quieras. Una ética para el hombre nuevo*, América, Buenos Aires, 1970.

39 Jorge A. León, *¿Es posible el hombre nuevo?*, Ediciones Certeza, Buenos Aires, 1979.

ser hombre.»[40] Lo que encontramos en el Nuevo Testamento son algunos paradigmas, por medio de los cuales se nos dice: «Esto es el amor –vé y vívelo en tu vida.»

> El primero y fundamental paradigma es Jesucristo mismo. En él el propio amor –el amor creador y redentor de Dios– se hizo realidad concreta y visible. Andar en amor y seguir a Jesucristo es, pues, la misma cosa. El Evangelio y las Epístolas de Juan lo destacan con particular énfasis. Jesús lava los pies de sus discípulos y luego explica: «Les he dado ejemplo para que hagan lo mismo que yo hice con ustedes». El Señor se ha hecho servidor a fin de limpiar y purificar la vida de los hombres.[41]

La misma visión cristocéntrica caracteriza otro libro en el cual Míguez trata de explicar, para creyentes y no creyentes, el significado de la fe cristiana: *Espacio para ser hombres.* Es un esfuerzo por articular una antropología que explica lo que la revelación bíblica dice acerca del ser humano, particularmente en relación con Jesucristo. Para Míguez los seres humanos llegan a Jesucristo por dos caminos: el del desafío y el del consuelo.

> Quien acepte el desafío de Jesús, sin embargo, muy pronto descubrirá que el mismo cala mucho más hondo de lo que pudo suponer inicialmente. La invitación a cambiar el mundo se vuelve de inmediato sobre quien la acepta para interrogarlo: «Tú que deseas transformar el mundo, ¿estás ya transformado?... ¿Estás realmente persiguiendo el Reino de Dios, el servicio del prójimo,

---

40 Míguez Bonino, *op.cit.*, p.26

41 *Ibid.*, p. 63.

o estás buscando solamente una nueva forma de satisfacción y promoción propia?[42]

La ética política de Míguez está resumida magistralmente
en un libro que lamentablemente no tenemos en castellano y
que ofrece el texto de presentaciones que hizo en varios Seminarios Teológicos de los Estados Unidos, *Toward a Christian
Political Ethics*.[43] Es una obra de madurez por medio de la cual
introduce de manera sistemática algunas de las respuestas
surgidas en el ámbito teológico latinoamericano frente a los
desafíos de un contexto de conflictos y tensiones, dentro del
cual las iglesias han tenido que tomar posiciones.[44]

El Reino de Dios y los dilemas éticos

En el seno de la FTL y movimientos afines la siembra de las
décadas anteriores llevó a algunos a participar en la actividad
política y a otros a emprender acciones y proyectos de servicio
nutridos de las percepciones de una misión integral según el
modelo de Jesús. Dos consultas continentales vienen a ser
hitos en el proceso de esta reflexión y los libros resultantes
son un buen índice de los temas y enfoques. La participación
creciente de evangélicos latinoamericanos en la arena política
de sus países trajo una nueva agenda a la reflexión teológica
sobre el Reino de Dios. En mayo de 1983 se realizó una consulta

---

42 José Míguez Bonino, *Espacio para ser hombres*, Tierra Nueva, Buenos Aires,
1975, pp. 77-78.

43 José Míguez Bonino, *Toward a Christian Political Ethics*, Fortress Presss,
Philadelphia, 1983.

44 Entre las muchas obras que estudian el pensamiento de Míguez la más
reciente y completa es Paul J. Davies, *Faith Seeking Effectiveness: The Missionary Theology of José Míguez Bonino*, tesis doctoral defendida en 2006 en
la Universidad de Utrecht en Holanda, Boekencentrum.

sobre «La teología y la práctica del poder» en Jarabacoa, República Dominicana.[45] El enfoque de esta temática se hizo desde la base de una exposición de René Padilla sobre «El estado desde una perspectiva bíblica», seguida por exposiciones sobre los modelos de relación iglesia-estado en las tradiciones calvinista y bautista, por Sidney Rooy y Pablo Deiros respectivamente. A continuación Samuel Escobar expuso una consideración sobre «El poder y las ideologías en América Latina», que fue seguida de cuatro estudios de caso sobre «Estructuras de poder» en Brasil, República Dominicana, Nicaragua y Venezuela. Las corrientes ideológicas en América Latina fueron expuestas por Pablo Deiros y finalmente se presentaron tres modelos de acción política con presencia evangélica: Venezuela, Argentina y Nicaragua.

Los participantes en la consulta elaboraron la «Declaración de Jarabacoa» que resumió por un lado el ejercicio de profundización en la fuente bíblica y por otro la variedad de experiencias de la práctica de los cristianos que estaban allí presentes. Este documento tuvo fuerte repercusión pastoral en algunas situaciones críticas que iban a darse en Nicaragua, Perú y Brasil, en los años siguientes. El tema de la justicia se ubica en la Declaración entre los principios para la acción política, en los cuales se señala el valor de la persona, la verdad, la libertad y la justicia:

> En un orden de derecho, la justicia es la aplicación de la ley con el fin de que cada persona logre la realización de sus derechos y cumpla la imposición de sus deberes en la sociedad. Para que estos fines se realicen, la administración de la justicia deberá ser imparcial, equitativa, accesible, independiente, rápida y eficaz. Habrá justicia allí donde todo ser humano encuentre

---

45 Pablo Alberto Deiros, *Los evangélicos y el poder político en América Latina*, Nueva Creación-Eerdmans, Buenos Aires-Grand Rapids, 1986.

en el orden jurídico un recurso donde ampararse del
abuso y donde defenderse del atropello de sus derechos.
Una acción política justa es aquella que vela porque la
justicia alcance a todos, especialmente a los pobres y
marginados de la sociedad.[46]

Creemos importante notar que tanto en la aproximación
bíblica de Padilla como en la Declaración, que incorpora
convicciones que vienen de la práctica de evangélicos, hay
una noción que consideramos paralela o equivalente a la de
«opción preferencial por los pobres». En toda sociedad y sistema hay beneficiarios y víctimas; la justicia de Dios presta
especial atención a aquellos que son víctimas, y confronta
proféticamente a sus explotadores.

El período de reflexión y enseñanza en que se había forjado
la contribución latinoamericana al Pacto de Lausana antes
de 1974, y luego la repercusión del Pacto mismo en los años
siguientes, llevaron a la creación de numerosos proyectos
de misión integral en el esfuerzo por servir a las necesidades humanas. Había ido creciendo la convicción de que la
compasión cristiana no ha de limitarse a atender a las víctimas de la injusticia de los sistemas, sino también a buscar
la transformación de la sociedad. En diciembre de 1987 se
reunieron 90 personas de 17 países para la consulta «Hacia
una transformación integral», convocada por la FTL. Más de
30 organizaciones de servicio estuvieron representadas. El
resumen de la reflexión bíblico-teológica, los informes y las
deliberaciones lo realizó el teólogo ecuatoriano Washington
Padilla y se titula precisamente *Hacia una transformación*

---

46 *Ibid.*, p.350.

integral.[47] Un capítulo resume las bases bíblico-teológicas del concepto y el itinerario que se siguió, en el cual hay el predominio de una nota cristológica: «Nuestra acción de servicio y amor no se basa en ninguna teoría humanista o deseo de 'estar a la moda' sino en el hermoso ejemplo de nuestro Señor.» [48] Se revisa entonces las notas distintivas de la misión de Jesús: encarnación, ministerio, muerte y resurrección.

La consecuencia de tomar en serio la encarnación de Jesús es que «Estamos llamados a entrar en la situación de nuestro pueblo; a acompañarlo en sus apremiantes necesidades, en sus frustraciones, en sus problemas, en sus esperanzas. No es posible cumplir la misión que Jesús ha encomendado a su Iglesia si permanecemos alejados de la situación de nuestro pueblo.»[49] Luego al considerar el ministerio de proclamación de Jesús hay que recordar que la buena noticia del Reino de Dios iba dirigida especialmente a «los pobres» (Lc 4.18-19; Mt 11. 4-6). «El Evangelio, entonces, es el mensaje del perdón gratuito de Dios a los malos, a los indignos, a los que saben que no merecen ser recibidos por Dios; pero que aceptan su Reino de justicia, paz y gozo con la sencillez e ingenuidad de un niño pequeño.»[50] Luego, al considerar la Pasión y muerte de Jesús, hay que recordar el costo del seguimiento al Maestro:

> El llamado de Jesús a su Iglesia es servir hasta el sacrificio, y esto muchas veces puede significar literalmente «dar la vida por los hermanos» (1 Jn 3.16). No son pocos

---

47 Washington Padilla, *Hacia una transformación integral*, FTL, Buenos Aires, 1989. El autor aclara que no se trata de un informe oficial del evento sino de su propio resumen personal, pero los editores pensaron que trasmitía bien el espíritu del evento y resumía los materiales usados.

48 *Ibid.*, p.12.

49 *Ibid.*

50 *Ibid.*, p.13.

los cristianos que en los últimos años han sufrido por servir a los hermanos. Baste recordar a dos: Martin Luther King, asesinado en 1968 por su lucha pacífica a favor de la población negra de los Estados Unidos, y el Obispo Oscar Romero, asesinado en El Salvador en 1980 por su labor a favor de los pobres de su patria. Ninguno de los dos estaba a favor de la revolución violenta; pero eran fieles imitadores de Cristo, pues se oponían a la injusticia y la explotación de los pobres en sus respectivas sociedades, y terminaron dando sus vidas a favor de los débiles y los necesitados. Seguir a Cristo en el camino del servicio conduce al Calvario; pero esa es la única manera de encontrar la verdadera vida. Más allá de la cruz está la vida de la resurrección.[51]

El tema de la justicia aparece en la descripción de las características de una sociedad justa: las metas hacia las cuales debiera encaminarse la acción transformadora de los evangélicos. Las notas reflejan la contribución teológica y también el aporte de la experiencia y el uso de las ciencias sociales. Se examinan críticamente diversas teorías de desarrollo social, explicando luego el sentido de la propuesta:

Ahora bien, al tratar de la transformación integral en relación con las diversas teorías de desarrollo, no queremos decir que ésta sea una *teoría mejor* que ninguna de éstas. Más bien, queremos señalar la contribución única y propia que la Iglesia de Jesucristo puede hacer al cambio de las condiciones de vida de la gran mayoría de habitantes de nuestro continente. No se trata, pues, de otro «modelo de desarrollo», sino más bien de las condiciones indispensables que cualquier modelo de

---

51 *Ibid.*, p.17.

desarrollo y cualquier esfuerzo de cambio debe cumplir para ser verdadero desde el punto de vista cristiano.[52]

Reino de Dios y ética social

Al conmemorarse los primeros veinte años de la FTL, la consulta convocada como celebración en Quito, Ecuador (4 a 12 de diciembre de 1990) tuvo como tema «Teología y vida en América Latina», y la reflexión giró alrededor de cuatro ejes temáticos: «Violencia y no violencia», «Pobreza y mayordomía», «Opresión y justicia», «Autoritarismo y poder». Era evidente que el redescubrimiento de la humanidad de Jesús y la centralidad del Reino de Dios en su enseñanza habían impuesto una agenda teológica de cuestiones éticas palpitantes para quienes se consideraban discípulos de Jesús, y para sus iglesias, en el agitado contexto latinoamericano. La consulta continental sobre «Teología y vida» había sido precedida por varias consultas regionales sobre una temática pertinente a la situación de los países y las regiones donde cada una de ellas se realizaron. Los números 37 a 40 del *Boletín Teológico*, publicados a lo largo del año 1990, daban cuenta de ese quehacer teológico que reflejaba no sólo el interés académico de los pastores, educadores teológicos, y profesionales que participaban en las consultas, sino también su propia participación en la vida política de sus países y en la creación de proyectos de servicio integral a las necesidades humanas.

Así la teología evangélica latinoamericana a lo largo de la década de 1980 se enriqueció con una reflexión sobre la práctica social y política de un número creciente de evangélicos y de sus iglesias. En cada consulta se daba una descripción

---

52 *Ibid.*, p.33.

del contexto, una renovada exploración de la enseñanza
bíblica y una declaración que bosquejaba el itinerario de un
ejercicio de obediencia al imperativo bíblico. En los párrafos
que siguen destacaremos apenas algunos puntos expuestos
en las consultas que se vinculan a nuestro tema cristológico.
El ciclo se abre en el número 37 del *Boletín Teológico* con
un trabajo del economista mexicano Jesús Camargo sobre la
dependencia económica en América Latina y otro del economista ecuatoriano Franklin Canelos sobre las instituciones
financieras internacionales y el derecho al desarrollo. Se incluye luego una exploración bíblica creativa y rigurosa sobre
el significado del arrepentimiento: «*Metanoia* y misión» por
el biblista venezolano Aquiles Ernesto Martínez. Éste empieza
por identificar los matices de significado que los términos
arrepentimiento y *conversión* han adquirido en la práctica y
el discurso evangélico, como «transformación mágica del ser»
y como «cambio espiritual o místico circunscrito a la relación
personal con Dios», y que estarían alejados del significado en
el uso que hacen Juan el Bautista y Jesús de este vocabulario.

Martínez nos recuerda que «El llamado a la *metanoia* fue
parte cardinal del anuncio de las Buenas Noticias en el peregrinaje misional de Jesús y la iglesia primitiva como bien
los registran las páginas del Nuevo Testamento (Mt 4.17; Lc
15.7, 24, 47; Hch 2.38, 5.31).»[53] Presta especial atención al
contenido del término en la predicación de Juan el Bautista,
y concluye en que

> desde la óptica lingüística en el ministerio de Juan el
> Bautista *metanoia* significa '*cambio de comportamiento
> ético o conducta moral*'. En las narrativas sinópticas que

---

53 Aquiles Ernesto Martínez, «*Metanoia* y misión», *Boletín Teológico*, N. 37,
marzo de 1990, p. 59.

versan sobre la labor de este profeta (Mt 3.1-12; Mr. 1.1-8; Lc 3.1-20) *metanoia* aparece como un experiencia humana de tipo ético-religioso a la que son convocados los seres humanos por medio de la proclamación del Reino de Dios.[54]

En la enseñanza bíblica profética de la cual surgen la predicación de Juan el Bautista y la de Jesús, la conversión y el arrepentimiento implican un cambio de actitud con dos dimensiones: una vertical de la persona hacia Dios y otra horizontal de la persona hacia su prójimo. Para Martínez, estamos frente a un desafío:

> Como comunidad de fe nos urge establecer un equilibrio en nuestra praxis anunciadora del Evangelio, en el que se retome especialmente la dimensión «horizontal» o «social» de la *metanoia*... Como evangélicos debemos rescatar, instrumentar y diseminar el concepto de *metanoia* como «conversión hacia los marginados», es decir como cambio de actitud y conducta para con el pobre que se traduzca en su bienestar social y no dejar a los liberacionistas todo el peso de la reflexión y responsabilidad.[55]

La consulta realizada en Buenos Aires en abril de 1980 tocó un tema candente entonces en el Cono Sur: el totalitarismo. Las experiencia de gobiernos militares en Argentina, Chile y Brasil habían dejado sociedades profundamente afectadas por la naturaleza totalitaria de sus gobiernos. Había que tratar de entender teológicamente esta realidad. El sociólogo y abogado

---

54 *Ibid.*, p.62.

55 *Ibid.*, p.67.

chileno Humberto Lagos presentó la ponencia sobre «Los cristianos frente al totalitarismo político» y empezaba afirmando:

> Hemos sido testigos y sujetos contribuyentes en los históricos cambios estructurales que estremecen a Chile, en los cuales demostramos que es posible romper políticamente un régimen con perfiles totalitarios, usando medios compatibles con la vida y dignidad del pueblo, y que no repitieran el siniestro sendero de la violencia. Somos muchos los cristianos evangélicos-protestantes que asumimos, con una actitud ética persistente, enfrentar al General Pinochet y sus huestes, inspirados en la negación de «divinidad» hecha por Jesús al César, y en la certeza de que los perversos argumentos de muerte esgrimidos por un poder deificado no se corresponden con la autoridad «querida por Dios».[56]

Para Lagos, en ocasión del célebre dicho de Jesús sobre dar a Dios lo que es de Dios y al César lo que es del César, Jesús el Cristo se alza contra la propuesta de un poder político deificado: «El cuestionamiento de Jesús a César es la acusación del cristianismo a todo poder humano que se deifica y muy particularmente al poder político.» Jesús de esta manera está negando «el absoluto reclamado para sí por la temporalidad de lo humano, porque 'hay que obedecer a Dios antes que a los hombres'.»[57]

El Documento Final de esta consulta resume los diferentes aportes sociológicos, filosóficos y teológicos que se hicieron a la misma y ofrece posiciones teológicas y sugerencias pastorales. Se afirma: «El mensaje cristiano se relaciona con la totalidad de la existencia humana puesto que presenta a un

---

56 *Boletín Teológico*, No. 38, Buenos Aires, junio de 1990, p. 81.

57 *Ibid.*, p. 94.

Dios omnisciente, omnipresente y todopoderoso, y a Jesucristo como Señor del universo.» Pero de inmediato se aclara: «Sin embargo no es totalitario porque este Señor es el Siervo Sufriente. Su señorío es servicio; él es el rey crucificado. El Dios omnipotente es el Dios de amor.[58] Entre las recomendaciones finales tenemos:

> Proclamar a Jesucristo como Señor del mundo y de la historia. Tal proclamación pone en evidencia la vanidad de cualquier intento de arrogarse un carácter absoluto en cualquiera de las esferas de la realidad. Por otra parte destaca la necesidad de un discipulado integral que entienda la libertad cristiana en términos de obediencia a Jesucristo en todas las áreas de la vida.[59]

En agosto de 1980 se llevó a cabo en Santiago de Chile la consulta teológica de la FTL dedicada al tema de «Los cristianos frente a la dependencia económica y la deuda externa en América Latina». El economista chileno Renato Espoz presentó la ponencia central sobre el tema, con un fuerte tono de denuncia por la situación histórica de colonialismo que subyace a la realidad de la deuda externa de los países latinoamericanos. Señaló la falta de un fundamento ético en las políticas económicas de los países acreedores y la necesidad de un tribunal imparcial que pudiera mediar en los conflictos que las relaciones económicas suscitan. La ponencia fue luego analizada y evaluada desde perspectivas teológicas y pastorales. La Declaración final refleja la convicción de que «las condiciones de comercio e intercambio internacionales no permiten a las naciones del Tercer Mundo satisfacer las ne-

---

58 *Ibid.*, p.129.
59 *Ibid.*, p.130.

cesidades básicas de su población ni desarrollar sus vidas con la libertad mínima que resguarda la dignidad de la persona.»[60]

En un Perú afligido con la presencia de la violencia guerrillera de Sendero Luminoso y la represión policial y militar que se cobraba víctimas inocentes, la FTL realizó en setiembre de 1980 una consulta teológica sobre «Los cristianos frente a la violencia». Se presentaron informes sobre «la cultura de la muerte» en Colombia, violencia y derechos humanos en Chile, Ecuador y Perú. Dos ponencias bíblicas guiaron la reflexión: Estuardo McIntosh se ocupó de la violencia en el Antiguo Testamento y René Padilla la exploró en el Nuevo Testamento. El trabajo de Padilla examina la violencia institucionalizada, la violencia revolucionaria, el camino de Jesús y el dilema de los cristianos frente a la violencia y concluye planteando lo que significa la ética de Jesús para la comunidad mesiánica:

La iglesia está llamada a ser una alternativa no-violenta en medio de una sociedad violenta. Es la hermenéutica del Evangelio de paz. Es la comunidad del Reino de «shalom». «Un individuo heroico puede suscitar nuestra admiración, pero solamente una comunidad humana dedicada a practicar a la vez que a proclamar un sistema de valores radicalmente diferente, puede cambiar el mundo.» Esta ética es para todos, pero presupone la conversión a Jesucristo. No se puede esperar que la practiquen quienes no lo reconocen como su Mesías y su Señor. Para los discípulos, sin embargo, no es opcional: es la única ética posible.[61]

60 «Los cristianos frente a la dependencia económica y la deuda externa. Documento final», *Boletín Teológico* No. 39, setiembre de 1990, p.245.

61 René Padilla, «La violencia en el Nuevo Testamento», *Boletín Teológico* No. 39, setiembre de 1990, p. 207. La cita que usa el autor es de Juan Driver, «La misión no violenta de Jesús y la nuestra», *Misión*, No.21, p.15

Dos consultas regionales de la FTL sobre el tema de la pobreza se realizaron en el Brasil en mayo y setiembre de 1980. La pobreza en el contexto urbano fue el tema expuesto por Raquel Prance mientras que Marcos Adoniram Monteiro se ocupó del aspecto misiológico pastoral de la pobreza. Los trabajos bíblicos expuestos fueron «Pobreza, Shalom y Reino de Dios» por Marcos Feitosa, y «La materialidad del discipulado bíblico» por Paul Freston. La exposición de Feitosa culmina en un momento cristológico:

> Y si Jesús de Nazaret es el Cristo de Dios, entonces la nueva era prometida fue instaurada y el reino se hizo presente: Los pobres de este mundo, los oprimidos, los que no son nada, pueden alegrarse porque el *shalom* es posible ahora. Justicia, armonía, reconciliación, amor, verdadera adoración a Dios, libertad, vida plena en todos los sentidos, dejan de ser un ejercicio intelectual, un sueño, una utopía. Emanuel hizo posible el sueño, la levadura ya está leudando la masa y ahora es una cuestión de tiempo hasta que el Reino sea plenamente instaurado.[62]

La ponencia de Paul Freston, sociólogo y teólogo, fue un trabajo cuidadoso con el material bíblico y al mismo tiempo valiente y creativo en la aplicación a la realidad brasileña. Hay que tomar en cuenta que en 1990 ya había en el Brasil una presencia significativa de políticos procedentes de iglesias evangélicas, tanto de las iglesias protestantes históricas y pentecostales como de las nuevas mega-iglesias carismáticas surgidas en las décadas de 1960 en adelante. Freston, que había realizado estudios sociológicos extensos sobre los po-

---

62 Marcos Feitosa, «Pobreza, shalom y reino de Dios. Una perspectiva bíblico-teológica», *Boletín Teológico* No. 40, diciembre de 1990, p. 298.

líticos evangélicos, señalaba cómo en la práctica política de
los evangélicos brasileños, ante la falta de criterios bíblicos
informados, se había caído fácilmente «en las garras de las
obras de beneficencia públicas, de los favores de los candidatos, y del 'fisiologismo' (negociar el voto parlamentario a cambio de ventajas propias y para su iglesia).»[63] Freston expone dos
pasajes de Santiago (1.9-11 y 5.1-11) y tres de Lucas (12.13-34;
16.1-31; y 18.18-30), todos ellos muy desafiantes y radicales
en cuanto a la riqueza y las posesiones, y que apuntan a una
«materialidad» inevitable en la enseñanza de Jesús en cuanto
al tipo de seguimiento que espera de sus discípulos.

Comentando el dicho de Jesús «Donde está vuestro tesoro
allí estará vuestro corazón» (Lc 12.34) Freston nos recuerda
que «El corazón, el centro vital de las decisiones, va detrás
de nuestras posesiones, y, también, la localización (visible)
de las posesiones demuestra la localización (invisible) de
nuestro corazón. Hay aquí una relación dialéctica pero que no
nos deja escapar del 'materialismo' de Cristo.»[64] Y saca de allí
una conclusión radical: «De ahí lo absurdo del dicho de que
la última parte que se convierte en el hombre es el bolsillo. Si
el bolsillo no se convirtió, ¡no hubo conversión! Si mi tesoro
estuviera en las obras del reino de Dios, (o sea en los proyectos
de Dios en la historia del mundo), ahí estaría también mi decisión íntima.»[65] Freston sostiene también que los evangélicos,
como personas de clase media, tendemos a desentendernos
de tomar en serio la enseñanza de Jesús quien habla de ricos
y de pobres. Como nosotros no nos consideramos ni lo uno ni
lo otro, no nos damos por aludidos. Nos recuerda que «Como

---

63 Paul Freston, «La materialidad del discipulado bíblico. Las posesiones en
   Santiago y Lucas», *Boletín Teológico* No. 40, p.316
64 *Ibid.*, p.314.
65 *Ibid.*

miembros responsables de sociedades (relativamente) democráticas, la necesidad de que ese cambio de valores se traduzca también en un cambio de comportamiento político, divisando una mayor adecuación de la sociedad al plan original de Dios para los bienes.»[66]

Es así como al celebrarse los veinte primeros años de la FTL en la consulta «Teología y vida en América Latina» era posible contemplar una trayectoria en la comprensión más cabal de la persona y enseñanza de Jesús y lo que ella significa para los discípulos hoy. Pero la consulta celebratoria no se limitó a pasar revista a las dos décadas transcurridas sino también a examinar las lagunas que todavía existían en el proceso de articulación de una práctica y un quehacer teológico. Como recordaba René Padilla: «En efecto, uno de los objetivos principales de la reunión de Quito fue definir la agenda teológica para los últimos años del siglo XX con miras a llenar esas lagunas. Es de esperarse que la nueva generación que estuvo ampliamente representada en el encuentro, encare esa agenda con dedicación y entusiasmo.»[67]

---

66 *Ibid.*, p.319.

67 «Presentación» del número 42/43 del *Boletín Teológico* dedicado a la consulta «Teología y Vida», setiembre de 1991, p. 77.

15

Con Jesús en la misión global

Quien se familiariza con las enseñanzas de Jesús sabe que entre ellas destaca el mandato misionero, es decir el hecho de que Jesús esperaba que su mensaje, sus palabras y el testimonio de su vida, pasión y muerte, fuese llevado por sus discípulos «hasta el fin del mundo». Y si el mensaje de Jesús ha alcanzado, veinte siglos después, a personas en miles de culturas y ha sido traducido a miles de lenguas, ello se debe a que algunos de sus discípulos han estado dispuestos a cruzar los mares y a atravesar todo tipo de fronteras en obediencia a su mandato. La forma que tomó esa obediencia varió con los siglos. El testimonio cristiano salió del mundo judío y de Jerusalén hacia el mundo gentil, grecorromano, llevado por un grupo de discípulos perseguidos por las autoridades judías. Estos discípulos anónimos conforme avanzaban escapando iban fundando comunidades de seguidores de Jesús, y así fundaron la Iglesia de Antioquía que llegó a ser un centro de acción misionera. Hoy en día, en este año 2012, hay cristianos coreanos, africanos o latinoamericanos que salen a otras tierras como misioneros, portadores del Evangelio, utilizando los recursos que pone a su disposición los medios modernos de comunicación y la tecnología. Como los del siglo primero, se entregan a la misma tarea de cruzar fronteras con el mensaje del Reino de Dios: para servir a los pobres en Bangla Desh o Argelia, servir a comunidades cristianas nacientes en Japón o Nueva York, ministrar a inmigrantes entusiastas de su fe en Alemania o España.[1]

En busca de los pobres de Jesucristo

En 1992, el quinto centenario de la llegada de Colón a las Américas motivó entre teólogos, historiadores y cristianos pensantes ejercicios de reflexión retrospectiva sobre lo que fue la misión en nombre de Jesucristo en el siglo XVI y las lecciones que de ello se derivan para la misión cristiana en el siglo XXI. Ese año Gustavo Gutiérrez, posiblemente el teólogo católico latinoamericano más conocido alrededor del mundo, sacó a la luz su libro *En busca de los pobres de Jesucristo*.[2] Esta obra que le llevó veinte años escribir, es un trabajo monumental de 700 páginas que apareció casi al mismo tiempo en castellano e inglés. En su dedicatoria Gutiérrez escribe: «A Vicente Hondarza, a Ignacio Ellacuría y sus compañeros, y en ellos a todos los que, nacidos en España, han venido a vivir y a morir en las Indias, en busca de los pobres de Jesucristo». Esta dedicatoria muestra que todavía hay fuerte actividad misionera católica desde España hacia Latinoamérica, y que en años recientes muchos misioneros españoles trabajan entre los pobres y algunos, como Hondarza y Ellacuría, sufrieron persecución y muerte por haberse identificado con ellos.

---

1   Un estudio histórico-teológico que da cuenta de algunos de los modelos de acción misionera es Valdir Steuernagel, *Obediencia misionera y práctica histórica*, Nueva Creación, Buenos Aires, 1996. Un panorama histórico completo es Justo González y Carlos Cardoza Orlandi, *Historia general de las misiones*, CLIE, Barcelona, 2008.

2   Gustavo Gutiérrez, *En busca de los pobres de Jesucristo. El pensamiento de Bartolomé de las Casas*, CEP, Lima, 1992.

Gutiérrez ha llevado a cabo una investigación exhaustiva sobre el sevillano Bartolomé de las Casas (1484-1566), misionero dominico que criticó frontalmente la manera de conquistar y hacer misión de sus paisanos españoles en el siglo XVI. Al ofrecernos un cuadro magistral de Las Casas, su obra, su pensamiento y sus luchas por la justicia en las Indias, Gutiérrez nos ofrece también una historia detallada de cómo surgió una teología de la misión que era una negación del Evangelio. Frente a ella se alzó el dominico, y Gutiérrez nos dice: «Dado que el sevillano vive y piensa en medio de la muerte cruel y acelerada de los indios, se plantea con urgencia la cuestión de la justicia. No fue sólo una situación preliminar; ella enmarcó toda su existencia. En el indio que muere temprana e injustamente ve a Cristo; su reflexión tendrá por eso un raigal enfoque cristológico.»[3] Haciendo referencia al título de su libro, Gutiérrez dice:

> En busca de los pobres de Jesucristo vivió también Bartolomé de las Casas; por ellos combatió y desde ellos anunció el Evangelio en una sociedad que se establecía sobre el despojo y la injusticia. Su proclamación del mensaje cristiano reviste, por eso, características de denuncia profética que mantienen hasta hoy toda su vigencia.[4]

Latinoamérica en la misión evangélica global

En el ámbito evangélico, 1992 también fue un año de estudio, reflexión y crítica de lo que había sido la obra misionera de España después de la llegada de Colón, pero el acento se colocó sobre la responsabilidad misionera de los evangélicos

---

3 *Ibid.*, p. 26.
4 *Ibid.*, p. 24.

latinoamericanos mediante una presencia auténticamente
cristiana y el anuncio del Cristo de los Evangelios, en la propia
América Latina y en el resto del mundo. Para ese año la FTL
convocó el CLADE III en Quito, Ecuador, con el lema «Todo el
Evangelio, para todos los pueblos, desde América Latina». En
1976 los universitarios evangélicos del Brasil habían realizado
el primer Congreso Misionero Evangélico Latinoamericano,
en el espíritu de Lausana 74, algunos de cuyos participantes
se embarcaron luego en la misión global en África, Europa y
otros países latinoamericanos. Once años después en 1987,
varias agencias misioneras latinoamericanas que enviaban
misioneros a otras partes del mundo tuvieron una conferencia
en la cual se organizó COMIBAM, una red de acción misionera
evangélica desde América Latina. El CLADE III vino a ser así
una plataforma para quienes querían reflexionar sobre lo que
significa seguir a Cristo en la misión global cuando ya entraba
el siglo XXI. Y fue sorprendente la respuesta a esta convo-
catoria: participaron 1.080 personas de veinticuatro países.

Misión desde la periferia

Dos hechos significativos en estas primeras décadas del
siglo XXI ejercen una profunda influencia sobre el desarrollo
de nuevos modelos de misión, y también van a entrar en la
agenda de la teología en el futuro. La influencia del cristianismo unido al poder del estado en su forma constantiniana
(católica o protestante) está declinando rápidamente en Europa y Norteamérica. Dentro de esa atmósfera se da un hecho
teológico descrito por Yoder: «Uno de los procesos notables y
muy comentados de nuestro siglo es que por aquí y por allí,
distintas dimensiones de la experiencia eclesiástica y la visión
eclesiológica que se conocía como 'sectaria' están empezando

a ser adoptadas por algunas grandes iglesias.»[5] Puede ser que conforme un número creciente de cristianos e iglesias buscan formas más auténticas de obediencia a Jesucristo en nuestro siglo, se encuentren más y más con la experiencia de ya no ser parte del orden establecido en sociedades que sostienen alguna forma oficial de identidad cristiana, con una iglesia estatal. Como los llamados «sectarios» en el pasado, han descubierto que aun en su propio país tienen que aprender a vivir en los términos que utiliza la Primera Epístola de Pedro, como «extranjeros residentes».[6]

Por otra parte observamos hoy en día lo que el misiólogo Andrew Walls ha llamado «un traslado masivo del centro de gravedad del mundo cristiano hacia el sur, de modo que las tierras cristianas representativas ahora parecen estar en Latinoamérica, el África subsahariana y otras partes de los continentes del sur.»[7] Ya que éste es el caso, la existencia de iglesias florecientes en lo que se llamaba el Tercer Mundo, confronta a las viejas iglesias europeas y norteamericanas con un nuevo conjunto de preguntas teológicas y nuevas formas de acercarse a la Biblia. Lo que de aquí deduce Walls puede parecerle a más de uno una exageración, pero está basado en su propia experiencia misionera y en una notable familiaridad con la historia de las misiones y la reflexión misiológica:

> Esto significa que la teología del Tercer Mundo va a ser la teología cristiana representativa. Si siguen las

5 John H. Yoder, *The Priestly Kingdom: Social Ethics as Gospel,* University of Notre Dame, Notre Dame, 1984, p. 5.

6 Ver el comentario de la primera epístola de Pedro por John H. Elliott, *Un hogar para los que no tienen patria ni hogar,* Verbo Divino, Estella, 1995.

7 Andrew Walls, *The Missionary Movement in Christian History,* Orbis Books, Maryknoll, 1996, p. 9.

tendencias actuales (y reconozco que puede que esto
no sea permanente) la teología de los cristianos europeos, aunque importante para ellos y su continua
existencia, puede llegar a ser un asunto de interés sólo
para historiadores especializados...El futuro estudioso
de la historia de la iglesia probablemente estará más
interesado en la teología de África y América Latina y
tal vez también de Asia.[8]

A pesar de su proclamado latinoamericanismo, en general
las teologías de la liberación eran todavía parte de un discurso occidental al son de una melodía de Marx y Engels, de
Moltmann o de los teólogos europeos del Vaticano II. Aunque ubicados en situaciones de frontera entre la riqueza y
la miseria, los teólogos de la liberación se movían dentro de
las categorías de la Ilustración y de la Modernidad. Si vamos
a tomar en serio la emergencia de las nuevas iglesias como
parte de un «traslado del centro de gravedad del cristianismo
hacia el sur», debemos prepararnos para algo diferente. Las
nuevas situaciones pastorales y cuestiones teológicas surgen
de iglesias que se mueven en la frontera entre la Cristiandad
y el Islam, iglesias rodeadas de culturas moldeadas por el
animismo o las grandes religiones étnicas, iglesias étnicas en
los bolsones de miseria de las secularizadas ciudades occiden-
tales, iglesias Pentecostales en Latinoamérica o viejas iglesias
renacientes en la Europa oriental post-marxista. Estas son las
iglesias misioneras de hoy y de mañana y los teólogos tendrán
que afinar sus oídos para escuchar su mensaje, sus cantos, sus
gemidos, y al mismo tiempo estar atentos a la Palabra de Dios.

La idea de una misiología que viene de la periferia del
mundo moderno tiene pertinencia cuando exploramos el

---

8 *Ibid.*, p. 10.

futuro. Durante una consulta cristológica en Asia, el teólogo pentecostal argentino Norberto Saracco planteó la significación del origen galileo del ministerio de Jesús. Su enfoque no fue un esfuerzo por encontrar en el contexto en que Jesús vivió situaciones comparables a las que hoy vivimos y que se prestaran a una especie de relación mágica que no toma en serio ni el texto ni nuestra situación. Lo que prefirió hacer fue explorar el significado de las opciones escogidas por Jesús para su propio ministerio, «que fuesen al mismo tiempo pertinentes para el contexto y concordes con su proyecto redentor.»[9]

Orlando Costas prosiguió esta reflexión en forma sistemática desarrollándola como un resumen creativo de una nueva dimensión para una Cristología misiológica. Concentrándose en el Evangelio de Marcos exploró un modelo de evangelización arraigado en el ministerio de Jesús. Se podría caracterizar como un legado evangelizador, «un modelo de evangelización contextual desde la periferia». Costas consideró especialmente significativo que Jesús escogiese Galilea, una encrucijada racial y cultural como base para la misión. Exploró también la significación de la identidad de Jesús como galileo, y de Galilea como hito y punto de arranque de la misión a las naciones, con su implicación universal. La comprensión que Costas muestra de su propio contexto contemporáneo recalca la naturaleza «periférica» de algunos de los puntos y lugares donde el cristianismo florece y tiene mayor dinamismo hoy. Su propuesta misiológica es que

> El alcance global de la contextualización evangelizadora debe corresponder al principio galileo. Concretamente ello implica que la evangelización debe estar

---

9 Norberto Saracco en Vinay Samuel y Chris Sugden, eds. *Sharing Jesus in the Two Thirds World,* Eerdmans, Grand Rapids, 1983, pp. 33-41.

dirigida, en primer lugar, a la periferia de las naciones, donde se encuentran las multitudes y donde la fe cristiana siempre ha tenido la oportunidad de establecer una base sólida.[10]

Durante el CLADE III, Valdir Steuernagel examinó el desafío misionero que representa hoy la universalidad de Jesucristo en un mundo de pluralidad religiosa. Nos recordaba el largo recorrido en la búsqueda de una Cristología misiológica que había caracterizado el quehacer teológico de la Fraternidad. Concluía en que para la misión desde América Latina el principio de la encarnación como guía de la práctica eclesial y misionera es de importancia fundamental: «La teología de la encarnación nos proteje de la tentación de volvernos adeptos de una teología de la gloria que no percibe, respeta ni sufre con el sufrimiento de la gran mayoría de nuestro pueblo.»[11]

Como la afirmación de la universalidad de Cristo estuvo vinculada a la empresa misionera hecha desde arriba, desde el centro del poder, y a veces acompañando la empresa colonialista europea o estadounidense, no pudo evitar una cierta marca de triunfalismo o imposición. La afirmación de la universalidad de Cristo desde la periferia evitará esa marca. Decía Steuernagel:

> La marca del ministerio de Jesús fue el servicio. La marca del modelo de cristiandad es ser servido, a veces con un costo altísimo. Es preciso volver al modelo de Jesús. El postulado de la universalidad no puede generar la

10 Orlando Costas, *Evangelización contextual. Fundamentos teológicos y pastorales*, SEBILA, San José, Costa Rica, 1990, pp. 65-66.

11 Valdir R. Steuernagel, «La universalidad de la misión», en *CLADE III.Tercer Congreso Latinoamericano de Evangelización, Quito 1992*, Fraternidad Teológica Latinoamericana, p.347.

arrogancia, ni vestirse con el manto de la superioridad. El Cristo universal fue el siervo por excelencia. Este es el modelo que estamos invitados a seguir, sea en la iglesia, en el barrio o en tierras lejanas.[12]

Así, por ejemplo, los misioneros latinoamericanos de hoy no llevan consigo el trasfondo de superioridad tecnológica, militar o política de sus países: están aprendiendo a hacer misión, en nombre de Jesucristo, y «desde abajo». Por otra parte, el historiador y teólogo Justo González, quien se ha identificado con la minoría hispana de los Estados Unidos y ha luchado porque las iglesias hispanas encuentren su propia expresión teológica y pastoral, ha titulado a su obra de intro-ducción a la teología: *Teología liberadora. Enfoque desde la opresión en una tierra extraña.*[13]

Encarnación de Jesucristo y misión cristiana[14]

Una de las manifestaciones de la práctica de misión inte-gral en el Apóstol Pablo fue la colecta que organizó entre las iglesias gentiles para ayudar a la Iglesia de Jerusalén que había quedado en la ruina económica.[15] Escribiendo a los Corintios acerca de su participación financiera en la misión de ayuda a

---

12 *Ibid.*

13 Justo L. González, *Teología liberadora. Enfoque desde la opresión en una tierra extraña*, Ediciones Kairós, Buenos Aires, 2006.

14 En esta sección retomo la reflexión expuesta en mi contribución a Arana-Escobar-Padilla, *El trino Dios y la misión integral,* Ediciones Kairós, Buenos Aires, 2003.

15 Me he ocupado de la importancia y significado de esta colecta en «Pablo y la misión a los gentiles», en C. René Padilla, ed. *Bases bíblicas de la misión. Perspectivas latinoamericanas*, Nueva Creación, Buenos Aires, 1998, pp. 346-349.

esos creyentes empobrecidos (2 Cor. 8.1-8), Pablo fundamenta su argumento en el ejemplo de los creyentes de la región de Acaya, de quienes dice: «En medio de las pruebas más difíciles su desbordante alegría y su extrema pobreza abundaron en generosidad» (v.2).[16] Luego culmina su argumento con lo que podemos llamar una nota fundamental de cristología misionera: «Ya conocen la gracia de nuestro Señor Jesucristo, que aunque era rico, por causa de ustedes se hizo pobre, para que mediante su pobreza ustedes llegaran a ser ricos» (v.9). Así la encarnación de Jesucristo se toma como modelo de vida y participación en la misión. Esta nota cristológica paulina proviene de la Cristología más completa de Pablo tal como la tenemos planteada en Filipenses 2.5-1 y en sus otras epístolas, especialmente I y II Corintios.

Hay un sentido en el cual la vida y la muerte de Jesús tienen un carácter único e inimitable pues se trata de una vida sin pecado y de una muerte vicaria. Pero hay otro sentido en el cual la vida y la muerte de Jesús en la cruz son modelos de la presencia y misión para el discípulo de Cristo en el mundo. La versión de Juan acerca del envío de los apóstoles al mundo contiene claramente una doble significación: «Como el Padre me envió a mí, así yo los envío a ustedes» (Jn. 20.21). Por un lado la dimensión imperativa del mandato del Señor: «Yo los envío a ustedes.» Por otro lado la dimensión normativa que hace referencia a un modelo: «como el Padre me envió.» John Stott, quien contribuyó mucho al redescubrimiento de esta versión de la Gran Comisión en el mundo evangélico, decía con mucha razón que «aunque estas palabras representan la forma más simple de la Gran Comisión, son al mismo tiempo las que expresan mayor profundidad, las que nos redargu-

---

16 En este capítulo se usa el texto de la Nueva Versión Internacional de la Biblia (NVI).

yen más poderosamente, y también, por desgracia, las más olvidadas.»[17]

El redescubrimiento del énfasis juanino en la encarnación ha servido para criticar los modelos misioneros colonialistas, y también para plantear un modelo de misión encarnacional. Las misiones llevadas a cabo desde posiciones de poder económico, político o tecnológico, casi obligaban a los misioneros a actuar desde la distancia y el privilegio, a proclamar a un Jesús que había descendido del cielo para salvar, pero cuyos mensajeros no «descendían» ni social ni culturalmente. La inmersión del misionero en la realidad de los receptores de su acción requiere un sacrificio, una movilidad hacia abajo, y una renuncia al paternalismo. Al mismo tiempo la iglesia que resulta de ese trabajo misionero tiene una forma de presencia encarnada en su propia realidad social, y por ello capaz de proclamar el Evangelio de manera pertinente y transformadora. Es aquí donde la encarnación real y no aparente (docética) de Jesús, en la cual insiste el testimonio bíblico, provee un modelo y viene a ser fuente de inspiración.

Estilo misionero de Jesús y misión cristiana

El hecho de que la encarnación de Jesús es real y no aparente (docética) nos remite al estilo misionero de Jesús en su forma de hacer misión. Examinemos algunas claves del testimonio bíblico. Una primera clave es la misión de *Jesús como enviado del Padre*. Respecto al Evangelio de Juan, Pedro Arana ha recalcado que la noción de *envío* es fundamental y que ella nos remite a comprender la encarnación de Jesús como cumplimiento de la voluntad de Dios, como iniciativa

---

17 *Pensamiento Cristiano*, marzo de 1967, pp. 67-68.

divina en la misión. El origen de la misión cristiana es la voluntad salvadora de Dios que ama el mundo que ha creado y que se hace humano para revelarse de manera plena a los humanos y cumplir su propósito. En el estilo de esa acción misionera de Jesús que Arana explora en todo el Evangelio, destaca principios distintivos que son como un bosquejo de la misión integral. Así tenemos la *adoración* que se advierte desde el prólogo y en las oraciones de Jesús, el *amor fraterno* que es marca distintiva del discípulo, la *salvación*, culminación de la obra para la cual Jesús ha sido enviado, el *servicio* dramatizado y explicado en el lavamiento de los pies de los discípulos, la *oración sacerdotal* del Aposento alto y el énfasis en la *unidad* de los discípulos como reflejo de la unidad en Dios mismo. Dice Arana:

> En el Evangelio aparecen cinco movimientos misioneros. Juan el Bautista es enviado por Dios, el que envía, a dar testimonio de Jesús (1.6-8; 3.28). Jesús es enviado por el Padre a dar testimonio de la verdad y a hacer la obra (18.37; 4.34). El Espíritu es enviado por el Padre y por el Hijo a dar testimonio de Jesús (14.26; 15.26). Los discípulos son enviados por Jesús a seguir su modelo encarnacional, litúrgico, koinónico, soteriológico, diaconal, sacerdotal, ecuménico y profético.[18]

Una segunda clave es la de *lo contextual y lo universal* en la presencia y la obra de Jesús. Especialmente el evangelista Lucas la destaca al presentarnos a Jesús como hombre de su medio y de su tiempo quien proclama un Evangelio para toda la raza humana. Hay una salutación premonitoria de esta visión en las palabras del anciano Simeón cuando toma en sus

---

18 Pedro Arana, «La misión en el Evangelio de Juan», en C. René Padilla, ed., *Bases bíblicas...*, p. 306.

brazos al niño Jesús en el templo: «...Porque han visto mis ojos tu salvación, que has preparado a la vista de todos los pueblos: luz que ilumina a las naciones y gloria de tu pueblo Israel» (Lc. 2.30-32). Jesús fue hijo de su pueblo Israel, formado en las costumbres y la espiritualidad de lo mejor de ese pueblo, cuyo mensaje refleja el vocabulario y las ideas propias de su entorno judío en ese momento histórico. Su visión de sí mismo se expresa en el vocabulario y las figuras de lenguaje propias de una comunidad forjada por la revelación escrita que ese pueblo atesora. En ese sentido es «gloria de su pueblo Israel,» culminación de lo mejor de su expectativa histórica. Pero ese mensaje, esa vida, ese lenguaje están destinados a ser portadores de la Palabra de Dios para todos los seres humanos, «luz que ilumina las naciones» más allá de provincialismos y nacionalismos estrechos.

Una tercera clave es la de *la preferencia de Jesús por los marginados*, los pequeños, los pobres. El teólogo peruano Darío López, pastor de una iglesia pentecostal en la periferia sur de Lima, nos ofrece un repaso de trabajos muy diversos de exégesis moderna que insisten en esta clave, en especial en el Evangelio de Lucas: «uno de los ejes teológicos que articula la perspectiva lucana de la misión es el especial interés de Jesús por los pobres y los marginados (publicanos, samaritanos, leprosos, mujeres, niños y enfermos).»[19] López nos recuerda que la oposición a Jesús de parte de las élites de poder religioso, político, financiero y militar era una reacción de quienes sentían disgusto y se veían amenazados por esta preferencia de Jesús hacia los pobres. Es fácil olvidar que en veinte siglos de historia cristiana los movimientos de renovación y avance misionero han venido precisamente de

---

19 Darío López, *La misión liberadora de Jesús. Una lectura misiológica del Evangelio de Lucas*, Editorial Puma, Puma, 1997, p. 16.

entre los sectores pobres e insignificantes, ricos en piedad y conscientes de su necesidad.

Aquí puede ubicarse también lo que se ha dado en llamar la «opción galilea» de Jesús, a la cual ya nos hemos referido. Orlando Costas nos recuerda que Galilea era en su tiempo un símbolo de la periferia cultural, social, política y teológica, un lugar despreciado por quienes detentaban el poder religioso-político en Israel. «Para Marcos –dice Costas– el hecho de que Jesús viniese de Galilea y no de Jerusalén parece estar cargado de un profundo sentido teológico. Ve en Jesús al eterno Hijo de Dios que se hizo 'un nadie' para levantar a la humanidad de la nada y hacer posible una nueva creación.»[20] Esta referencia tiene especial importancia ahora que el impulso misionero viene más de las iglesias que están en la periferia del mundo más bien que en los centros de poder comercial, financiero y militar.

Una cuarta clave vinculada con la anterior es la que podemos llamar la *compasión dignificante* en la acción misionera de Jesús. En el Evangelio de Mateo encontramos un pasaje significativo para el envío misionero. Por una parte se describe la múltiple actividad de Jesús que bien puede llamarse *integral*, ya que responde con palabra y con poder a las diferentes necesidades de las personas: «Jesús recorría todos los pueblos y aldeas enseñando en las sinagogas, anunciando las buenas nuevas del Reino y sanando toda enfermedad y toda dolencia» (Mt 9.35). Por otra parte el pasaje describe el sentido de urgencia que se apodera del Señor: «Al ver a las multitudes tuvo compasión de ellas porque estaban agobiadas y desamparadas como ovejas sin pastor. La cosecha es abundante pero son pocos los obreros –les dijo a sus discípulos–. Pídanle por

---

20 Orlando Costas, *Evangelización contextual*, pp. 48-49.

tanto al Señor de la cosecha que envíe obreros a su campo»
(Mt 9.36-37). La misión de Jesús tiene como móvil la «compasión,» que es resultado de una inmersión entre las multitudes.
Jesús está metido entre las gentes con sentido de urgencia. El
texto insiste en la amplitud y totalidad espacial o geográfica:
«todos los pueblos y aldeas,» lo mismo que en la variedad de las
acciones: «enseñando...anunciando... sanando.» No se trata de
una explosión sentimental ni de una opción académica por los
pobres, sino de acciones de servicio definidas e intencionales a
fin de responder a todas las necesidades de las personas.

Tampoco se trata de un impulso proselitista apenas interesado en los seres humanos como posibles adeptos y no como
personas. Jesús trata siempre a las personas como seres crea-
dos por Dios que tienen por ello su propia dignidad. Jesús no
convierte a las personas en objetos pasivos de su acción sino
que los toma como sujetos interlocutores en el acto reconci-
liador de su Padre que lleva a la plenitud de vida. Lo expresa
en su afirmación polémica una de las veces que define su
misión en el Evangelio de Juan: «El ladrón no viene más que
a robar, matar y destruir; yo he venido para que tengan vida,
y la tengan en abundancia.» (Jn 10.10).

Una quinta clave es el *efecto transformador* de la presencia
y ministerio de Jesús. Seres humanos de las clases y condiciones más diversas aparecen en los Evangelios transformados
por el toque del Maestro. Enfermos que resultan curados,
ricos que reparten sus bienes a los pobres, pescadores que se
transforman en predicadores, mujeres cuya condición social
y moral cambia dramáticamente. Interpretando esta realidad,
a la luz de su propia experiencia de perseguidor de cristianos
convertido en cristiano perseguido, el apóstol Pablo afirma:
«Si alguno está en Cristo es una nueva creación. ¡Lo viejo ha
pasado, ha llegado lo nuevo!» (2 Co 5.17).

En otros de mis trabajos he explorado la fundamentación
bíblica de la misión como servicio transformador, destacando el impacto de la presencia y la acción de Jesús sobre la
totalidad de la vida de las personas, incluyendo su relación
vertical con Dios, y horizontal, con sus semejantes.[21] Quien
haya observado de cerca el efecto social del Evangelio sobre
los seres humanos en América Latina puede comprobar que
el poder transformador del Evangelio de Jesucristo sigue en
acción de manera integral hoy en día, en los más variados
contextos.[22] Por su crecimiento masivo fue el movimiento
pentecostal latinoamericano el que primero llamó la atención
de los sociólogos interesados en el cambio social operado por
la experiencia religiosa. A partir de los estudios de Emilio
Willems sobre Pentecostalismo en Chile y Brasil,[23] seguido
luego por Christian Lalive D'Epinay en Chile,[24] se ha investigado el impacto social fruto de la experiencia de conversión
entre las masas. En 1990 el sociólogo británico David Martin
resumió críticamente cientos de investigaciones publicadas
en las décadas previas, en un libro ya clásico.[25] Vinculando
el crecimiento pentecostal a las migraciones internas en
América Latina y describiéndolo como una correspondiente
migración del espíritu dice Martin: «Al entrar en este proceso
migratorio la gente se 'independiza' no tanto construyéndose

21 Ver el capítulo 9 de mi libro *Cómo comprender la misión*, Certeza Unida,
Buenos Aires, 2008, pp. 189-205.

22 Ver por ejemplo los trabajos reunidos en C. René Padilla, ed., *Servir con los
pobres en América Latina*, Ediciones Kairos, Buenos Aires, 1997.

23 Emilio Willems, *Followers of the New Faith: Culture Change and the Rise of
Protestantism in Brazil and Chile*, Vanderbilt University Press, Nashville.
1967.

24 Christian Lalile D'Epinay, *El refugio de las masas*, Editorial del Pacífico,
Santiago de Chile, 1968.

25 David Martin, *Tongues of Fire*, Basil Blackwell, Oxford, 1990.

ciertas seguridades modestas sino al contrario, mediante la pérdida de todos los lazos que la atan, sean éstos familiares, comunales o eclesiales.»[26] Y luego resume:

> El Pentecostalismo en particular renueva estos lazos en una atmósfera de esperanza y anticipación más bien que de desesperación. Provee una nueva célula tomada de un tejido lastimado y roto. Sobre todo renueva la célula más íntima de la familia y protege a la mujer de los estragos de la deserción y la violencia del varón. Una nueva fe puede implantar nuevas disciplinas, reordenar prioridades, combatir la corrupción y el machismo destructivos, e invertir las jerarquías indiferentes e injuriosas del mundo exterior. Dentro del refugio cerrado de la fe se puede instituir una fraternidad bajo un liderazgo firme quien libera fuerzas para la mutualidad, el calor humano y la práctica de nuevos papeles en la sociedad.[27]

Crucifixión de Cristo y misión cristiana

Lo que llevamos dicho respecto a las obras de Jesús que son parte de su misión es adecuada evidencia de la encarnación en tiempo y espacio que los evangelistas describen y los autores de las epístolas interpretan. Sin embargo, es necesario agregar que el Evangelista Juan insiste además en destacar una «obra» de Jesús en singular. Se trata de algo único y definitivo a lo cual Jesús mismo hace constante referencia, algo que nadie más que él puede hacer. En su trabajo sobre el Evangelio de Juan, Pedro Arana nos llama la atención a dos temas juaninos relacionados con la persona de Jesús que marcan en especial

---

26 *Ibid.*, p. 284
27 *Ibid.*

los capítulos finales del cuarto Evangelio. Primero el sentido
del tiempo que encierra la expresión «mi hora» que Jesús
utiliza muchas veces, conforme se acerca la hora suprema de
su muerte en la cruz. Segundo la distinción entre «las obras»
de Jesús, tales como sus milagros, y «la obra» a la que Jesús
mismo hace referencia en la llamada oración sacerdotal del
capítulo 17, tomando la totalidad de la vida que culmina en
la cruz. En esta oración misionera por excelencia Jesús se
dirige al Padre y afirma: «Yo te he glorificado en la tierra y he
llevado a cabo la obra que me encomendaste.» (Jn 17.4). Arana
ve una relación entre gloria y cruz que es un lugar clásico de
la teología reformada:

> ¿Cómo glorifica Jesús en la cruz al Padre? De la única
> manera posible: obedeciéndole. Las tentaciones que
> se narran en los sinópticos y la que aparece en Juan 6,
> cuando las multitudes querían coronar a Jesús como
> rey terrenal, tenían la intención de que él no llegara a
> la cruz. Jesús glorificó al Padre en la cruz ofreciéndole
> la perfecta obediencia del perfecto amor.[28]

El evangelista Juan expresa con claridad meridiana la verdad de que la cruz de Cristo manifiesta el amor sin límites
de Dios por su creación y sus criaturas. Así lo dice en ese
pasaje célebre que Lutero llamaba el Evangelio en miniatura,
«Porque tanto amó Dios al mundo que dio a su hijo unigénito
para que todo el que cree en él no se pierda sino que tenga
vida eterna. Dios no envió a su hijo al mundo para condenar
al mundo sino para salvarlo por medio de él» (Jn 3.16). Es así
como la obediencia de Jesús como Hijo de Dios revela al mismo tiempo el profundo amor de Dios. Como lo ha destacado
el biblista Stan Slade:

---

28 Arana, *op.cit.*, p.292.

La muerte de Jesús no es gloriosa porque Dios sea sa-
domasoquista. Juan no quiere exaltar el sufrimiento en
sí. La gloria de Dios se manifestó en la muerte de Jesús
precisamente porque fue el instrumento para dar vida
a los seres humanos. La manifestación más clara de la
naturaleza de Dios apareció en el acto que demostró
su inquebrantable voluntad de bendecir a sus queridas
criaturas aceptando la destrucción y la muerte que
nuestra rebeldía había desatado. La cruz manifestó
la gloria de Dios precisamente porque manifestó su
esencia, el amor (Jn 3.16; 1 Jn 4.8,16).[29]

También en los Evangelios sinópticos encontramos momentos definitorios de la misión de Jesús en los cuales aparece su
muerte en la cruz con un propósito redentor. El pasaje que se
conoce como el de la confesión de fe del apóstol Pedro, ante
la pregunta de Jesús en relación con su identidad, constituye
un momento crucial en el relato evangélico (Mt 16.13-24; Mc
8.27-29; Lc 9.18-20). Jesús pregunta, «Y ustedes, ¿quién dicen
que soy yo? –Tú eres el Cristo, el Hijo del Dios viviente– afirmó
Simón Pedro» (Mt 16.15-16). Los tres evangelistas sinópticos
afirman que a partir de ese momento, «Desde entonces...»,
como dice Mateo (16.21), Jesús empieza a enseñar acerca de
sus padecimientos y muerte, enseñanza que no es aceptada
fácilmente por sus discípulos. Tal el caso de Pedro, quien
intenta desviar a su Maestro del camino del sufrimiento en
una actitud que Jesús califica de satánica: «¡Aléjate de mí
Satanás! Quieres hacerme tropezar; no piensas en las cosas
de Dios son en las de los hombres» (Mt 16.23). Así pues, a
partir de ese momento se percibe con claridad que Jesús de
manera consciente e intencional se dirige hacia la cruz, y su

---

29 Stan Slade, *Evangelio de Juan*, Ediciones Kairós, Buenos Aires, 1998,
   p.306.

enseñanza presenta el seguimiento de sus discípulos como un estilo de vida marcado por la cruz: «Si alguno quiere ser mi discípulo tiene que negarse a sí mismo, tomar su cruz y seguirme» (Mt 16.24).

En el capítulo 20 del mismo Evangelio, dentro de un pasaje que hace referencia al espíritu de servicio como lo que debe ser distintivo de sus discípulos, Jesús culmina su enseñanza con la afirmación «así como el Hijo del hombre no vino para que le sirvan sino para servir y para dar su vida en rescate por muchos» (Mt 20.28). Estas líneas comunican con fuerza una visión de la vida concebida fundamentalmente como fidelidad a una vocación de servicio, un servicio que culmina en la muerte que Jesús asume voluntariamente como forma de rescatar a muchos. Una incontable legión de seguidores de Jesús a lo largo de los siglos han sido inspirados por su enseñanza y ejemplo a dar sus vidas en vocaciones de servicio a los seres humanos, llegando muchas veces hasta la muerte, pero nunca han atribuido a su sacrificio un valor redentor en ese sentido único que sólo cabe a Jesús mismo. Dice Nancy Bedford:

> Además de responder a los sufrimientos ajenos, Jesús toma sobre sí el sufrimiento humano, en un proceso que culmina en la cruz. La compasión (*Mit-leid*) de Jesús significa precisamente sufrir *con y por* los demás. La fe en Jesucristo es por ende fe en un mesías sufriente. En todo el Nuevo Testamento esa fe y el consiguiente seguimiento de Jesucristo implican la disponibilidad del creyente a compartir la cruz y el sufrimiento de su Señor.[30]

---

30 Bedford, *op.cit.*, p. 393.

Una Cristología de la misión integral reconoce estas dos dimensiones de la crucifixión de Jesús. Por un lado el carácter único y singular de la muerte de Cristo, el sentido redentor y expiatorio de esa muerte dentro del marco de conceptos y lenguaje del Antiguo Testamento que las epístolas del Nuevo Testamento adoptan y adaptan. La muerte y resurrección de Jesús constituyen parte integral del Evangelio mismo. El anuncio de la venida de Cristo y su obra a favor de los humanos es el núcleo fundamental del mensaje que la Iglesia tiene para la humanidad. Lo decía con singular fuerza el apóstol Pablo: «Los judíos piden señales milagrosas y los gentiles buscan sabiduría mientras que nosotros predicamos a Cristo crucificado» (1Cor. 1.23). El apóstol tiene también un fuerte sentido de obligación respecto a la proclamación de este mensaje de Jesucristo: «¡Ay de mí si no predico el Evangelio!» (1 Cor. 9.16). Así pues, la proclamación de la palabra de la cruz es indispensable para una misión cristiana integral.

Por otro lado la crucifixión de Jesús es también la marca de un estilo de vida al cual están llamados los seguidores de Jesús, y que debe ser la marca del estilo misionero cristiano. Aquí tenemos una nota central de la espiritualidad misionera en sentido bíblico que el apóstol Pablo ha expresado con fuerza singular en medio de un argumento sobre el contraste entre su judaísmo anterior y su experiencia con Cristo: «He sido crucificado con Cristo y ya no vivo yo sino que Cristo vive en mí. Lo que ahora vivo en el cuerpo lo vivo por la fe en el Hijo de Dios quien me amó y dio su vida por mí» (Gal 2.20). Si uno es seguidor del Cristo que murió en la cruz adoptará una forma de hacer trabajo misionero que resulte consecuente con el estilo misionero de Jesús mismo. Un estilo desprovisto de triunfalismo, de intenciones manipulantes, de simple recurso al poder militar, económico, tecnológico o social. Un estilo que aprovecha todos los recursos y dones que Dios provee y que sabe leer las señales de los tiempos, pero que está sobre todo marcado por el espíritu de servicio que caracterizó a Jesús mismo.

De esta manera es posible entender cómo la acción misionera integral se realiza siguiendo el modelo sugerido por la imagen que Jesús propone en una de sus enseñanzas sobre el seguimiento y la misión: «Ciertamente les aseguro que si el grano de trigo no cae en tierra y muere se queda solo. Pero si muere produce mucho fruto» (Jn 12.24). La encarnación del misionero en el mundo al cual es enviado supone muchas veces actitudes y acciones de renuncia. Por ejemplo, un movimiento transcultural. Hay quienes cumplen su misión en el ámbito de su propia cultura y hay quienes provenientes de otra cultura practican una «inculturación», es decir una inmersión en el mundo del otro. Una inmersión transformadora, por cierto, pero inmersión al fin. La misión integral no puede realizarse con un estilo burocrático de beneficencia en el cual los empleados de una organización visitan de cuando en cuando el mundo en que viven sus pobres clientes. La misión integral que incluye el acercamiento para la trasmisión del mensaje de Cristo y el servicio en su nombre requiere la inculturación. Sólo así puede dar fruto con el surgimiento de comunidades arraigadas a su vez en su propia realidad e impulsadas por el Espíritu a un movimiento transformador.

Misión en el poder de la resurrección

Según lo que sabemos por los datos del Nuevo Testamento, Timoteo fue un joven misionero escogido por Pablo como acompañante y discípulo. En la segunda epístola que Pablo le dirige hay un evidente propósito de animarlo, confirmarlo y motivarlo a la fidelidad. Quien escribe está preso por causa del Evangelio pero no parece inhibido ni derrotado por ello. Al contrario, mira al presente y al futuro con gratitud a Dios. Su exhortación apostólica dice: «No dejes de recordar a Jesucristo, descendiente de David, levantado de entre los muertos. Este es mi Evangelio por el que sufro al extremo de llevar cadenas como un criminal. Pero la palabra de Dios no está encadenada» (2 Tim. 2.8-9). El discípulo ha de recordar al Jesús humano, Hijo de David, pero también exaltado al ser levantado de entre los muertos. Encontramos aquí la referencia al hecho de *recordar*, hacer memoria, tener en cuenta, tan importante para la identidad del pueblo de Dios en el Antiguo Testamento que se retoma también en el Nuevo. Como nos lo recuerda Thorwald Lorenzen, «Entre el pasado recordado y el futuro anticipado se alza el presente que recuerda, en el cual el acontecimiento pasado se actualiza y de ese modo influye eficazmente en la configuración del futuro.»[31]

Para la enseñanza del Nuevo Testamento, tan real e importante como la encarnación y la muerte de Jesús en la cruz es el hecho de la resurrección del Señor crucificado. Escribiendo a la Iglesia de Corinto acerca de este tema, el apóstol Pablo afirma rotundamente: «Y si Cristo no ha resucitado nuestra predicación no sirve para nada, como tampoco la fe de ustedes» (1 Cor 15.14). Los cuatro Evangelios culminan con la historia de la sorpresa de las discípulas y los discípulos ante la tumba vacía, y la experiencia del encuentro con Jesús resucitado. La realidad de esta experiencia es el marco en que se da el mandato a los discípulos para lanzarse al mundo con sentido de misión. Lo ha dicho el teólogo uruguayo Mortimer Arias en su magistral estudio sobre la Gran Comisión:

---

31 Thorwald Lorenzen, *Resurrección y discipulado*, Sal Térrea, Santander, 1999, p. 271.

El hecho histórico, verificable, de la experiencia pascual es el surgimiento de una nueva comunidad, la Iglesia, poseída de un sentido de misión universal. Surge de entre las cenizas, como el Ave Fénix, en medio de un pequeño grupo marginal, aplastado por la condena y crucifixión de Jesús, disperso y desalentado, que de pronto se levanta para testificar de la presencia y el poder de Cristo obrando en ellos y a través de ellos.[32]

La resurrección de Jesús es el triunfo de la vida sobre la muerte, es la vindicación de la víctima, es la confirmación de que con la llegada de Jesús una realidad nueva, aquello que Jesús llamaba el Reino de Dios, ha hecho su irrupción en la historia humana. Las fuerzas hostiles que se sintieron amenazadas por la presencia y el estilo de Jesús le presentaron oposición desde el comienzo mismo de su ministerio público. Esta oposición creciente de la cual los Evangelios dan cuenta significa un continuo conflicto, una oposición a las obras de Jesús. La popularidad de su enseñanza atrajo las burlas y envidia de *fariseos y escribas*, los maestros religiosos oficiales. Sus milagros y la novedad de su mensaje fueron percibidos como una amenaza por los *saduceos*, administradores del templo, símbolo de la institución religiosa dominante, y los *sacerdotes*, sus funcionarios. Los encargados de imponer el orden imperial romano, gobernadores como Poncio Pilato o reyezuelos como Herodes, lo vieron como una amenaza al férreo orden brutalmente impuesto por la fuerza del Imperio. Todos ellos coincidieron en una confabulación para deshacerse de Jesús de manera expeditiva y sin el menor criterio de justicia. Cualquiera que esté familiarizado con la historia de los imperios, desde los faraones hasta nuestros días sabe

---

32 Mortimer Arias, *La gran comisión*, CLAI, Quito, 1994, pp. 13-14.

que la historia de la pasión de Jesús es verosímil, porque se repite continuamente.

Sin embargo lo distintivo de la historia de Jesús es el sentido que él mismo atribuye a su muerte y el hecho de que la tumba no pudo retenerlo ni la muerte callarlo para siempre. Aquel que en la agonía de la cruz clamó «Dios mío, Dios mío ,¿por qué me has desamparado?» (Mc 15.34), fue levantado de entre los muertos por el poder de Dios. Esta progresión que está en el núcleo de la Cristología del Nuevo Testamento la ha resumido magistralmente el apóstol Pablo en ese himno que está intercalado en su carta a los Filipenses:

> Cristo Jesús quien, siendo por naturaleza Dios, no consideró el ser igual a Dios como algo a qué aferrarse. Por el contrario, se rebajó voluntariamente, tomando la naturaleza de siervo y haciéndose semejante a los seres humanos. Y al manifestarse como hombre, se humilló a sí mismo y se hizo obediente hasta la muerte, ¡y muerte de cruz! Por eso Dios lo exaltó hasta lo sumo y le otorgó el nombre que está sobre todo nombre, para que ante el nombre de Jesús se doble toda rodilla en el cielo y en la tierra y debajo de la tierra, y toda lengua confiese que Jesucristo es el Señor para gloria de Dios Padre (Fil 2.5-11).

La fe en el Cristo resucitado fue motivación para la misión pero ese hecho por sí solo no explica el avance de la Iglesia desde la periferia de un rincón del imperio romano hasta la realidad global de nuestros días. El Padre y el Hijo como Señor resucitado envían al Espíritu Santo como el acompañante y la fuerza del poder que abrirá caminos para los misioneros y misioneras en el mundo y los sostendrá en medio de toda clase de conflictos y sufrimientos. Según la enseñanza de Jesús mismo el Espíritu Santo acompañaría a los apóstoles

(enviados) como consejero y consolador (Jn 14.16), les llevaría
a la comprensión de la propia persona de Cristo (Jn 14.25-26)
a quien glorificaría (Jn 16.13-15), actuaría en el mundo con su
propio poder, «convencerá al mundo de su error en cuanto al
pecado, la justicia y el juicio» (Jn 16.8). La presencia de Jesús
prometida como compañía a sus mensajeros hasta el fin del
mundo (Mt 28.20) o donde dos o tres se reúnen en su nombre
(Mt 18.20) se hace realidad por la presencia y ministerio del
Espíritu Santo.

En su reflexión cristológica acerca de la relación entre la
resurrección de Jesús y la presencia del Espíritu Santo, Jürgen
Moltmann nos recuerda que hubo un paso desde la percepción de la presencia de Cristo en sus apariciones después de
la resurrección a la experiencia de la presencia de Cristo en
el Espíritu. Por ello afirma:

> La fe cristiana primitiva en la resurrección no estaba,
> por consiguiente, fundada solamente en las aparicio-
> nes de Cristo, sino motivada con igual fuerza por la
> experiencia del Espíritu de Dios. Por eso Pablo deno-
> mina a ese Espíritu divino el «Espíritu vivificante» o
> la «fuerza de la resurrección». Creer en el Cristo resu-
> citado significa haber sido atrapado por el Espíritu de
> la resurrección.[33]

Esta correlación nos lleva a una consecuencia importante
para la vida personal y la tarea de quienes se embarcan en
la obediencia al llamado misionero de Jesús. La afirma Pablo
en una de las secciones más hermosas de su Epístola a los
Romanos: «Y si el Espíritu de Aquel que levantó a Jesús de
entre los muertos vive en ustedes, el mismo que levantó a

---

33 Jürgen Moltmann, *Cristo para nosotros hoy,* traducción de Nancy Bedford,
   Editorial Trotta, Madrid, 1997, p.65.

Cristo de entre los muertos también dará vida a sus cuerpos mortales por medio de su Espíritu que vive en ustedes» (Ro 8. 11). La vitalidad espiritual y la esperanza del misionero están garantizadas por la acción del mismo Espíritu que resucitó a Jesús. Todas las limitaciones y flaquezas de la condición humana del misionero o la misionera, puesta muchas veces a prueba por las dificultades personales o las del medio ambiente en que lleva a cabo su labor, pueden ser transformadas por el Espíritu de Dios. Y por ello mismo, como señalábamos en nuestra sección sobre la encarnación, la presencia y el anuncio misionero entre los seres humanos tiene un carácter transformador.

La fe en la resurrección de Jesucristo da también a la misión un firme sentido de esperanza en medio de las precariedades de la situación histórica en la cual se lleva a cabo. Jesús advertía a sus discípulos que los enviaba «como a ovejas en medio de lobos» a un mundo hostil que no iba a darles la bienvenida. Su discurso programático y de capacitación, que el Evangelista Juan ubica antes de su oración sacerdotal y su pasión, culmina en una afirmación realista y esperanzada al mismo tiempo: «Yo les he dicho estas cosas para que en mí hallen paz. En este mundo afrontarán aflicciones, pero ¡anímense! Yo he vencido al mundo» (Jn 16.33). Así culmina también la sección dedicada a exponer la resurrección y su significado en un pasaje clásico del Apóstol Pablo: «Por lo tanto mis queridos hermanos, manténganse firmes e inconmovibles, progresando siempre en la obra del Señor, conscientes de que su trabajo en el Señor no es en vano» (1 Co 15.58).

La misión integral lleva al misionero o misionera a un contacto directo con el dolor, la injusticia, el callejón sin salida de la pobreza endémica y el abismo de la corrupción. Frente a ellos una sensación de futilidad puede terminar por contagiar al cristiano de la desesperanza y el pesimismo propios de esta época posmoderna, en la cual han muerto las utopías humanas. Como nunca se impone el hacer memoria de la esperanza cristiana. La misión requiere una dosis de realismo acerca de la naturaleza humana y su condición caída, como la que caracterizó el ministerio de Jesús. Pero requiere también la certeza de que el Reino de Dios se ha manifestado ya, y la entrega al poder del Espíritu que tal como levantó a Jesucristo de entre los muertos nos levanta hoy por encima del fatalismo sociológico o del cinismo. En el capítulo 8 de su carta a los Romanos Pablo expone esta especie de tensión dentro de la cual vive el cristiano.

«De hecho, considero que en nada se comparan los sufrimientos actuales con la gloria que habrá de revelarse en nosotros» (Ro 8.18) afirma de manera rotunda, expresión que el apóstol usa también en 3.28 y 6.11. Sufrimiento y gloria siempre van juntos en la vida cristiana. Se trata de una convicción acerca de la gloriosa esperanza del creyente, por la cual los sufrimientos propios de este momento empequeñecen, se vuelven insignificantes a la luz de la gloria futura. En el vocabulario de Pablo en estas líneas se contraponen las dos eras, la era presente con su carga de contradicciones que va a terminar, y la futura que ha empezado con el triunfo de Cristo en la cruz y cuya plenitud está todavía por verse, cuando Cristo se manifieste finalmente.

Pasa entonces el apóstol a describir la condición de la humanidad en esta era presente. Algunas versiones tienen la expresión «la creación» como sujeto de esta oración, dando a entender la totalidad animada e inanimada del cosmos. Otros piensan que el vocabulario usado se refiere más bien a la humanidad, más específicamente a la humanidad no creyente, contrastándola con los que ya son hijos de Dios. Así traduce la Nueva Biblia Española: «De hecho, la humanidad otea impaciente aguardando a que se revele lo que es ser hijos de

Dios...» (Rom. 8.19 NBE). En cualquier caso, el apóstol echa una mirada a una totalidad inmensamente abarcante, y nos dice que ella está a la expectativa, como en puntas de pie, «oteando», es decir escudriñando ansiosamente a la espera de que los hijos de Dios se revelen. Allá afuera de las paredes de los templos o los confines de las comunidades cristianas, hay un mundo inmenso que está a la expectativa. Necesitamos recuperar este sentido, esta visión atenta a la necesidad y la expectativa de la humanidad, de todo lo creado. La ecología no debiera ser cosa nueva ni menos indiferente para el cristiano que toma en serio esta visión paulina.

La sensibilidad apostólica está compuesta en primer lugar del realismo acerca de la condición caída, sufriente, necesitada, de la humanidad, y del pecado que ha afectado con desgaste y deterioro a la totalidad de las realidades creadas. No hay ilusiones que hacerse, no hay un humanismo romántico. Al mismo tiempo, sin embargo, en la sensibilidad apostólica hay otro componente, que ve esta condición como un desafío, como un llamado a la misión, porque tiene una nota de expectativa frente a la cual, como contraste, se va a revelar la condición redimida de los hijos de Dios. El lenguaje se carga de una nota de esperanza, de una mirada al futuro y a una plena libertad (o liberación), en el más pleno sentido de esa palabra, «Queda la firme esperanza de que la creación misma ha de ser liberada de la corrupción que la esclaviza para así alcanzar la gloriosa libertad de los hijos de Dios» (v. 21). Vale la pena recuperar esta visión hoy que tenemos una conciencia de la inmensidad de la humanidad, de la complejidad de la situación global, aun de las realidades ecológicas de esta creación de Dios.

Con todo eso tiene que ver la esperanza cristiana y estas líneas tienen una pertinencia única para nuestro tiempo. «Sabemos que toda la creación gime a una como si tuviera dolores de parto» (v. 22). Aquí el apóstol no aparece como esos predicadores apocalípticos que anuncian una catástrofe final, a la luz de la cual hoy no hay que preocuparse de nada más que de sacar convertidos del mundo como ascuas de fuego. La figura del gemido expresa bien la angustiosa situación en la cual el apóstol vuelve a insistir. El «gemido» de sufrimiento y dolor, que no alcanza a ser un grito porque ni fuerzas quedan para ello, pero es un gemido que anuncia las labores, las contorsiones propias de un parto, una promesa. Esta figura de «los dolores de parto» es propia de la literatura hebrea. No se trata de los estertores de la muerte ni de los crujidos de un edificio que se cae sin remedio. Y eso lo saben en especial los hijos de Dios, los que saben del poder del Espíritu, de la realidad de las promesas.

En este punto viene el profundo sentido de misión de Pablo que no es indiferente frente a los gemidos de la humanidad y la creación, «Y no sólo ella sino también nosotros mismos que tenemos las primicias del Espíritu, gemimos interiormente mientras aguardamos nuestra adopción como hijos, es decir la redención de nuestro cuerpo» (v. 23). El cristiano ya lleva en sí mismo las marcas de la acción transformadora del poder de la resurrección, y ya vive en la nueva era inaugurada por el triunfo de Cristo. Sin embargo comparte las tensiones de la era presente, pero lo hace con el poder de la esperanza. La esperanza le permite ver la salida más allá de la oscuridad del túnel. Esa esperanza lo sostiene en su propia lucha espiritual. Lo ha expresado bien el teólogo colombiano Harold Segura:

Nuestra fe, nos dice la teología, es utópica en el sentido de estar fundamentada en la esperanza, de ser alimentada por la promesa y de proyectarse hacia adelante, con el anhelo de encontrar la sorpresa de otro mundo: el mundo prometido por

Dios. La fe cristiana traiciona su sentido cuando se ancla en el pasado y deja de soñar en el futuro de Dios.[34]

El ser humano no puede saber esto por la simple observación de la naturaleza o de la historia. El pesimismo y cinismo de la cultura posmoderna de hoy se debe precisamente a que la observación muestra que las utopías humanistas –del liberalismo o del marxismo– no tenían base. Si es que va a haber esperanza, tiene que haber una palabra que no viene ni de la naturaleza ni de la simple historia humana. Precisamente la Palabra de Dios en Cristo, por el poder del Espíritu, es palabra de esperanza. La resurrección de Cristo, cuyo poder ya vemos en acción en nosotros mismos, es garantía de la liberación final de todo lo creado.

Pablo afirma que la salvación en sí misma es la fuente de la esperanza, la salvación que Cristo ofrece es para la esperanza. En los vv.24 y 25 vuelve Pablo a referirse a la tensión entre el «ya» y el «todavía no» de la vida cristiana, entre lo que se ve y lo que se espera aunque todavía no se ve. En el v. 23 describía esa tensión como un gemido de nuestra parte, en el marco de toda una creación que gime. En el v. 25 la describe como una esperanza decidida de esa gloria que todavía no ha sido revelada. Son dos matices de la misma realidad.

En este punto Pablo vuelve a hacer referencia a la manera en que el Espíritu Santo actúa en nosotros. No somos seres perfectos o siempre triunfantes. Pablo no tiene problemas en referirse con claridad a la vulnerabilidad del cristiano, y escribe en primera persona plural incluyéndose él mismo en la descripción: «nuestra debilidad...no sabemos cómo pedir» (v.26). Pero esta referencia a la propia flaqueza es para afirmar

---

34 Harold Segura, *Más allá de la utopía*, Ediciones Kairós, Buenos Aires, 2006, p. 24.

la bondad y la gracia de Dios que por su Espíritu nos ayuda. La compasión divina –«com...pathos» que se pone solidariamente al lado nuestro en el sufrir– es descrita aquí en la forma en que Pablo utiliza la misma idea de «gemido» (vv. 22-23) para referirse a la forma en que el Espíritu intercede por nosotros: «con gemidos indecibles» (v. 26).

Si ésta es la realidad, no podemos ser comunidades que se contagian del pesimismo general, iglesias con mensajes apocalípticos que esperan con ansiedad el fin del mundo y se meten en el convento mental de una actitud sectaria. No podemos ser comunidades que temen al cambio y tiemblan ante el futuro. Si el Espíritu de Dios mora en nosotros y nos transforma y nos llena, venimos a ser como luz en las tinieblas; sabemos que se vive en una época difícil, pero sabemos que Dios tiene la última palabra. Y confesamos que a veces nos invade la incertidumbre, entonces doblamos la rodilla y aún entre gemidos pedimos al Espíritu que interceda por nosotros. Sólo la Palabra de Dios en el poder de su Espíritu nos da un sentido renovado de identidad y misión como creyentes en Jesucristo, Señor encarnado, crucificado y resucitado; nos da discernimiento para distinguir la verdad de la práctica y la doctrina cristiana en esta época de confusión, y nos da esperanza para poder vivir en la tensión de una espiritualidad abierta al futuro que Cristo ha abierto para nosotros.

Comenzábamos este libro con una cita de Rubén Darío escrita en 1892. El famoso poeta nicaragüense cuya vida oscilaba entre momentos de religiosidad católica y un disfrute exagerado de los placeres paganos, escribió hacia 1904 su «Canto de esperanza», con una nota de impaciencia escatológica:

> Un gran vuelo de cuervos mancha el azul celeste.
> Un soplo milenario trae amagos de peste.
> Se asesinan los hombres en el extremo Este...

La tierra está preñada de dolor tan profundo
Que el soñador, imperial meditabundo,
Sufre con las angustias del corazón del mundo...

¡Oh Señor Jesucristo!, ¿por qué tardas, qué esperas
Para tender tu mano de luz sobre las fieras
Y hacer brillar al sol tus divinas banderas?

En el CLADE III de 1992 el obispo metodista argentino Federico Pagura elevó como oración una plegaria que había escrito unos años antes en Guatemala:

Ay Cristo de un continente
que tiene roja la entraña
de tanta sangre vertida
por una ambición malsana,
tanta espada fratricida,
tanta codicia que mata.
Álzate pronto y pronuncia
tu palabra soberana
que detenga la soberbia
que en estas tierras cabalga
e inaugura para el pobre de esta patria americana
una aurora de justicia
una aurora de esperanza
y sepulte para siempre
noche que ha sido tan larga...

¿No te parece mi Cristo
mi Señor de la esperanza
que ya se acerca la hora,
que es ya la tercer mañana,
y mi América suspira
por contemplarte en el alba?[35]

---

35 Federico Pagura, «La evangelización desde la perspectiva del Consejo Latinoamericano de Iglesias (CLAI)» en *CLADE III*, pp. 793-794.

Pagura escribía desde su propia práctica eclesial en buena parte del siglo veinte, valiente y comprometida con el servicio a los pobres, la defensa de los derechos humanos, la predicación del Evangelio, la composición de himnos que miles de personas cantan por toda América, la militancia evangélica en el seguimiento de Jesús.

16

Las líneas de la reflexión presente

El redescubrimiento de Jesús en América Latina al que hemos venido asistiendo, se dio para empezar con la llegada y la presencia del Protestantismo evangélico desde fines del siglo XIX. Luego trajo fermentos de renovación al seno del catolicismo latinoamericano, y condujo por igual a católicos y protestantes a un florecimiento teológico a partir de la década de 1960. Desde entonces, ha tenido un impacto permanente en el quehacer teológico del continente. En este libro nos hemos interesado en particular en ese desarrollo cristológico en el ámbito protestante y más específicamente en lo acontecido en la Fraternidad Teológica Latinoamerica que ya ha entrado en su quinta década de vida y pensamiento. En este capítulo final, que es en cierto modo como un apéndice, me limito a enumerar brevemente algunas de las líneas de reflexión que se pueden detectar en esta segunda década del siglo veintiuno.

La Trinidad como criterio hermenéutico

Por su continuidad con las décadas anteriores menciono en primer lugar a cuatro teólogos cuya obra se ha prolongado hasta el presente: José Míguez Bonino, Justo L. González, René Padilla y Juan Stam, que han seguido contribuyendo a la reflexión con trabajos de valor permanente. En primer lugar en su obra *Rostros del protestantismo latinoamericano* Míguez Bonino nos ofreció una magistral propuesta interpretativa que culmina con una propuesta teológica. Para Míguez «la

debilidad teológica del protestantismo latinoamericano no
consiste tanto en la ausencia de teología, ni en sus desviacio-
nes –que, como hemos visto, las hay– sino más bien en sus
'reduccionismos.'» Según su análisis, debido a la herencia de
los «despertares» (o avivamientos) angloamericanos «cuyo
fervor e impulso –dice Míguez– no debemos menospreciar ni
perder», se dio un reduccionismo que pasa a describir:

> Así la teología se resume en cristología, ésta en sote-
> riología y finalmente la salvación queda caracterizada
> como una experiencia individual y subjetiva. Es cierto
> que lentamente hemos tratado de superar estos estre-
> chamientos. Lo hemos intentado nuevamente, casi
> exclusivamente en «clave cristológica», pero sin llegar a
> colocar la cristología en el marco total de la revelación.[1]

A la luz de ese hecho, la propuesta que Míguez pasa a
desarrollar es clara y diáfana: «estoy proponiendo hoy una
perspectiva trinitaria que a la vez amplíe, enriquezca y pro-
fundice la propia comprensión cristológica, soteriológica y
neumatológica que está en la raíz misma de nuestra tradición
evangélica latinoamericana.»[2]

Creo que se puede decir que el desarrollo cristológico que
hemos ido describiendo hasta aquí tuvo un aspecto que se
movía en la dirección apuntada por Míguez, ya que algunos
de los teólogos que hemos presentado y comentado habían ido
relacionando su exploración cristológica con la totalidad de
la revelación bíblica. Lo que propone Míguez es el desarrollo
de una teología en la cual la Trinidad viene a ser el criterio
hermenéutico. Para ello hay que superar una situación que él

---

1 José Míguez Bonino, *Rostros del protestantismo latinoamericano*, Nueva
   Creación-Eerdmans, Buenos Aires-Grand Rapids, 1995, pp. 109-110.

2 *Ibid.*, p. 110.

describe de la siguiente manera: «Contados serán los evangélicos latinoamericanos que niegan la Trinidad. Pero creo que
no es injusto decir que esa afirmación ha quedado como una
doctrina genérica, que no informa profundamente la teología
y, lo que es peor, la piedad y la vida de nuestras iglesias.»[3] El
diagnóstico de Míguez lo he podido palpar al reflexionar en
mi propia historia personal y en la historia de mi generación
en la FTL. La *Declaración de Cochabamba*, con la cual hizo su
aparición este organismo evangélico en 1970, no tiene ninguna
referencia a la Trinidad aunque sí hace breves afirmaciones
describiendo la obra de Dios, la de Cristo, y la del Espíritu
Santo. Pero todo lo que dice respecto al Espíritu Santo es que
ha inspirado la Biblia y que nos ayuda en la comprensión e
interpretación de la Palabra. Fue la conciencia de que necesitá-
bamos avanzar en ese sentido la que nos llevó en 1979 a incluir
en el CLADE II dos ponencias sobre «Espíritu y Palabra en la
tarea evangelizadora.» Más adelante en el CLADE III (1992)
pedimos a dos teólogos pentecostales desarrollar ponencias
teológicas sobre «El Evangelio de Poder». El tema del CLADE
IV (2000) fue explícitamente «El testimonio evangélico hacia
el tercer milenio: Palabra, Espíritu y Misión».

Tres obras recientes de Justo L. González pueden considerarse como pasos en la dirección que señalaba la propuesta
de Míguez, aunque González no haya seguido ésta necesaria-
mente, de manera explícita e intencional. Sobre la base de su
monumental trabajo de historia del pensamiento cristiano,
que es una obra clásica reconocida en inglés y castellano,[4]
González ofrece una relectura de la historia de la reflexión
teológica con claves propias de este siglo veintiuno: *Retorno*

---

3 *Ibid.*, p. 111.

4 Justo L. González, *Historia del pensamiento cristiano*, CLIE, Viladecavalls,
2010.

a la historia del pensamiento cristiano. Tres tipos de teología (Ediciones Kairós, Buenos Aires, 2004). Al identificar tres tipos de teología y mostrar cómo han ido desarrollándose a lo largo de la historia cristiana, y cómo han coexistido, González nos ayuda a evitar la tendencia exclusivista que a veces va asociada al esfuerzo por articular una propuesta teológica. Al examinar tres tipos de teología que denomina A, B y C nos propone uno, el tercero, como más pertinente a nuestro tiempo, pero nos ayuda también a ver la validez de los otros dos tipos y la contribución de cada uno de ellos a la teología universal. Por otra parte, su libro *Teología liberadora. Enfoque desde la opresión en una tierra extraña* (Ediciones Kairós, Buenos Aires, 2006) es una introducción a la Teología que ofrece una propuesta trinitaria bien articulada y contextual, respondiendo a las inquietudes y preguntas del momento, desde la perspectiva de la minoría de habla hispana en los Estados Unidos. Creo que también una clave hermenéutica trinitaria guía el comentario de González sobre el libro de Hechos de los Apóstoles en la serie *Comentario Bíblico Iberoamericano.*[5]

Teología de la misión
desde la historia de la salvación

Una de las características del trabajo de los pensadores que estamos considerando es que se esfuerzan por basar su teología en una exégesis bíblica cuidadosa. Junto a la convicción típicamente protestante en ese sentido, la base exegética requiere herramientas adecuadas como una buena traducción y comentarios actualizados. En las décadas finales del siglo veinte, un grupo notable de biblistas y teólogos evangélicos

---

5 Con cuya publicación continúa Ediciones Kairós de Buenos Aires.

latinoamericanos participaron en proyectos para proveer dichas herramientas. En 1999 culminó el trabajo de traducción de la Nueva Versión Internacional de la Biblia al castellano, de los originales griego y hebreo. Coordinado por el biblista colombiano Luciano Jaramillo este proyecto estuvo dirigido por René Padilla para Nuevo Testamento y por Esteban Voth para el Antiguo Testamento. Alrededor del proyecto se formó un grupo notable de biblistas como traductores. El rico trabajo con el texto original y la traducción proveyó los recursos necesarios para el paso siguiente: la producción de comentarios bíblicos que respondiesen a las necesidades específicas de los lectores evangélicos latinoamericanos. Se formaron así equipos que habiendo trabajado juntos en la traducción pudieron cooperar luego en la tarea teológica dirigida a la pastoral y la educación cristiana en las iglesias, que tomara como base toda la Biblia y la historia de la salvación.

Valdir Steuernagel reunió veintisiete trabajos de teólogos latinoamericanos que constituyen un valioso compendio: *La misión de la iglesia. Una visión panorámica* (Visión Mundial, San José, 1992). Este libro se abre con un capítulo de Juan Stam sobre «La historia de la salvación y la misión integral de la iglesia». Dos libros editados por René Padilla muestran el esfuerzo por establecer una base bíblica para el desarrollo de una misiología evangélica latinoamericana, la cual al tomar la totalidad de la revelación avanza en la dirección trinitaria señalada por Míguez Bonino. En 1998 Padilla editó *Las bases bíblicas de la misión. Perspectivas latinoamericanas* (Nueva Creación, Buenos Aires y Grand Rapids, 474 págs.) con trabajos de quince teólogos latinoamericanos, casi todos ellos miembros de la FTL, entre los cuales quiero destacar aquí a Nancy Elizabeth Bedford y a Catalina de Padilla, con capítulos monográficos sobre el sufrimiento y los laicos respectivamente.

El trabajo de Nancy Bedford merece párrafo aparte. Al tratar el tema del sufrimiento explora el dolorismo de la piedad y la imaginería católicas, siguiendo la línea que había planteado Mackay, como veíamos en el capítulo 2. Señala Bedford que ese dolorismo es «la glorificación del sufrimiento por el sufrimiento mismo, a partir del ejemplo de un Cristo sufriente representado a menudo como víctima pasiva y ensangrentada»[6] y advierte que «también los evangélicos pueden caer en la tentación de identificar al sufrimiento como una virtud en sí mismo.» Contrasta ese dolorismo con ese otro triunfalismo de cierta himnología evangélica carismática actual en la cual se nos presenta un Jesucristo evangélico de la gloria, descrucificado, que «puede llevar a una evasión individualista del sufrimiento, cuyos resultados concretos, paradójicamente, son parecidos a la resignación pasiva fomentada por el Jesucristo católico del dolor.»[7] ¿Cómo evitar tales distorsiones?

> Podrán ser superadas únicamente si la teología y la teopraxis de la iglesia en su misión se basan en una sólida cristología y *cristopraxis* de raíz profundamente bíblica. Solamente al internarnos integralmente en la vida, muerte y resurrección de Jesucristo descubriremos el equilibrio que necesitamos para confrontarnos con la realidad del sufrimiento. Tal acercamiento nos lleva al seno mismo del Dios trinitario que actuó en el Hijo y nos vivifica con su Espíritu.[8]

La visión trinitaria y la preocupación fundamental por el carácter básico e ineludible del kerygma del Nuevo Testamento

---

6 Bedford en Padilla, ed., *Las bases bíblicas de la misión*, p. 385.

7 *Ibid.* p. 386.

8 *Ibid.*, p. 387.

guían también la valiente, y por momentos perturbadora, exploración de Bedford en los desafíos de las teologías feministas en su libro más reciente, *La porfía de la resurrección. Ensayos desde el feminismo teológico latinoamericano* (Ediciones Kairós, Buenos Aires, 2008).

Hay esfuerzos de síntesis como las breves reflexiones de Arana, Escobar y Padilla, en su libro *El trino Dios y la misión integral* (Ediciones Kairós, Buenos Aires, 2003). También hay nuevas profundizaciones en el material bíblico en el libro que René Padilla y el teólogo colombiano Harold Segura editaron en 2006, *Ser, hacer y decir. Bases bíblicas de la misión integral* (Ediciones Kairós, Buenos Aires, 454 pp). Colaboraron en esta obra junto a veteranos como Justo L. González y Mortimer Arias, biblistas más jóvenes como el ecuatoriano Juan Carlos Cevallos y el peruano Juan José Barreda. René Padilla editó también otros trabajos misiológicos en los que junto a un esfuerzo por articular una comprensión teológica de algunos aspectos de la misión cristiana, se presentan varios estudios de caso de diferentes países latinoamericanos que describen la práctica misionera actual y llevan a una reflexión sobre dicha práctica. Junto con Tetsunao Yamamori, Padilla editó en 2003 *La iglesia local como agente de transformación* (Ediciones Kairós, Buenos Aires, 2006) un esfuerzo por articular «una eclesiología para la misión integral», en el cual entre otros colabora la teóloga Nancy Bedford, quien ha venido explorando la perspectiva feminista. Los mismos editores publicaron luego *El proyecto de Dios y las necesidades humanas* (Ediciones Kairós, Buenos Aires, 2006) con dos capítulos sobre teología de la misión integral y siete estudios de caso de Paraguay, Argentina, Chile, Perú, Bolivia, El Salvador y Guatemala.

En el CLADE III de 1992 hubo un esfuerzo concertado por tocar los temas claves del Evangelio con una perspectiva que tomara en cuenta la historia de la salvación. Así las ponencias teológicas expusieron como aspectos del Evangelio temas como el perdón, la reconciliación, la comunidad de fe, la cultura, el poder, la justicia y la nueva creación. En esa oportunidad le tocó a Juan Stam presentar la ponencia «El Evangelio de la nueva creación» que los asistentes recibieron por anticipado. Luego durante el evento mismo Stam presentó una ponencia adicional incorporando los comentarios recibidos en el proceso de preparación y profundizando en varios puntos. Estas ponencias y su reflexión posterior se integraron en su libro *Las buenas nuevas de la creación* (Nueva Creación, Buenos Aires-Grand Rapids, 1995). Stam está convencido de que «La teología de la creación debe desempeñar un papel decisivo en nuestra visión del evangelio, de la misión, de la iglesia y de nuestro discipulado fiel como primicias, aquí y ahora, de la nueva creación.»[9]

Al acercarse el año 2000, el esfuerzo por hacer teología desde la historia de la salvación, en respuesta a un creciente interés en la escatología en muchas iglesias evangélicas, llevó a Stam a explorar la literatura profética en su siguiente libro: *Apocalipsis y profecía. Las señales de los tiempos y el tercer milenio* (Ediciones Kairós, Buenos Aires, 1998). En un comentario inicial sobre Bonhoeffer como teólogo y hombre de su tiempo y su momento, Stam expresa su convicción de que «El teólogo, más que un guru letrado en los sagrados e inescrutables misterios de la fe, debería entenderse como asesor y orientador de toda la comunidad de fe en sus tareas misioneras. Tiene que ser un especialista en interpretar la Palabra de Dios y las señales de los tiempos.»[10] El espíritu

---

9 Juan Stam, *Las buenas nuevas de la creación*, Nueva Creación, Buenos Aires-Grand Rapids, 1995, pp. 10-11.

10 Juan Stam, *Apocalipsis y profecía. Las señales de los tiempos y el tercer milenio*, Ediciones Kairós, Buenos Aires, pp. 9-10.

pastoral y docente del trabajo bíblico de Stam se echa de ver también en su comentario sobre el libro de Apocalipsis, del cual han aparecido ya tres tomos.[11] Por otra parte, el argentino Alberto Fernando Roldán nos ofrece un trabajo sistemático en *Escatología. Una visión integral desde América Latina* (Ediciones Kairós, Buenos Aires, 2002) en el cual ubica el tema de la escatología dentro de la teología europea contemporánea y en relación con las tendencias de la cultura latinoamericana. Pasa luego a ocuparse detenida y críticamente de las corrientes escatológicas predominantes en el ámbito evangélico latinoamericano, incluyendo una excursión creativa en la himnología.

La teología y el Espíritu Santo

Como sería de esperarse, al crecer la contribución de pensadores pentecostales al proceso de reflexión teológica, dicha contribución se centró en especial en el Espíritu Santo. Así en el CLADE III se pidió a dos teólogos pentecostales, Norberto Saracco de Argentina, y Ricardo Gondim de Brasil, ocuparse en sendas ponencias sobre «El Evangelio de poder». Ambos no se limitaron a exponer la teología del Espíritu Santo en la práctica pentecostal sino que mostraron cómo una exploración teológica podía dirigirse a la crítica de los abusos en el ejercicio del poder espiritual, tanto en la pastoral como en la participación política de los pentecostales. Ofrecí un resumen analítico de estos trabajos, desde la perspectiva misiológica, en el capítulo 10 de mi libro *Tiempo de misión*.[12]

---

11 Juan Stam, *Apocalipsis Tomo I (capítulos 1 al 5)*, Ediciones Kairós, Buenos Aires, 2da. ed., 2006; *Tomo II (capítulos 6 al 11)*, Ediciones Kairós, Buenos Aires, 2003; *Tomo III (capítulos 12 al 16)*, Ediciones Kairós, Buenos Aires, 2009.

12 Samuel Escobar, *Tiempo de misión*, Ed. Clara-Semilla, Guatemala, 1999, pp.138-141.

Como señalábamos líneas más arriba, al realizarse el CLADE IV en Quito, en el año 2000, el tema escogido fue «El testimonio evangélico hacia el tercer milenio: Palabra, Espíritu y Misión». Uno de los libros fruto de ese encuentro fue editado por René Padilla como *La fuerza del Espíritu en la evangelización. Hechos de los apóstoles en América Latina* (Ediciones Kairós, Buenos Aires, 2006). Contiene ponencias sobre la realidad social, cultural y eclesiástica de América Latina y también una serie de exposiciones bíblicas sobre pasajes escogidos del libro de Hechos de los Apóstoles. Destaca en este libro el trabajo exegético y contextual de tres jóvenes teólogas latinoamericanas: Angelit Guzmán del Perú sobre «¿Vino nuevo en odres viejos?», Rebeca Montemayor de México sobre «La comunidad del Espíritu como nueva humanidad» y Rachel M. B. Perobelli de Brasil sobre «Testigos en el poder del Espíritu hasta lo último de la tierra». Otro de los expositores bíblicos fue Eldin Villafañe, teólogo pentecostal hispano de Estados Unidos sobre «Espiritualidad cristiana y espiritualidades contemporáneas». Villafañe había publicado en 1996 su libro *El Espíritu liberador* que llevaba como subtítulo «Hacia una ética social pentecostal hispanoamericana».[13] En esta obra Villafañe se esfuerza por interpretar la realidad pentecostal hispánica de los Estados Unidos utilizando un paradigma neumatológico que aplica luego a la articulación de una espiritualidad social y de una ética social pentecostal.

Párrafo aparte merece la obra polifacética del teólogo pentecostal peruano Darío López, pastor de una iglesia en la periferia sur de Lima y dirigente reconocido del Concilio Nacional Evangélico del Perú (CONEP). El trabajo bíblico de López se puede apreciar en su primer libro *La misión liberadora de*

---

13 Eldin Villafañe, *El Espíritu liberador. Hacia una ética social pentecostal hispanoamericana*, Nueva Creación, Buenos Aires-Grand Rapids, 1996.

Jesús, que constituye una lectura misiológica del Evangelio de Lucas.[14] Su tesis doctoral *Los evangélicos y los derechos humanos* fue defendida en Inglaterra en el Oxford Center for Mission Studies. Se trata de una crónica interpretativa y documentada de la experiencia social del CONEP en el período de 1980 a 1992.[15] Fue la época en que la guerrilla terrorista de Sendero Luminoso se enfrentó con la represión indiscriminada de las fuerzas armadas del país, de lo cual resultaron víctimas miles de campesinos muertos o desplazados por la violencia. La respuesta de la comunidad evangélica y el CONEP fue más allá de las expectativas y limitaciones, demostrando la capacidad de la sociedad civil para responder y proveer salidas a una crisis social sin precedentes. Como señala el Prof. Alan Angell del St Anthony College de Oxford, López «escribe con la visión de un miembro de la comunidad, pero también con objetividad académica.»

La misma combinación de militancia comprometida con su iglesia y rigor académico por otra parte, caracteriza dos libros de López en los cuales analiza el movimiento pentecostal. En el año 2000 apareció su libro *Pentecostalismo y transformación social* (Ediciones Kairós, Buenos Aires) en el cual ha reunido trabajos que buscan enfrentar los estereotipos acerca del pentecostalismo en círculos académicos y teológicos con la realidad de los hechos comprobables en iglesias pentecostales. Dos años más tarde publica *El Nuevo rostro del pentecostalismo latinoamericano* (Ediciones Puma, Lima, 2002), una interpretación socio-teológica de nuevos desarrollos en el movimiento pentecostal. La inserción de los evangélicos del Perú en la vida pública motivada por la defensa de los

---

14 Darío López R. *La misión liberadora de Jesús*, Ediciones Puma, Lima, 1997.

15 La versión castellana se publicó como *Los evangélicos y los derechos humanos*, Centro Evangélico de Misiología Andino-Amazónica, Lima, 1997.

derechos humanos en la década de 1980 fue seguida de una abierta actividad política en la década de 1990. López ofrece una bien documentada crónica que es al mismo tiempo una evaluación ética que adquiere tonos proféticos en su libro *La seducción del poder*.[16]

Paul Freston, investigador brasileño formado tanto en sociología como en teología, ha venido acumulando un rico bagaje de investigaciones sobre pentecostalismo y protestantismo en general, especializándose en el ángulo de la participación política de las minorías religiosas. Los datos que la observación sociológica le permitía registrar con precisión, le ayudaban a entender la conducta política de los candidatos evangélicos, frente a los cuales se esforzó en articular también una docencia bíblica que en muchos casos ha sido profética en su esfuerzo pastoral y correctivo. Tal es el caso de su libro *Evangélicos na política brasileira: historia ambígua e desafío ético* (Editora Encontrão, Curitiba, 1994). Antes había contribuido un capítulo importante a un libro clave editado por René Padilla: *De la marginación al compromiso. Los evangélicos y la política en América Latina* (FTL, Buenos Aires, 1991). Docente en universidades de Estados Unidos, Canadá, Brasil y Portugal, en años más recientes Freston ha publicado importantes trabajos en inglés que son valiosos compendios sobre el tema de los evangélicos latinoamericanos y la política.[17]

---

16 Darío López, *La seducción del poder. Los evangélicos y la política en el Perú de los noventa*, Nueva Humanidad, Lima, 2004.

17 Paul Freston, *Evangelicals and Politics in Asia, Africa and Latin America*, Cambridge University Press, Cambridge, 2001; *Protestant Political Parties: A Global Survey*, Ashgate, London, 2004; *Evangelical Christianity and Democracy in Latin America*, Oxford University Press, New York, 2008.

Historia de la iglesia: historia humana

La combinación de militancia y rigor académico al describir e historiar la vida de las iglesias protestantes, es en cierto
modo una consecuencia del reconocimiento renovado de la
plena humanidad de Jesús en la teología. Tal reconocimiento
precede al reconocimiento de la plena humanidad de la propia
iglesia, que acepta así someterse al escrutinio de historiadores
y sociólogos, aunque éste sea a veces hostil e incomprensivo.
En años más recientes una nueva generación de historiadores
evangélicos ha venido trabajando en una historia crítica que
deja de ser simplemente una hagiografía, una colección de
vidas de santos, que no toma en cuenta el análisis sociológico
del contexto en que crecen las iglesias y de la propia evolución
de éstas. Señalábamos en el capítulo 11 que las teologías de la
liberación trajeron consigo una revisión histórica, bíblica y de
la praxis cristiana. En las tres últimas décadas del siglo veinte
la historia de los cristianos en América Latina es investigada
y replanteada desde una visión crítica de dentro y de fuera.
En ese sentido el historiador católico Enrique Dussel fue el
pionero de un trabajo que floreció en la Comisión de Estudios
de Historia de la Iglesia en Latinoamérica (CEHILA) en la cual
actualmente hay presencia protestante y evangélica.

Pionero de los estudios históricos en la FTL ha sido Sidney
Rooy, historiador estadounidense que pasó varias décadas
como profesor e investigador en Argentina y Costa Rica, de
quien tenemos el libro *Misión y encuentro de culturas* (Ediciones Kairós, 2001), sobre los pioneros del protestantismo
en América Latina. En varios de los volúmenes colectivos
dedicados a temas como el poder político o la educación
teológica, los trabajos de Rooy son un modelo de rigor académico y sensibilidad pastoral. En años recientes han florecido
nuevos esfuerzos por historiar la presencia protestante, entre

los que podemos apreciar trabajos de una nueva generación de historiadores como los mexicanos Carlos Mondragón, Carlos Martínez, Rubén Ruiz Guerra y Lourdes de Ita, el estadounidense Luis Scott, los peruanos Juan Fonseca Ariza y Tomás Gutiérrez, y el colombiano Pablo Moreno.

Señalo aquí algunas obras a manera de ejemplos ilustrativos, y sin ninguna pretensión de ser exhaustivo. Ruiz Guerra se ocupó del papel de la obra educativa metodista en la modernización de México en *Hombres nuevos. Metodismo y modernización en México* (1873-1930).[18] El tema de la modernización es también la materia del libro de Fonseca *Misioneros y civilizadores. Protestantismo y modernización en el Perú* (1915-1930),[19] que además de presentar un trabajo notable en fuentes primarias se abre con una valiosa reflexión sobre el protestantismo como objeto de estudio. Este libro lo publicó la Universidad Católica de Lima. Otra obra histórica publicada por una universidad católica es la de Pablo Moreno Palacios, *Por momentos hacia atrás...por momentos hacia adelante* (Universidad de San Buenaventura, Cali, 2010), y se trata de una historia del protestantismo en Colombia en el período 1825-1945. En el prólogo Jean Pierre Bastian señala que Moreno ha aplicado una metodología innovadora, ubicando la presencia protestante en el marco de la forma en que la secularización religiosa y la modernización iban transformando a América Latina.

Un acercamiento semejante se da en la tesis de Maestría en estudios latinoamericanos de Carlos Mondragón que se

---

18 Rubén Ruiz Guerra, *Hombres nuevos. Metodismo y modernización en México (1873-1930)*, CUPSA, México, 1992.

19 Juan Fonseca Ariza, *Misioneros y civilizadores. Protestantismo y modernización en el Perú (1915-1930)*, Pontificia Universidad Católica del Perú, Lima, 2002.

publicó con el título *Leudar la masa* (Ediciones Kairós, Buenos Aires, 2005) obra en la cual, utilizando el enfoque de la historia de las ideas o mentalidades, nos permite entender la evolución del pensamiento protestante latinoamericano en el período de 1920 a 1950, y su interacción con el catolicismo y el liberalismo. Por su parte Luis Scott publicó en 1994 *La Sal de la tierra: Una historia socio-política de los evangélicos en la Ciudad de México* (1964-1991), un trabajo cuidadoso en fuentes primarias que había sido su tesis doctoral en la Universidad Northwestern en Evanston, Estados Unidos.[20] Las crónicas periodísticas con el ojo atento del sociólogo y el historiador, publicadas en el diario *Uno más uno* son la materia prima del libro de Carlos Martínez García *Intolerancia clerical y minorías religiosas en México* (CUPSA, México, 1993), que da cuenta de la continua batalla por la información en un país donde no hay todavía completa libertad religiosa.

El tema del protestantismo de habla hispana en los Estados Unidos es material de un libro editado por Juan Francisco Martínez Guerra, Director del Departamento Hispano del Seminario Teológico Fuller, y Luis Scott, Profesor en el campus del Whitworth College en Costa Rica. Se trata de *Iglesias peregrinas en busca de identidad* (Ediciones Kairós, Buenos Aires, 2004). Martínez aclara que los primeros seis capítulos de este libro, relativos a diferentes denominaciones, no constituyen Historia como tal sino más bien el tipo de narrativa o relato que viene a ser el primer paso en esa dirección. Los otros seis capítulos del libro exploran diferentes aspectos de lo que podríamos llamar cultura evangélica hispana en los Estados Unidos. De allí el subtítulo de esta obra «Cuadros del protestantismo latino en los Estados Unidos».

---

20 Luis Scott, *La sal de la tierra*, Kyrios, México, 1994.

Finalmente en esta sección cabe mencionar una trilogía proveniente de la fecunda pluma de Justo L. González, historiador que ha trabajado intensamente para elevar la calidad académica y propiciar nuevas vocaciones de investigación y producción teológica entre los hispanos de Estados Unidos. Se trata de tres obras en las cuales este historiador reflexiona teológicamente sobre su propio menester y el quehacer de quienes trabajan en el campo de la historia del Cristianismo. En *Mapas para la historia futura de la iglesia* (Ediciones Kairós, Buenos Aires, 2001), González fundamenta la importancia de la geografía para la comprensión y el quehacer histórico y explora la forma en que los mapas contemporáneos reflejan las increíbles transformaciones que se han dado, como el surgimiento de lo que llama «el carácter policéntrico del cristianismo de hoy.» Su reflexión que toma claves del Salmo 46.1-3 es «una invitación a marchar hacia el futuro, en medio de los nuevos mapas que van surgiendo, guiados siempre por la brújula de la Palabra de Dios.» Me parece de importancia fundamental el capítulo quinto de esta obra en el cual el autor examina el tema de la catolicidad de la Iglesia y hace un planteamiento que puede ayudar en particular a los pensadores protestantes a articular una postura frente a la manera exclusivista en la cual la Iglesia Católica Romana articula su propio concepto de catolicidad.

A continuación, en *La historia también tiene su historia* (Ediciones Kairós, Buenos Aires, 2001) González reflexiona sobre la forma en que se ha venido escribiendo la historia de la Iglesia y los cambios recientes en ese proceso que han contribuido a desarrollar las perspectivas que tenemos hoy en día. En tercer lugar, *La historia como ventana al futuro* (Ediciones Kairós, Buenos Aires, 2002) es una colección de trabajos didácticos y pastorales expuestos en varias instituciones teológicas de Chile, Paraguay y Argentina. El hilo conductor de estos trabajos, nos dice su autor, es « la necesidad de relacionar la historia de la iglesia con la vida de la iglesia»: «Lo que aquí me interesa es sobre todo mostrar que la historia de la iglesia no es solamente el estudio de tiempos idos y personas ya fallecidas, sino un estudio que se emprende en el presente con miras al futuro, y que por tanto se relaciona estrechamente con la vida y la misión de la iglesia.»[21] Junto a estos trabajos de González tenemos una exploración en el tema de la filosofía de la historia, escrita por una persona que durante veinte años enseñó esa materia en la Universidad de Tucumán en la Argentina: Elsie Romanenghi Powell, *Interrogantes sobre el sentido de la historia y otros ensayos* (Ediciones Kairós, Buenos Aires, 2006). En un estilo meditativo y poético Elsie nos ofrece una reflexión cristiana en diálogo con pensadores de la actualidad que se han ocupado del tema.

Misión cristiana y responsabilidad social

Uno de los esfuerzos más ambiciosos para sistematizar el trabajo de las décadas más recientes en el campo de la responsabilidad social de los evangélicos es la obra en tres tomos de Humberto Fernando Bullón, estudioso peruano con una larga práctica en diferentes organizaciones de servicio y en diferentes países, a la cual une su formación de nivel superior en Agronomía, Economía y Teología. El título de la obra es *Misión cristiana y responsabilidad social* (Ediciones Kairós, Buenos Aires, 2008). El primer tomo se ocupa de Ética cristiana y responsabilidad social, en el cual desarrolla un paradigma ético; el segundo, *Historia de la iglesia y responsabilidad social*, en el cual se examinan una variedad de modelos históricos;

---

21 Justo L. González, *La historia como ventana al futuro*, Ediciones Kairós, Buenos Aires, 2002, p. 9.

y el tercero es *Transformación de América Latina y responsabilidad social* en el cual presenta varios estudios de caso de proyectos desarrollados recientemente en América Latina.

Una realidad vinculada a este mismo tema es la del trabajo misionero que se realiza entre comunidades indígenas. Fruto de varias décadas de práctica en el norte argentino es un libro que describe una obra misionera original, que sale de lo común en su intención, metodología y actitud. Se trata de *Misión sin conquista: Acompañamiento de comunidades indígenas autóctonas como práctica misionera alternativa* (Ediciones Kairós, Buenos Aires, 2009), por Willis Horst, Ute Mueller-Eckhardt y Frank Paul, quienes forman un equipo menonita que ha trabajado en la región del Chaco en Argentina. La obra trata de establecer un contraste entre las metodologías misioneras tradicionales que no han podido abandonar la idea de «conquista» y una aproximación que lee el material bíblico «desde abajo», desde la perspectiva del servicio al estilo de Jesús. El libro nos permite escuchar las voces de los indígenas mismos y no sólo las de los misioneros.

Un trabajo sobre las raíces históricas de la ética social evangélica es el de Federico A. Meléndez, Decano de la Facultad de Teología de la Universidad Mariano Galvez en Guatemala: *Ética y economía. El legado de Juan Wesley a la iglesia en América Latina* (Ediciones Kairós, Buenos Aires, 2006). Se trata de una lectura contemporánea de la herencia wesleyana del metodismo desde una perspectiva latinoamericana. Es interesante señalar que Meléndez, quien es de la Iglesia del Nazareno, representa una tercera aproximación latinoamericana a la herencia wesleyana. La primera fue la de Gonzalo Báez-Camargo en 1962,[22] y la segunda la de José Míguez Bonino desde una perspectiva afín a las teologías de la liberación en 1983.[23]

Continuidad generacional

Soy de la opinión de que tanto el estilo de liderazgo practicado en la Fraternidad Teológica Latinoamericana, como su estructura funcional, colegial y no jerárquica, han permitido una medida de continuidad generacional en el trabajo teológico, sin grandes confrontaciones o rupturas. Podría tomarse como una evidencia de ello la aparición de varios *Festchrifts* en la década más reciente. Empezamos por el que fue dedicado a Emilio Antonio Núñez, teólogo salvadoreño cuyo ministerio se desarrolló principalmente en Guatemala, pero que es conocido en todo el mundo de habla hispana. Lo editó Oscar Campos como *Teología evangélica para el contexto latinoamericano* (Ediciones Kairós, Buenos Aires, 2004) y contribuyeron doce colegas o exalumnos de Núñez. Cuatro capítulos están dedicados a temas relativos a la educación teológica, menester en el cual él se ha destacado. En Argentina el teólogo peruano Juan José Barreda editó *Diálogos de Vida* (Ediciones Kairós, Buenos Aires, 2006), una colección de trabajos teológicos y pastorales dedicados al pastor y teólogo metodista Jorge A. León, cubano residente en Argentina desde 1967. Activo en la FTL León es también conocido en el mundo de habla hispana por su obra consistente y sistemática en el campo de la Psicología Pastoral.

---

22 Gonzalo Báez-Camargo, *Genio y espíritu del metodismo wesleyano*, CUPSA, México, 1962 .

23 Se trata de cinco capítulos por José Míguez Bonino en José Duque, editor, *La tradición protestante en la teología latinoamericana. Primer intento: lectura de la tradición metodista*, DEI, San José, 1983.

Un tanto diferente es el caso del libro *Comunidad y misión desde la periferia*, editado por Milka Ridzinski y Juan Francisco Martínez (Ediciones Kairós, Buenos Aires, 2006), ya que los autores no son todos miembros de la FTL, aunque varios de ellos lo son. Es una obra dedicada a celebrar la vida y ministerio de Juan Driver, teólogo menonita que sirvió como misionero en Puerto Rico, Uruguay y España, cuyas obras son conocidas también en todo el mundo de habla hispana. Participó en la FTL y ha contribuido a difundir las perspectivas de la teología anabautista en América Latina. Considero especialmente valiosos sus libros sobre la eclesiología anabautista entre los que destacan *Pueblo a imagen de Dios...hacia una visión bíblica* (Clara-Semilla, Bogotá, 1991) y *Contracorriente: ensayos sobre eclesiología radical* (Editorial, Semilla, Guatemala, 1998). En la medida en que la situación de Cristiandad va declinando rápidamente en América Latina y España, la búsqueda eclesiológica que tendrán que emprender los teólogos protestantesse beneficiará de la eclesiología radical de los anabautistas.

A propósito de la herencia anabautista, un teólogo menonita del Paraguay ha publicado una valiosa introducción a la teología de casi 500 páginas. Se trata de Alfred Neufeld, *Vivir desde el futuro de Dios* (Ediciones Kairós, Buenos Aires, 2006). Neufeld nació en Paraguay y se educó en Europa y Norteamérica. Ha sido pastor y educador teológico en Asunción, y Decano de la Facultad de Teología de la Universidad Evangélica del Paraguay. La perspectiva desde la cual escribe se expone en la sección introductoria como un enfoque escatológico en el mejor sentido de la palabra. Neufeld demuestra su familiaridad con la historia de la teología y con el canon teológico evangélico, a partir de las preguntas propias de su contexto, que han sido también parte de la búsqueda teológica de la FTL. Cada uno de los siete capítulos de esta obra ofrece una referencia histórica, trabajo exegético en algunos pasajes bíblicos y el esfuerzo por vincular la reflexión con los problemas que enfrentan los cristianos en América Latina. Es evidente que la obra arraiga en la práctica pastoral y docente de Neufeld pero no es, ni en su contenido ni en su estilo, una obra exclusivamente menonita.

Me parece importante en esta sección considerar brevemente otro libro de homenaje editado por el biblista mexicano Edesio Sánchez Cetina y dedicado al teólogo Plutarco Bonilla Acosta quien, como señalábamos en un capítulo anterior, ofreció trabajo exegético pionero para la reflexión cristológica. Se trata de *Enseñaba por parábolas,*[24] que es un estudio del género «parábola» en la Biblia. En sus dieciséis capítulos han colaborado biblistas latinoamericanos, estadounidenses y uno de Curaçao, casi todos ellos vinculados a la labor de las Sociedades Bíblicas Unidas, y algunos de ellos miembros de la FTL. Señalábamos la importancia de un trabajo bíblico de calidad como fundamento de la reflexión teológica. Eso es lo que nos ofrece este libro al explorar el género parabólico tanto en el Antiguo como en el Nuevo Testamento, y al ofrecer ejemplos de interpretación de parábolas, a la luz de los avances en los estudios literarios y de las cuestiones suscitadas por las teologías contemporáneas.

Hacia una espiritualidad evangélica

Es ya un lugar común, especialmente en Norteamérica, decir que cuando los protestantes exploran el tema de la espiritualidad tienen la tendencia a dirigirse a fuentes católicas.

---

24 El libro no tiene pie de imprenta ni fecha pero se puede deducir del contenido que es aproximadamente de 2003 y que posiblemente se haya publicado en Costa Rica.

Posiblemente esto se debe a que la palabra «espiritualidad» como tal no ha formado parte del vocabulario protestante o evangélico tradicional, aunque hay que aclarar que hay una espiritualidad protestante, y diferentes tradiciones de cultivo de la vida espiritual asociadas a movimientos como el puritanismo, el pietismo o el metodismo. En el capítulo 5 señalamos a los escritos de la generación de Fundadores del protestantismo latinoamericano como Báez-Camargo y Estrello que escribieron trabajos que caerían en el campo de la espiritualidad. Así por ejemplo, la interpretación del metodismo que ofreció Báez-Camargo señalaba la relación entre la espiritualidad y la militancia social en la herencia wesleyana,[25] que Báez-Camargo identificaba en dos capítulos de su libro: «un entusiasmo racional» y «una piedad ilustrada». El biblista mexicano Mariano Ávila y el teólogo brasileño Manfred Grellert compilaron el primer tomo de una serie de publicaciones sobre espiritualidad y misión, con dieciséis trabajos de miembros de la FTL, agrupados en tres secciones: Conversión y discipulado, Espíritu Santo, espiritualidad y misión.[26]

En la primera década del siglo XXI han aparecido varios trabajos de teólogos evangélicos sobre el tema de la espiritualidad que son un esfuerzo de clarificación de lo que sea la espiritualidad a fin de presentar luego una propuesta específica. Harold Segura, teólogo colombiano de origen bautista, publicó primero *Hacia una espiritualidad evangélica comprometida* (Ediciones Kairós, Buenos Aires, 2002), preocupado por «el divorcio entre piedad para la iglesia y vida para el mundo; entre religiosidad individual y comportamiento social; entre

---

25 Gonzalo Báez-Camargo, *Genio y espíritu del metodismo wesleyano*, CUPSA, México, 1962.

26 Mariano Ávila y Manfred Grellert, comp., *Conversión y discipulado*, San José, 1993.

moral puritana y vida cristiana.» Describe con claridad la situación desde un punto de vista práctico:

> Somos conocidos por nuestras prácticas del ayuno, la oración y la lectura bíblica, por nuestros cultos emotivos, por nuestro afán evangelizador y por no fumar y ser abstemios, pero también –y eso es lo que preocupa– por no haber podido articular esa espiritualidad evangélica con los ámbitos particulares de la vida diaria, como la familia, la empresa, la escuela, la vida pública y la sociedad. Algo, entonces, debe andar mal.[27]

En diálogo con pensadores de la FTL, con teólogos protestantes y católicos de Europa, y con intelectuales latinoamericanos contemporáneos, Segura fundamenta su propuesta de la centralidad del Reino de Dios para una espiritualidad evangélica: «...el eje fundamental de nuestra espiritualidad debe ser la causa de Cristo, que es el Reino de Dios. El seguimiento de Jesucristo debe ceñirse al modelo del Maestro antes que a las expectativas de la iglesia institucionalizada o a las ansias de nuestra religiosidad legalista, o los deseos de autorrealización humana.»[28] Los trabajos reunidos en este libro exploran la encarnación como misterio y modelo, el ser iglesia para los demás, el papel profético del cristiano en la sociedad y una teología de los Derechos Humanos.

En *Más allá de la utopía*, Segura enfoca de manera más específica el tema del liderazgo de servicio y la espiritualidad cristiana.[29] Parte de la comprobación de que nuestra época se

---

27 Harold Segura Carmona, *Hacia una espiritualidad evangélica comprometida*, Ediciones Kairós, Buenos Aires, 2002, p. 9

28 *Ibid.*, p. 20

29 Harold Segura, *Más allá de la utopía. Liderazgo de servicio y espiritualidad cristiana*, Ediciones Kairós, Buenos Aires, 2006.

caracteriza por el resurgimiento de las espiritualidades por una parte, y por otra la imposición de una cultura gerencial en todos los ámbitos de la vida. Por su propia experiencia como pastor, educador y ejecutivo de instituciones evangélicas, Segura sabe que tanto en el campo de las espiritualidades como en el de la actividad gerencial se plantean preguntas legítimas que en última instancia llevan a la cuestión de lo que significa ser humano, y que si se responde siguiendo simplemente lo que está de moda, se corre el peligro de caer en actitudes, conceptos y prácticas que son una negación del modelo de vida que debemos imitar: Jesús. «En esa sed de espiritualidad y en esa hambre de eficiencia hay *semillas de misión* y *simientes de transformación*. Habrá que responder, no sólo reaccionar; tampoco asimilar, sin más. La *lucidez crítica* y el *diálogo sensible* serán de suma utilidad en la respuesta.»[30] Poniendo en práctica esas virtudes Segura explora el libro de Eclesiastés, la práctica y enseñanza de Jesús, la herencia de los Padres del desierto, el benedictismo, la espiritualidad como praxis de libertad de la herencia luterana y la espiritualidad en las teologías de la liberación. Organizado didácticamente, el libro incluye preguntas para la reflexión y selecciones de lecturas para cada uno de los temas tratados.

Por su parte, la propuesta de Juan Driver en su libro *Convivencia radical* busca, en primer lugar, aclarar el concepto de espiritualidad criticando un concepto «interior y espiritualizante... fundamentalmente individualista y privatizante.» Sostiene en contraste que

> La espiritualidad de los primeros discípulos de Jesús involucraba todos los aspectos de la vida. Para comprender la espiritualidad a la luz de la Biblia será necesario

---

30 *Ibid.*, p. 14

superar esas falsas dicotomías que nos dividen en dos
segmentos: la parte espiritual interior y ultramundana,
y la parte material, exterior y mundana. La espiritualidad cristiana no consiste en una vida de contemplación
en lugar de acción, ni de retiro en contraste con una
plena participación en la sociedad. Se trata más bien de
que todas las dimensiones de la vida estén orientadas
y animadas por el Espíritu de Jesús mismo.[31]

Driver dedica dos capítulos a la espiritualidad cristiana del
siglo I, y luego otros dos a la espiritualidad de los anabautistas del siglo XVI. Esta segunda parte es de interés especial
porque se suele pasar por alto ese importante aspecto de los
movimientos de Reforma radical, cuyo genio ha perdurado
en el estilo de vida y misión de los anabautistas del siglo XX,
tales como los menonitas y Hermanos. Nos recuerda Driver
que el movimiento anabautista es sólo uno entre muchos otros
movimientos de reforma radical que surgieron a lo largo de la
historia cristiana: «Orientadas sus raíces hacia Jesús y la comunidad cristiana primitiva del primer siglo, estos movimientos
han recuperado de forma notable –en sus propias vivencias y
en sus propios contextos históricos– espiritualidades notablemente similares a las que caracterizaban a las comunidades
cristianas del primer siglo.»[32] En su último capítulo, «Espiritualidades del siglo 21», reflexiona sobre las posibilidades de
un diálogo ecuménico de diversas espiritualidades presentes
en nuestro tiempo.[33]

---

31 Juan Driver, *Convivencia radical. Espiritualidad para el siglo 21*, Ediciones
   Kairós, Buenos Aires, 2007, p. 14.

32 *Ibid.*, p. 15.

33 He explorado la herencia anabautista en relación con el movimiento misionero desde América Latina en «Notas anabautistas para una misionología
   latinoamericana», en Milka Ridzinski y Juan Francisco Martínez, eds. *Co-*

Un pastor y teólogo brasileño de raigambre presbiteriana nos ofrece otra aproximación a la espiritualidad. Se trata de Ricardo Barbosa de Souza, *Por sobre todo cuida tu corazón. Ensayos sobre espiritualidad cristiana* (Ediciones Kairós, Buenos Aires, 2005). Barbosa explora el conocimiento y la experiencia de Dios partiendo de lo que ve como una carencia: «Sabemos mucho sobre Dios, teología, misión, ética, moral, alabanza, pero sobre nuestra experiencia personal y afectiva con Dios nuestro conocimiento es excesivamente pobre.»[34] En los trabajos aquí reunidos Barbosa expone especialmente el material bíblico y lo va ilustrando con citas de teólogos contemporáneos y del pasado e ilustraciones tomadas de experiencias diversas de nuestra época. Los temas que desarrolla son: Job, paradigma de la espiritualidad cristiana; trinidad y espiritualidad; el lugar del desierto en la conversión del corazón; redescubrir al Padre: la centralidad del Padre en la espiritualidad de Jesús; y comunión por la confesión. El estilo del libro revela un corazón pastoral y sensibilidad hacia las necesidades del cristiano común y corriente.

Teología narrativa

Una nota de esta época que se suele describir como posmoderna es el regreso a la narrativa como forma de comunicación. En mi experiencia de veinte años con la comunidad afroamericana de los Estados Unidos, o con las comunidades pentecostales en América Latina, he aprendido a apreciar el poder de la narrativa como medio de comunicación. Al fin y

---

munidad y misión desde la periferia, Ediciones. Kairós, Buenos Aires, 2006, pp. 147-164.

34 Ricardo Barbosa de Souza, *Por sobre todo cuida tu corazón. Ensayos sobre espiritualidad cristiana*, Ediciones Kairós, Buenos Aires, 2005, pp. 13-14.

al cabo fue el medio que más empleó el Maestro de maestros. La Palabra de Dios nos llega también en forma de ciclos de narraciones como los de Génesis o los libros históricos, y sin duda es el medio principal en los Evangelios y Hechos. Se aprecia en especial la narrativa cuando consigue retomar la fuerza expresiva del narrador bíblico, no con la idea de entretener a un público sino de trasmitir la verdad de la Palabra de Dios por ese medio, con todo su poder de confrontar, consolar, acompañar, desafiar, exhortar.

Aunque consciente de que puedo estar equivocado en mi intento de clasificación, me parece que hay dos libros que podrían ubicarse en esta categoría de teología narrativa. En primer lugar una obra refrescante del costarricense Plutarco Bonilla, a quien he mencionado líneas arriba, y cuyo título es en sí mismo desafiante: *Jesús,¡ese exagerado!* (CLAI, Quito, 2000). El autor ha reunido doce trabajos que fue elaborando a lo largo de los años, presentados a una variedad de públicos y publicados en revistas y periódicos de diferentes países. Como algunos de los títulos indican –«Jesús, ¡ese exagerado!», o «Y Jesús se equivocó»– Bonilla ha encontrado el ángulo sorprendente y hasta chocante. Se detiene en algunas escenas o dichos de Jesús, recrea ciertos momentos, llama nuestra atención a detalles olvidados o que podrían fácilmente pasarse por alto. Nos recuerda «el importante papel que juega la exageración (o hipérbole en léxico de preceptiva literaria) en la labor docente del Nazareno. El Maestro galileo era un consumado maestro en las artes narrativas y, de manera sobresaliente, en el empleo de este artificio literario.»[35] Siendo biblista, Bonilla ha trabajado los textos de manera concienzuda.

---

35 Plutarco Bonilla A., *Jesús, ¡ese exagerado!*, CLAI, Quito, 2000, p. xi.

A continuación tenemos de la pluma del brasileño Valdir Steuernagel, *Hacer teología junto a María* (Ediciones Kairós, Buenos Aires, 2006). Como con los brochazos de un pintor experto el autor toma en este libro ocho textos relativos a María en los Evangelios de Marcos, Lucas y Juan y en los Hechos de los Apóstoles, y pinta un cuadro sorprendente y elocuente. Una recreación contextual de los pasajes, matizada de vez en cuando por algún soliloquio de María, nos sorprende con la fuerza y la belleza del texto. Con ello Steuernagel ha querido encontrar algo así como un código de requisitos para el quehacer teológico. Nos recuerda que como María escuchó la voz del ángel, hay que escuchar los textos y examinarlos y que «la teología viene después, es cosa de un segundo momento».[36] Dice luego que «sólo entiende de teología quien ofrece el vientre...La María teóloga muestra el vientre grávido para ayudarnos a comprender que la teología madura en la espera activa del cumplimiento de la acción de Dios.»[37] Recordándonos el Magnificat dice que se trata de «Hacer poesía con la acción histórica de Dios... la teología es cosa de gente que aúna pasado, presente y futuro... y que se sabe al servicio de la germinación del mañana de Dios.»[38] Además «La teología necesita nacer en el establo... La teología necesita aprender de nuevo a deslumbrarse, a encontrar a los pastores y, con ellos, caminar hasta el establo.»[39]

En la introducción a su libro nos dice Steuernagel: «Mi intención no es quitarle al ejercicio teológico su rigor académico. Lo que quiero es más bien afirmar que debemos ir más

---

36 Valdir Steuernagel, *Hacer teología junto a María*, Ediciones Kairós, Buenos Aires, 2006, pp. 21-32.

37 *Ibid.*, p. 37.

38 *Ibid.*, p. 45.

39 *Ibid.*, p. 49.

allá de ese rigor. O sea, necesitamos poner el rigor teológico al servicio de la misión y devolver la teología al seno de la comunidad creyente.»[40] Por su parte, Plutarco Bonilla aclara también en la introducción a su libro antes mencionado: «No hemos pretendido en estos artículos hacer Cristología especulativa o filosófica. Nuestra única intención ha sido entender mejor el texto bíblico. A fin de cuentas, esa debe ser –según nuestro humilde saber y entender– la tarea del teólogo cristiano... Nada de lo que sigue fue escrito para el teólogo profesional. Ellos cuentan con abundantes recursos bibliográficos para ejercer su vocación.»[41] Tenemos en estos dos libros excelentes muestras de la creatividad latinoamericana puesta al servicio de la comprensión del texto bíblico y de su difusión entre el pueblo.

Acerca de la FTL

El trabajo teológico que se ha dado en el ámbito de la FTL ha llegado a llamar la atención de los estudiosos en diferentes partes del mundo. Al cumplirse los primeros veinticinco años de esta Fraternidad, dábamos cuenta de tres tesis doctorales y otras de maestría que para entonces se habían escrito en Europa y Estados Unidos.[42] En la década más reciente han aparecido tres estudios en profundidad acerca de la FTL, dos de los cuales fueron tesis doctorales. Aquí nos limitamos a mencionarlos brevemente para poner punto final a nuestro estudio.

---

40 *Ibid.*, p.12.

41 Bonilla, *op.cit.*, p. xiv.

42 Samuel Escobar, «La fundación de la FTL. Breve ensayo histórico» en *Boletín Teológico*, No. 59-60, julio-diciembre de 1995, pp. 7-25.

En Brasil, Luiz Longuini Neto, pastor en la periferia de Río de Janeiro y profesor en diversas instituciones teológicas metodistas y bautistas, realizó un estudio comparativo de los movimientos ecuménico y evangélico en el protestantismo latinoamericano del siglo veinte. Más que un análisis detallado de estos movimientos lo que nos ofrece es un acercamiento a la pastoral y la misión en el pensamiento de quienes han participado en ellos. De allí su título, *O novo rosto da missão* (Editora Ultimato, Viçosa, 2002, 303 pp.). Empezando con el Congreso de Panamá en 1916 el estudio avanza hasta el CLADE IV en Quito en el año 2.000, y detecta la evolución de los conceptos básicos sobre misión y pastoral, es decir el nuevo rostro de la misión.

Sharon E. Heaney es una estudiosa irlandesa que actualmente enseña en Oxford, y que pasó varios años preparando su tesis doctoral acerca de la Fraternidad Teológica Latinoamericana en la Universidad de Queens en Belfast. Trabajó en bibliotecas del Reino Unido y luego en el año 2003 investigó en Buenos Aires, Argentina, tanto en ISEDET como en el Centro Kairós, y en el año 2004 trabajó brevemente en España. El fruto de este trabajo es una obra de 292 páginas, *Contextual Theology for Latin America. Liberation Themes in Evangelical Perspective* (Paternoster, Milton Keynes, UK, 2008). Poniendo énfasis en el aspecto contextual del trabajo teológico de la FTL, Heaney describe el contexto latinoamericano y dentro de éste la presencia evangélica. Pasa luego a presentar de manera comparativa los métodos teológicos y la hermenéutica contextual en la FTL y en las teologías de la liberación. Identifica luego seis temas de la teología contextual latinoamericana, y termina describiendo la búsqueda de una teología contextual en tres áreas: Cristología, Eclesiología y Misiología, a cada una de las cuales dedica un capítulo. Este libro es hasta el momento el estudio sistemático más completo del esfuerzo de cuatro décadas de la FTL.

El estudioso colombiano Daniel Salinas se graduó como doctor en la Trinity International University y ha sido misionero y docente entre universitarios en Uruguay, Bolivia y Paraguay. Su tesis doctoral se concentró en la fundación y la primera década de la FTL, entre el CLADE I de 1969 y el CLADE II de 1979, y ha aparecido en forma de libro, *Latin American Evangelical Theology in the 1970´s. The Golden Decade* (Brill, Leiden-Boston, 2009, 229 pp.). Salinas ha investigado los entretelones personales e institucionales de misioneros, dirigentes evangélicos y militantes de la FTL en los años iniciales, lo mismo que las repercusiones internacionales de los debates que se iban generando. En esa década inicial el diálogo entre teólogos de la América de habla inglesa y la de habla castellana y portuguesa terminó por ser a veces un diálogo de sordos. El libro de Salinas ofrece un panorama ordenado que es útil para identificar cómo los mencionados entretelones han condicionado a veces el curso de la reflexión, y la articulación de conceptos.

Para quienes hemos sido participantes en el proceso que aquí se ha intentado describir, hay motivos de gratitud por estos libros que dan cuenta de lo que ha sido una aventura intelectual, al mismo tiempo que un esfuerzo por profundizar en lo que significa el seguimiento de Jesucristo, aquí y ahora en Iberoamérica.

CPSIA information can be obtained
at www.ICGtesting.com
Printed in the USA
BVHW050204260523
664932BV00012B/197